CALIGRAFIA DO AMOR

TÍTULO ORIGINAL *Love Lettering*

DIREÇÃO EDITORIAL Marco Garcia
COORDENAÇÃO EDITORIAL Thaíse Costa Macêdo
PRODUÇÃO EDITORIAL Camile Mendrot | Ab Aeterno
ASSISTÊNCIA EDITORIAL Luany Molissani | Ab Aeterno e Andréia Fernandes
PREPARAÇÃO Natasha Ribeiro | Ab Aeterno
REVISÃO Patrícia Vilar e Yonghui Qio Pan | Ab Aeterno
DIAGRAMAÇÃO Priscila Wu e Ana Clara Suzano | Ab Aeterno e Pamella Destefi
DESIGN DE CAPA Kristine Mills
FOTOGRAFIAS DE CAPA © Shutterstock
ADAPTAÇÃO DE PROJETO GRÁFICO Priscila Wu | Ab Aeterno e Pamella Destefi
FECHAMENTO Ana Clara Suzano | Ab Aeterno

Dados Internacionais de Catalogação na Publicação (CIP)
(Câmara Brasileira do Livro, SP, Brasil)

Clayborn, Kate
Caligrafia do amor / Kate Clayborn; [tradução Noadia Fialho]. – 1. ed. – Cotia, SP: VR Editora, 2023.

Título original: Love lettering
ISBN 978-85-507-0388-6

1. Romance norte-americano I. Título.

22-140223 CDD-813

Índices para catálogo sistemático:
1. Romances: Literatura norte-americana 813
Aline Graziele Benitez – Bibliotecária – CRB-1/3129

Todos os direitos desta edição reservados à
VR EDITORA S.A.
Via das Magnólias, 327 – Sala 01 | Jardim Colibri
CEP 06713-270 | Cotia | SP
Tel.| Fax: (+55 11) 4702-9148
vreditoras.com.br | editoras@vreditoras.com.br

kate clayborn

Caligrafia do amor

TRADUÇÃO
Noadia Fialho

EDITORA

Para minha mãe, que me ensinou tudo
o que sei sobre ser uma artista.

Capítulo 1

Aos domingos, trabalho com a fonte sem serifa.

Títulos em *bold*, porque é isso que o cliente quer, cada letra, com seus ápices e vértices, sem ultrapassar as linhas da pauta. Cada uma se alongando e se opondo e exigindo ser vista.

Tudo em maiúscula, não porque ela goste de gritar – pelo menos acho que não, embora tenha visto, uma vez, seu marido oferecer um gole de café para o filhinho deles, e o olhar que ela lhe lançou provavelmente fez todos os pelos de sua barba caírem dentro de doze a vinte e quatro horas. Não, acho que é porque ela não gosta de nada abaixo da linha descendente. Ela precisa de tudo em linha reta, sem distrações, nada que atrapalhe seu foco ou desvie seu olhar.

Tinta preta e cinza, isso é tudo o que ela está disposta a aceitar, e ela fala sério. Uma vez, alarguei o traço e adicionei uma delicada linha em ouro metálico às hastes, um visual quase *art déco* que pensei que ela toleraria, mas, quando abriu o *planner* – preto, A4, folhas pontilhadas, nada extravagante –, em menos de dez segundos o fechou, deslizando-o sobre a mesa em minha direção, a manga preta de seu suéter de caxemira obviamente fazendo parte da advertência.

– Meg – ela disse –, eu não pago para você fazer decoração.

Como se fazer decoração fosse o mesmo que colecionar pedaços de unha do pé ou ser uma assassina de aluguel.

Ela é uma mulher do tipo sem serifa.

Eu? Bem, na verdade, todas essas letras grandes, em *bold* e sem sentido não representam a marca Mackworth. Não é o meu habitual – o que foi mesmo que o *The New York Times* escreveu no ano passado? *Bizarro*? *Alegre*? *Brincalhão*? Certo, meu estilo habitual não é bizarro, nem alegre, nem brincalhão.

Mas posso fazer qualquer coisa com letras – isso também foi dito pelo *The New York Times* – e é para isso que as pessoas me pagam, então, aos domingos, é isso que faço.

Suspirei e olhei para a página à minha frente, estava usando meu lápis Staedtler mais antigo para padronizar e esboçar as letras

M-A-Y

(maio, assim mesmo, em inglês) para o próximo mês, letras grandes o suficiente para que o *A* cruze a linha central. É uma... uma palavra tão *curta*, sem muitas possibilidades, nada parecido com o que alguns dos meus clientes costumavam pedir: um belo motivo de primavera precedendo seu calendário mensal, grandes *swashes* e terminais de curvas súbitas, formando ditados alegres para inaugurar o mês que começa. Já havia feito quatro "Por onde for, floresça"; três "Flores de maio!" e um pedido especial, "Mês de maio sensual", feito por uma terapeuta sexual que tinha um escritório na Prospect Park West, e que uma vez me disse para refletir sobre a possibilidade de a minha vasta coleção de canetas ser um "símbolo" de alguma outra coisa.

– Além do meu trabalho? – perguntei, ao que ela habilmente levantou uma sobrancelha, como quem diz: "Sei que você praticamente não namora". O *planner* dela era em couro rosa-claro com um botão dourado, e eu esperava que ela percebesse a ironia da minha resposta.

Peguei, então, minha caneta favorita, uma Micron de ponta fina – não simbolizando, assim esperava, qualquer perspectiva de namoro futuro –, e bati ociosamente contra a desgastada bancada de madeira que me servia como estação de trabalho. A loja estava tranquila para um domingo, faltavam apenas trinta minutos para fechar. Os frequentadores habituais não costumam aparecer nos fins de semana, porque sabem que o local será invadido por visitantes vindos do outro lado da ponte ou por turistas que leram sobre a aconchegante papelaria do Brooklyn que Cecelia conseguiu transformar em uma atração imperdível, pelo menos para aqueles que querem fazer compras. Mas, esses também já haviam se ido há muito tempo, sacolas cheias de cartões bonitos, elegantes caixas de papel personalizado, canetas especiais, cadernos de couro, por vezes até alguns dos presentes caros de grife que Cecelia exibia na parte da frente da loja.

Quando trabalhava na loja com mais regularidade, eu apreciava os momentos de silêncio – a sala vazia, a não ser por mim, minha não simbólica caneta e qualquer papel que estivesse na minha frente. Criar era meu único trabalho, brincar com as letras, experimentar novas formas, revelar possibilidades.

Mas naquele dia, o silêncio não era tão bem-vindo. Pelo contrário, gostaria que alguns daqueles compradores de domingo voltassem, porque comecei a gostar de tudo aquilo – do barulho, das pessoas, das caras novas. No começo, pensei que era simplesmente a novidade de ficar longe do meu celular por tanto tempo – um hiato forçado daqueles círculos vermelhos de notificações que se acumulam em meus aplicativos de redes sociais, indicando as curtidas e os comentários nos vídeos que postava. Vídeos que eu costumava fazer por diversão, mas que passaram a apresentar principalmente propagandas dos patrocinadores. Eu exibindo canetas pincel que nem usava com tanta regularidade, eu movendo rapidamente a mão em um floreio perfeito, eu folheando as páginas grossas de algum *planner* de luxo que provavelmente acabaria doando.

Porém percebi que, na verdade, era mais do que ficar longe do celular. Era a distância da minha lista de tarefas principal, aquela que coloquei acima da escrivaninha no meu quarto, aquela que, apesar de escrita em letras bizarras, estava carregada de expectativa – meu maior e mais importante prazo chegando cada vez mais perto, e eu nem um pouco mais perto de cumpri-lo. Era o alívio de estar longe da atmosfera fria do meu apartamento, outrora acolhedor e cheio de risadas, agora preenchido com a polidez distante de Sibby, que me cortava como uma faca e me deixava inquieta, cheia de tristeza e frustração.

O silêncio na loja me pareceu pesado, segregador. Um lembrete de que qualquer raro momento de silêncio era repleto de pavor para mim, minha mente totalmente vazia de inspiração. Naquele momento, éramos apenas eu e aquela palavra, **M-A-Y**, e aquilo *deveria* ser fácil. Deveria ser claro e simples, feito sob medida e sem riscos, nada perto do trabalho que eu vinha evitando por semanas a fio. Nada que demandasse minhas ideias, minha criatividade, minha especialidade.

Sem serifa, em *bold*, tudo em maiúscula, sem brincadeiras.

Mas *senti* algo, olhando para aquela pequena palavra. Senti algo familiar, algo que estava tentando evitar.

Senti aquelas letras me dominando. Dizendo-me verdades que eu não queria ouvir.

***MAY**be*[1] *você esteja sofrendo um bloqueio*, as letras me diziam, e eu tentava afastá-las. Por alguns segundos, minha visão ficou turva, tentei imaginar o projeto de forma *decorada*, tentei imaginar o que faria se não tivesse que cumprir as promessas feitas ao cliente. *Acrescentar algo àqueles vértices largos? Brincar com o espaço negativo ou...*

***MAY**be você esteja solitária*, as letras interromperam meus pensamentos, e minha visão se aguçou novamente.

***MAY**be*, elas pareciam dizer, *você simplesmente não consiga fazer isso.*

Larguei a Micron e dei um passo para trás.

E, então, ele entrou.

♥ ♥ ♥

---

[1] N. T. A autora faz a junção de *May*, "maio" em inglês, com *be*, formando a palavra *maybe* que significa "talvez".

A questão é que as letras nem sempre me dizem a verdade sobre mim mesma.

Às vezes, elas me contam verdades sobre outras pessoas, e Reid Sutherland é – *era* – uma dessas pessoas.

Lembrei-me dele imediatamente, embora eu deva ter passado um total de apenas quarenta e cinco minutos em sua presença fria e silenciosa e tenha transcorrido mais de um ano desde a primeira e única vez em que o havia visto. Naquele dia, ele chegou atrasado – sua noiva já estava na loja para o que seria a última reunião de aprovação do trabalho que eu havia feito para o casamento deles. *Save the dates*, convites, marcadores de lugar, o programa da cerimônia – qualquer coisa que tivesse letras era comigo, e a verdade é que, naquele momento, eu estava quase desesperada para terminar o trabalho e ter uma folga. Eu era *freelancer* já há alguns anos antes de ir para o Brooklyn, mas, quando comecei a trabalhar exclusivamente para Cecelia, cuidando de todos os projetos de noivado e de casamento que passavam pela loja, meu trabalho começou a ficar famoso com uma velocidade tão excitante quanto estressante. As encomendas começaram a chegar tão rápido que tive que recusar um número considerável delas, o que pareceu apenas aumentar o interesse geral. Durante o dia, minha cabeça fervilhava com as exigências e os prazos de meus clientes; à noite, minhas mãos doíam de tensão e fadiga. Eu me sentava no sofá com uma compressa quente feita com um saco de arroz cru apoiado sobre a mão direita para aliviar as câimbras e respirava, colocando para fora o estresse das reuniões que, por causa das tensões da preparação do casamento, deixavam casais e futuros sogros irritadiços. Nessas horas, meu trabalho era sorrir, acalmar os ânimos e esboçar algo suave e romântico que agradasse a todos. Por vezes, cogitava comigo mesma se era hora de sair completamente do negócio de casamentos.

Com a noiva – Avery, loira e esbelta, quase sempre vestida com roupas *rosé*, creme, azul gelo ou qualquer outra cor que eu provavelmente estragaria com tinta ou café ou *ketchup* – tinha sido legal trabalhar: ela era focada e educada, tinha uma boa compreensão de si mesma e do que desejava, mas, ao mesmo tempo, estava disposta a ouvir as sugestões de Cecelia sobre o tipo do papel ou as minhas sobre as letras a serem utilizadas. Algumas vezes, em nossos encontros iniciais, perguntei sobre seu noivo, se ela gostaria que eu enviasse fotos do material por e-mail para ele ou se preferiria que marcássemos uma reunião de fim de semana, caso fosse mais fácil. Ela sempre acenava que não com a mão esquerda de dedos finos, aquela com a pequena ilha de gelo que parecia quase idêntica aos anéis de, pelo menos, três outras noivas com quem eu estava trabalhando naquela primavera, e gentilmente dizia:

– Reid vai gostar do que quer que eu goste.

Mas insisti em tê-lo presente na reunião final.

E me arrependi depois. Após conhecê-lo, após vê-los juntos.

Arrependi-me ainda mais depois.

Tínhamos combinado aquela reunião final para uma tarde de domingo, e agora parecia duplamente estranho encontrá-lo ali novamente, em outro domingo, minha vida tão diferente do que era outrora, embora eu estivesse na mesma loja, atrás do mesmo balcão, usando alguma versão do que sempre foi, basicamente, meu estilo estético – um vestido um pouco folgado, estampado, aquele, em particular, com minúsculas e adoráveis carinhas de raposa. Um casaco fino que, até uma hora antes, estava enfiado na bolsa, por isso, levemente amassado. Meia-calça azul-marinho e botas vermelhas de cano curto e salto baixo, que Sibby diria que faziam meus pés parecerem grandes, mas que também me faziam sorrir pelo menos uma vez por dia, mesmo Sibby não estando mais disposta a me provocar.

Da outra vez em que nos encontramos, ele estava usando o que as pessoas chamam de *business casual* e que eu, particularmente, chamo de "uniforme de cara mala": calça cáqui de sarja tão bem passada que parecia até engomada, camisa branca sob um suéter com decote em V azul-marinho, de corte fino e aparência cara. Um rosto de se olhar duas vezes, com certeza tão bonito que alguém se perguntaria se já o viu na televisão ou, talvez, por que alguém colocaria uma cabeça daquelas em cima de uma roupa que parecia um uniforme.

Mas agora ele parecia diferente. Mesma cabeça, com aquele maxilar quadrado e bem barbeado, maçãs do rosto altas que pareciam esculpir linhas profundas e sombreadas até o queixo, lábios cheios com cantos ligeiramente virados para baixo, um nariz ousado o suficiente para combinar com o resto de seus traços fortes, olhos azuis-claros e brilhantes sob um conjunto de sobrancelhas um tom mais claro que seu cabelo loiro-escuro e avermelhado. No entanto, ele não estava mais tão *business casual* do pescoço para baixo: camiseta verde-oliva por baixo de uma jaqueta azul-marinho que ia até a altura dos quadris, desbotada ao redor do zíper. *Jeans* escuros, bolsos na frente, nos quais suas mãos estavam enfiadas, com bordas levemente desgastadas, e não me pareceu o tipo de desgaste que vem de fábrica. Tênis cinza, um pouco surrado.

***MAY**be*, pensei, *a vida dele também esteja bem diferente agora.*

Porém ele disse:

– Boa noite.

O que me pareceu significar que ele ainda era um cara mala. Quem diz "boa noite"? Só se for seu avô quando você liga para ele em seu telefone fixo.

Senti que se eu dissesse um casual "oi" abriria alguma brecha no *continuum* espaço-tempo ou, pelo menos, iria fazê-lo querer endireitar a gravata que nem mesmo estava usando. Eu não deveria ter me deixado enganar pelas roupas. Talvez ele tivesse sido assaltado no caminho por um outro cara mala desonesto que precisava do *look* para uma reunião com o presidente.

Acabei me conformando em responder com um "olá", mas falei de modo leve e animado – *alegre*, se preferir – e tive certeza de vê-lo acenando com a cabeça. Como quem diz: "Ok, esse cumprimento é aceitável". De repente, então, imaginei como deveria ter sido o casamento dele. Provavelmente ele fez aquele aceno de cabeça quando o oficiante anunciou "eu vos declaro marido e mulher" e, em seguida, apertou a mão de Avery em vez de beijá-la. Mas ela nem deve ter se importado muito, pois seu batom continuaria irretocável como sempre.

– Bem-vindo a... – comecei a dizer, ao mesmo tempo em que ele falou novamente.

– Você ainda trabalha aqui? – ele perguntou no mesmo tom inexpressivo usado para tudo o que já tinha ouvido ele dizer anteriormente, mas, daquela vez, houve um ligeiro tom de surpresa.

Talvez ele soubesse alguma coisa do que andei fazendo desde que escrevi cada pedaço de papel para seu casamento.

Mas certamente ele não tinha como saber – *não mesmo* – a razão pela qual eu decidi que seu casamento seria o meu último.

Engoli em seco.

– Estou cobrindo outra pessoa – respondi. E, dessa vez, meu tom foi menos alegre. – A proprietária da loja está de férias.

Ele ainda estava em pé perto da porta, sob os brilhantes *tsurus* de papel que Cecelia havia pendurado no teto, próximo à entrada. Atrás dele, as vitrines estavam revestidas pelo novo papel de embrulho personalizado do qual ela havia me falado cerca de duas semanas atrás, quando passei pela última vez para comprar material. Era tudo tão colorido, uma celebração da primavera em tons de rosa, verde e amarelo pálido, um refúgio alegre dos tons acinzentados das ruas da cidade lá fora, e, de repente, parecia que um arranha-céu humano tinha invadido o local.

Isso me fez lembrar de uma daquelas verdades sobre Reid Sutherland.

Isso me fez lembrar de como ele parecia um tanto perdido no dia da reunião sobre o casamento. Um tanto triste.

Engoli em seco novamente, dei um passo à frente, peguei minha Micron que estava no meio do *planner* da minha cliente e me preparei para fechá-lo e colocá-lo de lado. Estava escrito **M-A-Y** e, então, me ocorreu outra coisa: o primeiro aniversário de casamento de Reid e Avery deveria estar chegando. A data do casamento era dois de junho, ele estava bem adiantado, mas me pareceu ser esse tipo de cara. Do tipo que tem um lembrete em seu celular e, certamente, era o tipo que seguia as regras também, todas as convenções. Papel é o presente tradicional de primeiro aniversário, e achei muito provável que era isso que o trazia ali. Achei muito fofo ele ter ido até o Brooklyn, até o lugar onde eles escolheram seu primeiro papel juntos. Ou onde ela escolheu, e ele meio que... piscou para isso, em um gesto que ela entendeu como de aprovação.

Senti uma crescente sensação de alívio. Afinal, havia uma *explicação* para ele estar ali. *Não era* porque ele sabia.

Ninguém, além de mim, teria como saber.

Tirei o *planner* da minha frente, acomodei as mãos sobre o balcão e olhei para ele, para oferecer ajuda. É claro que, diante de um pedaço de granito em forma humana, eu me via lutando para canalizar a informalidade alegre que sempre fez de mim um sucesso na loja e que tinha melhorado meu ânimo ao longo do turno daquele dia. Ridiculamente, só consegui pensar em frases que pareceram saídas diretamente de um livro de Jane Austen. *Precisa de auxílio, senhor? De que necessita esta noite? Qual de nossos pergaminhos mais o atrai?*

– Era de se esperar – ele disse, antes que eu conseguisse decidir qual pergunta fazer. – Você não precisa deste emprego, com todo o sucesso que vem tendo.

Ele disse isso sem olhar para mim. Sua cabeça ligeiramente virada, mirando a parede à sua esquerda, onde havia um mostruário com cartões de felicitações que Lachelle, uma das calígrafas regulares de Cecelia, tinha desenhado. Eles tinham cores brilhantes e ousadas – Lachelle costumava usar tons característicos de joias em seus projetos, adicionando pequenas contas com uma pequena pinça que ela empunhava como se estivesse fazendo uma cirurgia. Eu adorava seus cartões e tinha três deles pregados na parede acima da minha mesa de cabeceira, mas Reid nem parecia tê-los notado antes de voltar os olhos para mim.

– Vi o artigo na *Times* – ele continuou, acho que à guisa de explicação. – E a matéria no... – Ele engoliu em seco, preparando-se para alguma coisa. – *Buzzfeed*.

HAHAHAHA, pensei, ou talvez, vi: sem serifa, em *bold*, tudo em maiúscula, um fundo amarelo brilhante. Reid Sutherland percorrendo o *Buzzfeed*, os vinte *gifs* com minha imagem desenhando várias letras, que eles introduziram com legendas peculiares sobre como era quase pornograficamente satisfatório me ver desenhar um *E* cursivo perfeito com pinceladas tão suaves.

Suas pálpebras devem ter tremido em pequenas convulsões vendo aquilo. E, então, ele provavelmente limpou o histórico do navegador.

– Obrigada – respondi, embora não achasse que ele estivesse me elogiando. – Avery ficou muito orgulhosa. Ela se sente como uma pioneira tendo reconhecido seu talento e a contratado naquela época. Antes de você se tornar...

Ele parou, e nós dois parecemos preencher o espaço em branco: a calígrafa de *Park Slope*, era assim que eu passei a ser chamada. Foi isso que me tirou do negócio de casamentos, foi isso que a *Times* escreveu no final do ano anterior, foi isso que me fez participar de três videoconferências só naquele mês, foi isso que me levou o prazo que eu estava evitando naquele momento. Agendas, *planners* e calendários de mesa personalizados, talvez um calendário de parede desenhado a giz dentro das casas com tijolos à vista totalmente renovadas dos meus clientes mais obcecados por artesanato, aqueles que têm filhos pequenos com nomes como Agatha e Sebastian, aqueles com cozinhas de azulejos brancos tipo de metrô e flores frescas em suas mesas estilo casa de fazenda – mesas que nunca viram uma fazenda. Não é tanto que eu organizasse suas vidas, o que eu fazia estava mais para organizar suas rotinas – férias e feriados prolongados, compromissos e aulas de música – de modo que elas pareçam especiais, bonitas e descomplicadas.

– Você quer que eu crie algo para ela? – perguntei.

Não estava aceitando novos clientes nos últimos tempos, estava tentado priorizar aquela nova oportunidade, mas pensei que a ideia das bodas de papel era inteligente. Um *planner* personalizado, talvez. E, no fim, secretamente poderia lhe pedir desculpas na forma de um favor. Se fosse isso o que ele queria, não estaria me dando muito tempo para executar o trabalho, especialmente se quisesse que eu desenhasse o ano inteiro na página da frente, o que alguns clientes preferem. Normalmente eu mantinha uma agenda mensal para os clientes do Brooklyn, mas achava que Reid e Avery ficavam em Manhattan a maior parte do tempo, por isso eu teria que fazer essa encomenda com maior rapidez. Quando ainda estava noiva, Avery tinha um endereço elegante na East 62nd; ela era tão rica que eu não conseguia nem imaginar o quanto era.

Pela primeira vez naquela conversa, algo no rosto de Reid mudou, uma contração daqueles cantos virados para baixo em seus lábios. Um... sorriso? Acho que eu tinha esquecido o que são sorrisos desde que ele entrou na loja. Caramba! Mas mesmo aquele breve lampejo de expressão, de emoção, o transformou. O rosto de se olhar duas vezes se tornou um rosto de se olhar três vezes. Uma cara do tipo que você vê na rua e tira foto para mostrar para suas amigas depois.

Ele era muito alto. Excepcionalmente alto. E eu me odiei por me pegar pensando no simbolismo de minhas canetas.

Principalmente em se tratando de uma pessoa *casada*.

– Não – ele disse, e o quase sorriso desapareceu.

– Bem – respondi, ainda mais alegremente –, nós temos outros presentes e...

– Eu não estou procurando uma mercadora. – Ele me cortou.

Uma... *mercadora*?

De repente, foi ele quem fez uma rachadura no *continuum* espaço-tempo, ou talvez algum tipo de rachadura na minha fachada normalmente brincalhona. Na verdade, eu gostaria de ter um zíper em minha testa para abrir e soltar as Valquírias em cima dele. Seria uma surra pior do que a que ele levou quando foi assaltado pelo outro cara mala, isso eu podia garantir.

Pisquei por trás do balcão, ganhando tempo para minha irritação passar. Mas, então, antes que eu pudesse rebocar a rachadura, me coloquei na ponta dos pés e olhei exageradamente por cima de um de seus ombros (um de um par excelente, não que eu devesse me importar com isso) para a rua adiante, a brisa da primavera agitava suavemente o toldo verde-escuro de uma barbearia chique.

– Você chegou aqui em uma máquina do tempo? – perguntei docemente. Já com os calcanhares grudados no chão novamente, procurei seus olhos para ver sua expressão.

Vazio, inexpressivo. Sem raiva ou diversão. A pessoa mais sem serifa.

– Uma máquina do tempo? – ele repetiu.

– Sim, uma máquina do tempo. Porque ninguém fala "mercadora" desde... – *A época do papiro*, foi tudo o que consegui pensar, irritada. Então, arrematei com um extremamente decepcionante: – ... há muito tempo.

Acho que meus ombros caíram. Eu era horrível em confrontos, embora aquele homem, com seu rosto bonito e vazio, parecesse especialmente capaz de me fazer pelo menos querer tentar ter um desempenho melhor nesse campo.

Ele pigarreou. Sua pele clara combinava harmoniosamente com o tom avermelhado do cabelo loiro-escuro, e parte de mim esperava que ele ficasse vermelho de constrangimento, ou que tivesse alguma reação física que me fizesse lembrar o que vi nele tantos meses antes. Algo que me fizesse lembrar que ele não era uma nuvem escura do tamanho de um homem vindo em minha direção e que eu já pressentia estar tomando forma antes mesmo de ele entrar ali.

Mas sua tez permaneceu uniforme.

Talvez eu estivesse errada no dia da reunião com a noiva, ao pensar que ele parecia perdido ou triste. Pode ser que ele fosse apenas um interesseiro presunçoso e arrogante. Gostaria que pensar nele dessa maneira fizesse eu me sentir melhor sobre como agi, mas não fez, não de verdade. O que eu fiz foi tão...

Foi tão *arrogante*. Tão pouco profissional.

Mas eu já estava sem paciência, a despeito do erro que cometi, especialmente porque ele nem sabia o que fiz. Eu podia não ser boa em confrontos, mas era extremamente boa, nível especialista, em evitá-los. Podia colar um sorriso, terminar aquele turno para Cecelia e tirá-lo dali direto de volta para qualquer arranha-céu vigiado por porteiro em que ele morava com sua esposa chique que nunca tem manchas de *ketchup* nas roupas. Uma *mercadora*, pelo amor de Deus!

– De qualquer forma – disse, cerrando os dentes no que, esperava, parecesse algo próximo de um sorriso –, posso ajudá-lo com alguma coisa?

M-A-Y, pensei, na pausa que ele deixou pairar. Sem graça, sem graça, sem graça.

– Talvez – ele disse e, pela primeira vez, tirou as mãos dos bolsos.

E não acho que eu consiga dizer o que é que me fez perceber que *chuva* foi um eufemismo, que aquilo estava prestes a se transformar em um maremoto. Acho que não consigo dizer o que notei primeiro: o fato de ele não ter aliança na mão esquerda? O canto daquele papel grosso que ele começou a tirar de dentro da jaqueta? O acabamento fosco, de cor creme, que eu lembrava de ver Avery acariciando com o polegar e um sorriso satisfeito de lábios cerrados? O lampejo da cor – *das cores* – que usei na versão final, as trepadeiras e as folhas, a iridescência das asas que esbocei...?

Mas eu sabia. Sabia o que ele foi me perguntar.

MAY*be*, pensei, a palavra *talvez* ressoando como um eco e uma premonição.

Ele permaneceu calado até colocar uma folha de papel na minha frente.

O programa da cerimônia de casamento deles.

Assisti ao modo como seus olhos percorreram brevemente as letras, e sabia o que ele estava vendo. Sabia o que deixei ali; sabia como aquelas letras me dominaram.

Mas não imaginei que alguém mais pudesse ver.

Então, ele levantou os olhos e encontrou os meus novamente. Azul límpido. Um maremoto quando ele disse:

– Talvez você possa me dizer como sabia que meu casamento iria dar errado.

Capítulo 2

Pense em algo bizarro.

Não naquele momento, obviamente. Naquele momento era algo mais como: *Quão perceptível seria se eu vomitasse de estresse na lixeira embaixo deste balcão?*

Falo do programa que Reid colocou na minha frente. O programa que estava sugando todo o ar disponível da sala, lembrando-me da minha imprudência!

Aquilo era definitivamente bizarro.

Foi Avery que sugeriu o tema *Sonho de uma noite de verão*, inspirado em seu primeiro encontro com Reid. "Shakespeare no Parque?", ela perguntou, como se, possivelmente, eu nunca tivesse ouvido falar. Mas eu tinha. Sibby e eu tínhamos ido ao evento uma vez, logo que eu me mudei para Nova York – e quando ela ainda agia como minha melhor amiga e animadora-chefe/guia de turismo especializada. Eu não considerava esse um bom programa para um primeiro encontro, mas isso é porque, quando fomos, estava uns dez mil graus lá fora, e a peça encenada era *Troilo e Créssida*, que, para mim, é basicamente sobre tráfico sexual.

Pensando bem, *Sonho de uma noite de verão* é romântico, pelo menos em algumas partes. Florestas e fadas e casais copulando. E Avery parecia importante o suficiente para controlar os padrões climáticos, então, o encontro com Reid provavelmente foi perfeito.

Foi muito fácil desenvolver a caligrafia. Letras muito ornamentadas, com detalhes ilustrativos sobrepostos ou entrelaçados. Brinquei até não poder mais naquele trabalho, e todos para quem mostrei adoraram.

Exceto Reid.

Naquele exato momento, seu rosto lembrou muito a expressão que fez na primeira vez em que viu todas as provas, no dia em que nos conhecemos. A mim pareceu que ele fez aula profissionalizante de franzimento de sobrancelhas e que os cantos de sua boca tinham um botão "virar para baixo". Ele parecia hiperfocado. Definitivamente, não lhe passaria despercebido se eu vomitasse.

– Não sei do que você está falando – tentei responder, mas eu era tão ruim em modular minha voz quanto Reid era bom em controlar praticamente tudo em sua linguagem corporal. Foi quase caricatural; eu meio que esperava soltar um "Eu teria conseguido, se não fossem essas crianças enxeridas!", como os vilões do desenho *Scooby-Doo*. Minhas mãos estavam unidas com tanta força, os punhos entrelaçados se afastando do pedaço de papel como se aquilo fosse queimar minha pele caso me tocasse.

Já Reid não parecia nem um pouco relutante. Ele estendeu a mão – uma mão grande, de palma larga, dedos longos... *esqueça o simbolismo* – e colocou dois dedos no canto do papel. Não olhei para ele, mas esperava que a pausa significasse que ele estava repensando. Esperava que ele concluísse que o que viu não estava, afinal, realmente lá. Eu não sabia o que tinha acontecido entre ele e Avery, mas todo mundo sabe que separações podem ser confusas. Podíamos começar a procurar todos os tipos de razões pelas quais as coisas deram errado, certo? Dois anos antes, Sibby havia desenvolvido uma elaborada teoria sobre a razão pela qual o tocador de banjo com quem ela estava saindo não conseguia se comprometer: é porque o banjo teria um "som itinerante".

Mas aquela não foi uma esperança razoável, a julgar pela maneira como Reid olhava para o programa. Ele não era desses – ao contrário de mim – de mentir para si mesmo.

– Há um código neste programa – ele disse, ainda olhando para baixo. – Um padrão.

Ai, meu Deus! Meia hora atrás eu estava lamentando o silêncio de fim de dia na loja e, então, eu daria qualquer coisa por ele. Se Cecelia ouvisse aquilo, se algum comprador ouvisse aquilo – *Deus*, se aquilo vazasse nas mídias sociais – com toda certeza seria péssimo para a minha carreira! Aquelas videoconferências em que tinha feito todo tipo de promessa profissional que nem tinha certeza se poderia cumprir...

Aquilo certamente arruinaria tudo.

– Eu... – comecei a dizer.

Antes que eu pudesse tentar outra negação pouco convincente, sua mão se moveu, seu dedo indicador acompanhando a primeira linha do programa, segunda palavra: *Casamento.* A ponta de seu dedo estava exatamente em cima do "e", letra sobre a qual desenhei a primeira fada; ela estava virada para a esquerda, suas costas delicadas arqueadas contra o bojo da letra, suas asas cheias de veias – usei minha caneta de ponta mais fina para essa parte – ainda totalmente estendidas enquanto ela desce. Eu a fiz loira, assim como Avery, embora ela fosse pequena o suficiente para que nada em seus traços faciais sugerisse uma semelhança.

Seu dedo se moveu novamente. Segunda linha, na qual os nomes dos noivos apareciam lado a lado, unidos por um "&" em forma de videira, do qual eu fiquei particularmente orgulhosa. *Reid*, foi ali que seu dedo pausou, e ele apontou para o "R" do qual escorria a delicada gota dourada da poção do amor do Segundo Ato. Ali, aparecia um Puck travesso, pendurado na cauda da letra maiúscula, sua mão livre ainda estendida, como se tivesse acabado de espalhar o líquido mágico.

Terceira linha, lá estava o "r" de *Quatro estações*, em cujo ombro roçavam os cabelos longos e ondulados de uma Titânia adormecida, que flutuava suavemente logo acima da curva final.

E-R-R... começo a juntar as letras.

A mão de Reid continuou passeando sobre o papel. O "o" em *obrigado* mostrava outra fada corada e alegre fitando-nos através do bojo da letra, com um dedo sobre a boca sorridente, lembrando a todos, de forma bem-humorada, de ficarem quietos. Estava tudo espalhado em meio a muitas letras, mas ainda assim... lá estava.

E-R-R-O

– Há outros desenhos – eu disse. Ainda morrendo de medo de tocar naquela coisa, mas acenei com a cabeça em direção ao arco florido na primeira linha. Havia desenhos por toda parte, alguns deles até nas próprias letras ou dentro delas. As flores e videiras, o...

– Não como estes – ele observou, traçando a palavra escondida de baixo para cima, até chegar no primeiro "e" novamente. – Não é justo... – Ele tropeçou em outra letra, as rugas em sua testa pareciam quase uma trincheira naquele momento. Imaginei que ele não tenha tido muitas ocasiões, ao longo de sua vida, para falar sobre fadas. Não além de seu primeiro encontro com a ex-esposa. – Não... são personagens. É um padrão – ele concluiu.

– É aleatório. Uma coincidência.

Ao mesmo tempo em que disse isso, senti uma pontada de desconforto no estômago, algo diferente da sensação de náusea ocasionada pelo estresse. Já foi péssimo ter feito isso antes, agora estava tentando convencê-lo de que ele estava ficando louco? Aquilo era nojento! E me lembrou o enredo de *Troilo e Créssida*, ou talvez me lembrasse de algo mais pessoal.

– Não.

Foi a palavra mais enfática que ele pronunciou desde que havia entrado na loja. Seus olhos pularam do programa para mim, e ali estava. Era aquilo, foi aquilo que me fez pensar que Reid Sutherland parecia perdido, triste. *Aquela* expressão em seus olhos.

– Consigo ver a palavra – ele disse. – *Conheço* padrões.

Senti minha própria testa franzir diante da maneira como ele disse isso, como se eu tivesse sido burra a ponto de esconder a palavra *ERRO* no programa de casamento do cara que inventou o código Morse.

– Você não é banqueiro? – perguntei, lembrando vagamente de Avery dizendo algo sobre Reid trabalhar em Wall Street, lugar que, na minha cabeça, era um tipo de colmeia ocupada por um enxame de banqueiros, um bando de pessoas de terno preto e azul-marinho, com cifrões nos olhos em vez de pupilas.

– Sou analista quantitativo – ele respondeu, como se isso explicasse tudo.

– Um o quê? – perguntei.

Ele balançou a cabeça pesadamente e respondeu brevemente:

– Modelos matemáticos para otimização de investimentos. Gerenciamento de riscos. Números, código. Você sabe.

Não, eu não sabia o que ele queria dizer. Quando ele disse "modelos matemáticos", tudo o que consegui pensar foi na vez em que meu professor de geometria do primeiro ano do ensino médio construiu um cubo com massinha e canudos que ele pegou no refeitório. Mas imaginei que esse não era o tipo de trabalho que Reid fazia.

– Claro – respondi. Curiosamente, a mesma coisa que disse ao sr. Mesteller quando ele perguntou se eu tinha entendido sua explicação com a massinha e os canudos. Tirei D em geometria.

Então, houve um momento de silêncio. Provavelmente durou uma questão de segundos, mas pareceu uma eternidade, o programa no balcão entre nós como uma lápide com a nada divertida inscrição: "Aqui jaz tudo pelo que você trabalhou. Morto por sua própria mão incontrolável e intrometida".

Inspirei silenciosamente antes de falar de novo:

– Sinto muito pelo seu divórcio.

– Não houve divórcio. Eu não... não chegamos a nos casar.

Ok, esqueça a ideia de vomitar na lata de lixo. Melhor era eu me mudar para dentro dela como o lixo que eu era.

– Eu sinto mui...

– Não foi por causa disso – ele me interrompeu para responder, tocando o canto do programa novamente, antes de enfiar as mãos nos bolsos e dar um pequeno passo para trás. – Ou melhor, não foi *só* por causa disso.

Perguntei-me se seria possível levar um cobertor comigo para a lata de lixo. Definitivamente, não merecia um travesseiro.

– Mas ainda gostaria de saber. Queria saber como você soube.

Ele olhou para mim com aquele rosto severo, aqueles olhos tristes, e pensei em dar várias desculpas: *Estava falando de mim mesma. Sempre soube que era um erro trabalhar com casamentos. É um hábito antigo. Às vezes, nem percebo que estou fazendo isso. Não queria que isso acabasse no seu programa de casamento como aconteceu. Você e Avery formavam um belo casal.*

Quase consegui ver como a história se desenrolaria. Diria tudo isso mirando aquele rosto de se olhar três vezes, e ele saberia que metade era mentira, mas ele, reservado ou formal demais para pressionar, talvez tivesse a impressão de que não sou lá muito reservada ou formal, ainda assim... Ainda assim, eu sabia bem onde aquilo iria dar. Sabia bem como era fácil me esquivar de dizer coisas importantes.

Percebi, pelo jeito como ele pressionava a mandíbula – até suas orelhas pareceram mais rígidas de tensão –, que ele foi para me fazer essa pergunta uma única vez e, dada a minha resposta, acenaria com a cabeça (não exatamente em sinal de aprovação) e partiria. Eu, então, fecharia a loja e iria para casa. Ao abrir a porta, já diria logo para Sibby: "Você não vai *acreditar* no que aconteceu hoje..."

Não, nada disso. Não iria contar para Sibby, porque Sibby mal se dava conta da minha existência, a não ser na hora de pagar metade do aluguel e outras contas da casa. Em vez disso, contaria alguma mentira para Reid, ele iria embora e eu ficaria encarando fixamente aquele **M-A-Y** até meus olhos embaçarem, entrando em desespero por causa das minhas mãos rebeldes, do prazo que se aproximava e da minha inspiração perdida. Não, esperaria na loja até ter quase certeza de que Sibby havia ido se deitar, e só *então* iria para casa, remoendo todas as coisas que estava sentindo antes de Reid entrar pela porta, ruminando **MAY***bes* e talvezes até me afundar em uma crise pessoal e profissional, esperando para saber se aquele homem espalharia para todo o mundo o que fiz.

Então, em vez disso, desentrelacei minhas mãos e peguei o programa. Sem conseguir olhá-lo nos olhos, mantive o foco nas letras, as que só ele conseguiu ver. O padrão, o código. O erro.

– O que você acha de tomarmos um café enquanto conversamos sobre isso? – perguntei.

♥ ♥ ♥

Fomos a uma cafeteria na esquina da Quinta Avenida com a Berkeley. Havia uma mais próxima, a apenas um quarteirão e meio da loja, mas ela fechava cedo, e era também um lugar onde eu costumava encontrar clientes. Decidi ir àquela mais distante porque, embora significasse uma caminhada mais longa e, consequentemente, ficar mais tempo naquela situação embaraçosa, pelo menos seria menor a chance de alguém ouvir a conversa que estávamos prestes a ter, qualquer que fosse seu teor.

Claro que a caminhada foi ainda mais estranha do que eu esperava, completamente silenciosa, exceto por um momento de conversa incrivelmente embaraçosa ocorrida logo depois de eu ter trancado a porta da frente da loja e agarrado as bordas do meu casaco, enrolando-o apertado contra o corpo para me proteger do frio gelado de inverno que ainda cortava o ar.

Reid pigarreou e disse:

– Quer minha jaqueta? – Não foi de má vontade, mas soou mais como algo dito no piloto automático, mais ou menos como seu bem-educado boa-noite. Fiquei tão surpresa que respondi:

– Não seja *legal* comigo. – Então, ele fez outro aceno de cabeça e seguimos em frente fingindo sermos invisíveis um para o outro, até chegarmos ao nosso destino. Onde ele abriu a porta para mim.

Já em nossos assentos, ele parecia tão rígido quanto na loja, as costas e os (ainda muito bonitos) ombros retos, com os cotovelos junto ao corpo – *Deus o livre de colocá-los na mesa como uma pessoa normal!* Ainda conservando aquele leve ar de repulsa, Reid parecia desconfiado de todas as superfícies do lugar. Lançou um olhar em direção aos potes de vidro com biscoitos e bolinhos de chocolate cobertos com coco ralado como se fossem insetos mortos extremamente repugnantes exibidos em uma vitrine com o propósito expresso de enojá-lo. Quando perguntei que tipo de café ele queria, ele respondeu:

– Dado o avançado da hora, não acho prudente tomar café. – *O avançado da hora!*, pensei horrorizada.

Ele, então, pediu um chá.

Senti como se estivesse dentro de um filme de época.

– Vai demorar um tempo considerável para que eu volte à cidade – Reid disse, enquanto eu tomava o primeiro gole do meu café. *Má escolha*, pensei, *ficarei acordada a noite toda, mas o que mais eu poderia fazer diante de um* "o avançado da hora"? Aquela frase não parecia exatamente uma sequência lógica da sua frase anterior, até eu perceber que ele estava me impelindo a ir adiante com minha explicação.

– Hmmm – comecei, e imediatamente me contraí. Aquela mania de falar "hmmm" era um tique, algo que nunca tinha percebido que fazia com tanta frequência até começar a gravar vídeos para as redes sociais. O primeiro que gravei tinha "hmmm" praticamente a cada três palavras: "alguns calígrafos preferem, *hmmm*, um clássico lápis Blackwing Pearl, *hmmm*, com um bom, *hmmm*, grafite equilibrado"; precisei filmar quatro vezes para diminuir os "hmmms" a um nível tolerável.

No meu último vídeo não teve nenhum "hmmm" – prova de quão longe cheguei –, mesmo gravando de primeira.

Tentei novamente:

– Não sei se tenho uma resposta que seja satisfatória para você.

– Talvez não. – Ele levantou as mãos, indicando o lugar em que estávamos. Um gesto que dizia "já que estamos aqui, e depois daquela caminhada constrangedora, você pode pelo menos tentar!".

Ajeitei-me na cadeira, em uma tentativa malsucedida de desgrudar o tecido do vestido, que parecia colado em meu corpo por causa do suor frio que agora sentia. Pensei no que dizer, em como casualmente falar sobre a *impressão* que tive naquele dia, vendo-os (ele e Avery) juntos, sobre como me senti mais tarde, quando estava trabalhando no programa deles.

– Não é que eu nunca tivesse visto um dos noivos desinteressado antes – comecei. – Costumava participar de reuniões com casais em que o noivo nem mesmo tirava os olhos do celular para poder ver o projeto e formar uma opinião.

– E eu nem levei meu celular para a nossa reunião – ele contra-argumentou.

– De onde você vem, provavelmente não existem celulares.

No filme de época em que você vive, pensei. Mas ele respondeu:

– Sou de Maryland.

Não saberia dizer se ele estava brincando. Mas, se estivesse, não havia qualquer traço de humor em seu rosto para dar a dica. Tudo o que consegui ver foi que ele queria voltar ao que importava, nada da minha tagarelice habitual no trato com os clientes.

– Acho que pensei que você fosse... hmmm. Que você estava... ainda que finalmente tivesse vindo, você parecia ausente. Parecia muito infeliz e, honestamente... ela também. Ela nunca tinha me parecido triste antes, nas reuniões que fizemos apenas nós duas.

Ele recostou na cadeira. Talvez tenha sido a primeira vez que sua coluna entrou em contato com o encosto.

– Bastava um olhar para perceber que você não gostou de nada do que ela tinha escolhido, mas, daí, você piscou uma vez e apagou toda e qualquer expressão do rosto – concluí. Aquele vazio tinha me parecido muito familiar. Assisti àquele tipo de desconexão ensaiada entre meus próprios pais por anos e anos após suas brigas. – Ela queria que você também desse a sua opinião e ficou decepcionada quando você não disse nada.

– Sim – ele concordou, como quem apontava um fato. – Eu a decepcionei, muitas vezes.

Instintivamente, senti vontade de voltar atrás, de aparar as arestas cortantes daquela conversa e manter a paz.

– Olha, eu não o conheço. Nem você, nem ela. Pode ser que vocês tivessem tido um dia ruim ou, sei lá, talvez tivessem algum tipo de acordo sobre o funcionamento do seu relacionamento e eu entendi mal. Foi completamente errado da minha parte...

– Você não entendeu mal – ele retrucou rapidamente. Então, envolveu a xícara com as mãos, girando-a em um movimento preciso de noventa graus, como que para marcar o tempo.

Imaginando que ele tivesse concluído, encarei minha própria xícara e me surpreendi quando ele falou novamente, sua voz mais baixa agora, quase como se não estivesse falando comigo.

– Eu... seguia o fluxo. Ela conduzia e eu seguia, porque isso exigia menos esforço. Conosco era assim.

Pisquei do outro lado da mesa enquanto, em uma suave e pequena fonte Spencerian script, vi se desenhar, no espaço entre nós, a frase *Eu sei como é isso*, provavelmente a primeira centelha de criatividade que tive em semanas. Mas não disse nada, e tomamos nossas bebidas em silêncio. Como a minha era basicamente um desfibrilador em um copo, fui a primeira a ter energia para voltar a falar.

– Não fiz de propósito – disse com sinceridade, minha voz, como uma borracha, apagando aquela conexão em forma de texto entre nós. – Às vezes, simplesmente acontece, e só me dou conta depois – continuei. Senti uma estranha e desconhecida tentação de contar tudo a ele, de dizer: "Às vezes, as letras me dominam. Quando estou estressada, quando estou cansada, quando estou solitária. Quando tenho um bloqueio... não consigo desenhar de jeito nenhum ou, quando tento, acabo *falando* demais".

Mas de que adiantaria lhe dizer tudo aquilo? Não poderia significar nada para ele e, para mim, era doloroso demais. A última coisa de que precisava era que ele saísse espalhando essas coisas por aí, ainda mais depois de tudo pelo que trabalhei e ainda estava trabalhando. Achei que tivesse resolvido o problema quando parei de trabalhar com casamentos; achei que todo o esforço que colocaria em meu próprio negócio me daria uma sensação de responsabilidade, de controle.

Claro, continuaria trabalhando com os planos de outras pessoas, mas a ideia para os *planners*, a execução, a criação, eram minhas.

Porém havia começado a escorregar novamente, e em um momento extremamente crítico, mas Reid não precisava saber disso.

– Adorei fazer o trabalho – eu disse, de volta àquele tom alegre. – De verdade. A peça em homenagem ao seu primeiro encontro...

As rugas que mais pareciam valas retornaram à sua testa.

– Que primeiro encontro?

– Seu primeiro encontro com Avery. *Sonho de uma noite de verão.* Shakespeare no Parque? – indaguei.

– Esse não foi o nosso primeiro encontro. Nosso primeiro encontro foi um café no saguão do prédio onde fica o escritório.

– Ah... – A cafeteria começou a parecer um inferno para mim. Gostaria de tê-lo chamado para fazer qualquer outra coisa. Talvez para ir até uma daquelas máquinas de alimentos que você insere o dinheiro e ela entrega a comida, mas uma que vendesse remédio para dormir. Literalmente, qualquer coisa que não um eco de seu primeiro encontro com sua ex-noiva, cuja vida eu possivelmente arruinei.

– O pai dela organizou o encontro.

– Que... legal.

Não, não era legal, não a julgar pela forma como a vala entre as sobrancelhas desapareceu, substituída por uma única ruga, agora só na sobrancelha esquerda. "Você acha mesmo?", a Ruga Esquerda disse.

– Ele também é meu chefe.

– Meu *Deus*... – sussurrei. – Você foi *demitido*?

– Não, eu sou... – Ele piscou, olhando para seu chá novamente. – ... Valioso para ele. E o término foi amigável.

– Deve ser estranho. – Provavelmente, não mais estranho do que aquele encontro, mas ainda assim estranho.

Ele deu de ombros, um ligeiro levantar daqueles ombros largos, um gesto que pareceu descuidado e incomum nele. Inesperado.

– São negócios.

Ele parecia estar falando de trabalho, mas, de alguma forma, soou como se estivesse se referindo também a Avery, ao seu noivado com ela, ao término do relacionamento, por mais amigável que tenha sido.

– Peço desculpas por chamá-la de mercadora – ele disse, uma mudança de assunto abrupta o suficiente para eu precisar de um segundo para entender sobre o que ele estava falando. – Obviamente, eu acho você muito talentosa – completou.

A afirmação foi tão inusitada que soltei uma exclamação de descrença. Se nada mais ficasse claro naquela conversa extremamente dolorosa, seria justo dizer, pelo menos, que tive um instinto muito bom no que dizia respeito a Reid Sutherland, mas nenhuma parte de nossas interações, naquele dia ou um ano antes, indicava que ele achasse que eu tinha qualquer talento.

– Obviamente?

– Sim – ele respondeu. – Tudo estava... bem, Avery ficou muito satisfeita com seu trabalho.

– Mas *você* não. – Arrependi-me assim que a frase saiu da minha boca. O que eu estava fazendo? Tentando pescar elogios de um cara que, na verdade, eu precisava que se esquecesse da minha existência assim que saísse pela porta? Precisava que nunca mais pensasse no meu talento, considerando o que ele sabia sobre como esse talento foi utilizado.

– Eu fui... – Ele girou a xícara novamente, mais um quarto de volta. – Fui afetado por ele. Olhei para suas letras e... elas pareceram números para mim. Algo que consegui ler. Pareceram um sinal.

Eu sei como é isso, pensei. A primeira vez que vi – ou melhor, que *realmente* vi, em que realmente prestei atenção – uma letra desenhada à mão foi em uma placa antiga na cidade. E foi assim que me senti – senti que era algo que eu conseguia ler. Também percebi suas várias possibilidades. *Olha como essa letra tem tantas formas de* dizer *algo*, pensei. Secretamente, senti um estranho prazer ao ouvir Reid dizer aquilo sobre algumas das letras *eu* desenhei.

Mas não podia e não devia tomar o que ele disse – sobre meu trabalho tê-lo afetado – como um elogio. Fazer esse tipo de coisa é mesquinho, dissimulado, imaturo. Eu não deveria desenhar sinais secretos para as pessoas. Eu deveria escrever seus planos, *planos* que elas já fizeram para si mesmas.

Tinha que parar com aquilo. Precisava encontrar uma maneira de eliminar aquele hábito para sempre. Precisava voltar aos trilhos, sair do bloqueio criativo em que estava. Cumprir meu prazo, aquele que podia levar minha pequena empresa, ainda uma *startup*, para um outro patamar.

– Não farei isso de novo – eu disse, mais para mim do que para ele e, imediatamente, desejei que eu tivesse feito essa declaração apenas para mim mesma, no banheiro, em frente a um espelho, porque soou como se, com essa promessa, eu estivesse implorando pelo silêncio de Reid, e a forma como ele comprimiu ainda mais os lábios me indicou que ele não apreciou a extorsão.

– Garanto a você, não tenho interesse em falar com ninguém sobre isso nunca mais.

Essa foi sua promessa em retorno, acho – sua versão de "nunca contarei a ninguém" – e ela deveria me deixar feliz, ou pelo menos aliviada. Em vez disso, me senti em um filme de época com mafiosos.

Quando Reid fez menção de se levantar, tive uma estranha sensação de pânico por deixar as coisas daquele jeito, aquela promessa clandestina entre nós, e fiz a primeira pergunta que me ocorreu:

- Por que agora?

Ruga Esquerda, sua única resposta antes de se endireitar novamente na cadeira. Ele girou a xícara nas mãos, um quarto de volta, e olhou para mim.

- Quer dizer, por que veio falar comigo só agora, sendo que notou a mensagem já na época? Antes do... antes do casamento, quero dizer.

- Essa não era a coisa mais urgente na minha lista de afazeres - respondeu secamente. E, de alguma forma, ele conseguiu telegrafar diretamente para o meu cérebro todas as maneiras como eu provavelmente havia estragado sua vida: seu relacionamento, certamente; sua situação de vida e seu trabalho, possivelmente; suas amizades, talvez. - Acho que vim agora porque meu tempo está se esgotando - ele completou.

- Seu tempo está se *esgotando*? - repeti essa última parte em voz aguda, quase histérica. Há algo de *errado* com ele? Estou na lista de afazeres desse homem? Meus globos oculares pareciam parte de um filme 3D, saindo das órbitas e pulando por cima da mesa diretamente para o seu rosto.

Por favor, que não haja nada de errado com ele, pensei com um fervor surpreendente.

- Ah, não... - ele respondeu rapidamente, obviamente desconcertado pelos meus olhos 3D. - Provavelmente, até o fim do verão irei embora de Nova York - ele me explicou.

- Ah. Sinto muito.

Sinto muito? Pelo que exatamente? O fato de ele sair da cidade seria bom para mim! O único desfecho melhor que esse seria se Reid desenvolvesse uma amnésia espontânea e altamente específica que apagasse de seu cérebro toda e qualquer memória relacionada a mim e a seu programa de casamento.

Ele fez um leve ruído e disse:

- Eu não...

– Você não gosta de Nova York? – questionei.

– Odeio Nova York.

O modo como ele disse aquilo quase me fez recuar. *Bold*, sem serifa. Sem maiúscula, mas ***odeio*** estava em itálico. Não era um inofensivo "Odeio essa música" ou "Odeio esses bolinhos de chocolate empanados com coco ralado". Não era um desses ranços insignificantes que mal dão peso à palavra. Quando Reid Sutherland disse que odiava Nova York, ele falou muito sério.

– Por quê? – perguntei. Na minha cabeça, vi um divertido arranjo de letras me perguntando "por quê?", por que me importava com aquilo? Não era natural, para mim, pressionar alguém daquele jeito, ou *querer* pressionar daquele jeito. Normalmente, eu mantinha as coisas leves, alegres.

Mantinha a paz.

Mas tudo entre mim e Reid parecia um pouco inusitado.

Ele ainda segurava a xícara nas mãos, mas não a girava, ainda não, e senti que, quando o fizesse, seria o fim daquilo, seja lá o que *aquilo* fosse. Ele torceu os lábios e, mesmo não tendo a mais vaga ideia do que seu trabalho envolvia, tive a sensação de que aquela era a expressão que ele usava enquanto calculava um daqueles modelos matemáticos.

E a mesma que ele usou quando olhou para as minhas letras pela primeira vez.

– Vamos dizer que não tem sido fácil para mim entender este lugar – explicou, finalmente. Ele, então, girou a xícara uma última vez e ergueu os olhos para mim. – Não tem aparecido muitos sinais para mim por aqui.

Tive uma tremenda e repentina vontade de protestar. *Mas há sinais por todos os cantos! Placas de rua, letreiros de lojas, outdoors, anúncios de metrô, adesivos, grafites...*

Claro que eu sabia que não foi isso o que ele quis dizer, mas era parte do que a cidade significava para mim.

Antes mesmo que eu conseguisse organizar meus pensamentos, ele se levantou, segurando a xícara e o pires com uma mão.

– Fico grato pela mensagem, acho – disse. E, então, estendeu a mão livre. Automaticamente apertei-a e senti a força quente e seca de sua palma envolvendo a minha, um gesto que, para mim; e apenas para mim, com certeza; pareceu assustadoramente impróprio. *Ainda bem que nunca mais o verei, porque são sentimentos altamente inadequados para se ter por este homem em particular*, pensei.

Ao soltar minha mão, ele me deu um daqueles acenos devastadores.

– Adeus, Meg – disse. E, após uma parada para depositar a xícara e o pires no balcão, Reid Sutherland, alto, rosto de se olhar três vezes, passageiro de uma máquina do tempo, saiu pela porta.

Capítulo 3

Acordei em meio a três coisas incomuns: uma dor de cabeça que mais parecia uma ressaca, o celular pressionando meu ombro esquerdo e sons que indicavam que Sibby ainda estava no apartamento.

Graças ao espresso da noite anterior, minha cabeça estava latejando. E, graças a ele também, fiquei acordada até às três e meia da madrugada, terminando o calendário no qual estava travada, determinada a manter a promessa que fiz para mim mesma – sem truques, sem códigos, sem sinais.

Tentei dormir, mas foi inútil. Minha cabeça estava cheia com as palavras, as maneiras, os ombros e o rosto de Reid Sutherland, minhas mãos coçando de necessidade de continuar avançando em meu novo projeto. E, então, outro bloqueio criativo chegou (**MAY***be... Talvez eu tenha perdido o jeito*), mas continuei trabalhando até tarde, como se estivesse pagando penitência, riscando item por item da minha lista de tarefas, primeiro sentada à pequena escrivaninha que ficava abaixo da única janela do meu quarto e, então, por fim – e estranhamente – na minha cama. Fiquei deitada no escuro com meu celular, digitando respostas genéricas, mas amigáveis, aos comentários dos meus vídeos mais recentes (*beijinhos, obrigada! – M; continue praticando! bjs – M; tente usar uma sombra de fonte maior! <3 M*), agendando postagens, organizando algumas entregas dos *planners* que terminei no fim de semana.

Normalmente, mantinha uma regra rígida sobre trabalhar dessa maneira, fazendo o melhor que podia para seguir todos os conselhos sobre não passar muito tempo em frente à tela na parte da noite e sobre definir limites entre trabalho e vida pessoal. Enfim, coisas básicas, principalmente para quem costuma trabalhar em casa. Mas, na noite anterior, fiz de tudo para tirar aquele encontro com Reid da minha cabeça.

Elas pareceram um sinal, ele disse.

Rolei para o lado e desgrudei o celular da minha pele (Reid claramente não havia saído da minha cabeça, já que imaginei a cara de desgosto leve a moderado que ele faria vendo aquilo). Apertando os olhos em direção à tela, vi que já eram nove e meia, o que confirmou minha suspeita de que era muito tarde para Sibby ainda não ter saído para o trabalho em plena segunda-feira, uma vez que geralmente ela saía de casa às sete. Instintivamente, sentei na cama e peguei o moletom pendurado no encosto da cadeira. Ainda estava enfiando o blusão pela cabeça e afastando uma nuvem de *frizz* do rosto no momento em que abri a porta.

Sibby estava a caminho do sofá com o notebook em uma mão e uma caneca de café na outra. O cabelo preto encaracolado estava preso em um coque descuidado no alto de cabeça, o rosto, sem sinal do delineador gatinho e do batom vermelho que ela usa todo santo dia, independentemente de as crianças de cinco e sete anos, com as quais ela passa a maior parte de suas horas acordada, estarem se importando com a sua aparência. Mas Sibby adorava um rosto dramático, sempre amou, por isso fiquei chocada ao vê-la daquele jeito àquela hora do dia.

– Você está bem? – perguntei, ainda grudada ao chão no pequeno espaço em frente à porta do meu quarto, que Sibby e eu costumávamos brincar que levava à "ala de dormir" da casa. Quando nos mudamos, aquele apartamento parecia uma mansão de luxo se comparado aos outros lugares em que moramos na cidade.

– Sim, estou bem – ela respondeu, colocando seu café na mesa e se acomodando em uma ponta do sofá, o *notebook* apoiado no berço que suas pernas formaram quando ela as cruzou embaixo de si. Pelo jeito, não haveria maiores explicações, mas sua presença em si já era chocante, visto que ter algum tempo sozinha, em casa, com Sibby, ainda mais sem ela se trancar no quarto, agora, era raro. E ela nem havia colocado os fones de ouvido!

Senti surgir a familiar onda de esperança, como tantas vezes nos últimos meses, desde que aquele abismo havia se aberto entre nós. *É agora*, pensei. *É agora que vamos resolver qualquer que seja o problema entre nós. É agora que as coisas voltarão ao normal.* Atravessei a sala de estar e parei em frente à geladeira, que fica colada à porta de entrada - sim, o apartamento é maior, mas ainda temos que usar um quarto da sala de estar como cozinha - para pegar um copo de iogurte. Naquele momento, mantínhamos nossas coisas separadas, como se houvesse uma linha dividindo as prateleiras na metade, o que não fazia o menor sentido, especialmente porque comprávamos praticamente as mesmas coisas e na mesma mercearia.

- Você não está atrasada? - perguntei, como quem não queria nada.

- Tirei a manhã de folga. Tilda vai preparar as crianças e levá-las para a escola.

- Será um desastre - observei, retomando nosso antigo hábito de falar mal da chefe de Sibby que, embora não trabalhasse, conseguia dar um jeito de ficar de doze a quinze horas fora de casa todos os dias e parecia não ter a menor noção da rotina de seus dois filhos. Da última vez que Sibby ficou doente, Tilda esqueceu que seu caçula tinha intolerância à lactose e, para evitar um ataque iminente de birra, permitiu que ele tomasse sorvete. As consequências foram sentidas por um longo tempo.

Mas Sibby respondeu apenas:

- Ela lida bem com eles. - Havia um traço de censura em sua voz, como se ela precisasse defender uma mulher que uma vez a fez passar a noite no trabalho e dormir na banheira do banheiro mais próximo ao quarto de Spencer, para a eventualidade de ele ter outro pesadelo com *Frozen*. Mais uma coisa da qual ela me excluiu. Eu já não era digna nem mesmo do bom e velho "meu trabalho é uma merda".

– Sim, claro – eu disse, porque basicamente passei a concordar com qualquer coisa que ela se dignasse a falar comigo.

Segui o fluxo, ouvi a voz de Reid tão clara em minha mente que acelerei o ritmo, tentando afastá-la com o tilintar de talheres na gaveta, o barulho do copo sendo colocado com mais firmeza do que o necessário no balcão e uma sacudida desnecessária na caixa de granola. Meu rosto corou e, naquele momento, me senti grata por Sibby me evitar tão escancaradamente. Qualquer que fosse a razão pela qual ela estava no mesmo cômodo que eu, aquilo não duraria e, certamente, ela logo voltaria para o quarto ou entraria no banho.

Mas, em vez de sair, ela disse:

– Meg. – E sua voz quase, *quase* soou como antigamente, soou quase trivial. O som do seu nome na voz da sua melhor amiga com certeza é um dos melhores sons que existem. Fiquei contente por não estar colocando a granola no pote quando ela me chamou.

– Sim?

– Queria falar com você sobre uma coisa.

Finalmente, pensei, novamente aquela onda de esperança, quase um redemoinho agora, eu gostaria de estar mais preparada. Nos primeiros meses depois que Sibby começou a se afastar – não ficando em casa com tanta frequência, respondendo minhas mensagens de forma cordial, mas distante, rejeitando convites para assistir a um programa favorito ou visitar um bar ou restaurante do bairro – tentei nos reconectar diversas vezes. A princípio de maneira leve, fazendo piadas sobre como ela andava sempre ocupada. Uma vez deixei um bilhete em forma de nota de resgate desenhado à mão colado na porta de seu quarto: *Temporada final de* A despedida *hoje à noite ou seu suéter de caxemira vai para a secadora*. Mais tarde, fiz tentativas mais sérias de falar sobre o assunto, um esforço que me fazia suar e entrar em pânico, mas Sibby continuava me dispensando com uma resposta risonha e evasiva. "Estou apenas ocupada, Meg! Você se preocupa demais", ela me dizia, com um abraço rápido ou uma promessa de encontrar tempo em breve, o que sempre me fazia sentir ligeiramente melhor e ligeiramente insatisfeita, uma familiaridade inquietante em suas rejeições. Conhecia Sibby bem demais para acreditar que tínhamos chegado à raiz do problema, qualquer que fosse ele, mas, depois de tantos meses, me tornei passiva, presa a um medo antigo e doloroso do que minha insistência poderia ocasionar.

– E aí? – Inclinei-me contra o balcão, de modo a ficar de frente para ela, todo o espaço de nosso apartamento entre nós. Tinha certeza de que era o movimento certo; não muito ansioso, sem pressionar muito.

– Você conhece Elijah, certo?

A pergunta era absurda. Ele vinha dormindo no apartamento três noites por semana nos últimos três meses; claro que o conhecia. Sabia até a marca de seu barbeador. Francamente, com a espessura daquelas paredes, eu estava bem familiarizada com os ruídos que não são para consumo público!

– Claro – respondi casualmente, mas por dentro já estava me preparando, porque sabia, por meio de uma das minhas poucas conversas de mais de cinco minutos com ele, que ele preferia nosso apartamento ao seu estúdio em Bed-Stuy. Então, provavelmente, seu contrato havia acabado e ele queria ficar conosco por um tempo. Mas essa história de dormir três noites por semana já havia sido uma concessão, principalmente porque, quando ele estava no apartamento, eu ficava o tempo todo com medo de estar interrompendo algo apenas com minha respiração. Preparei-me e aguardei o grande pedido.

– Nós vamos morar juntos – Sibby continuou.

Quase derrubei o iogurte.

– Conseguimos um lugar no Village. Não muito longe daquele restaurante de frutos do mar que você gosta...

Que. Porra. É. Essa?, pensei.

Sibby continuou falando, algo sobre metragem quadrada pequena, mas uma cozinha moderna, porém mal ouvi sua voz. Ainda estava tentando assimilar a mensagem principal: ela estava indo morar com um cara com quem estava namorando há alguns meses, ela estava saindo *do apartamento*, saindo do Brooklyn, ela teve a ousadia de fazer referência a um restaurante de frutos do mar que apenas *visitei*, e isso em um encontro tão esdrúxulo que merecia um artigo inteiro na *Cosmo*.

– Mas não se preocupe, fico aqui até o final do verão, estou apenas avisando para que você tenha tempo de se preparar.

Não consegui fazer nada além de olhar fixamente para um ponto qualquer.

– Imagino que você não vá procurar outra pessoa para dividir o apartamento – ela continuou. – Mas queria avisá-la o quanto antes. Você poderá ficar com meu quarto e fazer um escritório no seu, administrar seu negócio daqui, certo?

Administrar meu negócio?, pensei horrorizada. Sibby não sabia nada sobre o meu negócio, sobre quantos clientes regulares consegui desde o artigo do *Times* e, definitivamente, não sabia nada sobre o enorme potencial do contrato que eu estava tentando conseguir, e que, a partir daquele momento, precisava fechar de qualquer jeito se quisesse ter alguma esperança de conseguir bancar aquele lugar sozinha, mesmo que temporariamente. Claro, estava indo bem com os clientes, tinha alguns patrocinadores regulares para minhas mídias sociais – mas era uma artista de vinte e seis anos morando em uma das cidades mais caras do mundo!

No que ela estava *pensando*?

Eu mal conseguia processar sobre o que estávamos falando, mal conseguia processar o tom transacional daquela conversa. Não iríamos falar sobre o fato de que morávamos juntas naquela cidade desde os dezenove anos, que cada grande mudança que fizemos – apartamentos, empregos, troca de lavanderia – fizemos em conjunto? Que haveria um corpo inteiro de água nos separando agora?

Já não temia mais derrubar o pote de iogurte, o maior risco agora era esmagá-lo. Respirei fundo e tentei me acalmar.

– E o seu trabalho? – perguntei.

Sibby acenou com a mão e respondeu:

– Vou começar com uma nova família depois do Dia do Trabalho. Já está tudo acertado.

– Mas você ama os Whalens! – protestei debilmente. Tilda não, mas aquelas crianças, Sibby deu todo o seu amor a elas nos últimos quatro anos em que trabalhou para os Whalens.

Sibby abaixou os olhos e esfregou a borda externa de seu *notebook* com o polegar.

– Eles vão ficar bem. Em breve, Spence ficará na escola em tempo integral. E, de qualquer forma, pretendo trabalhar como babá por, no máximo, mais um ou dois anos, afinal, esse nunca foi meu sonho.

– Você recomeçará a fazer testes para atuar? – questionei.

Ela franziu os lábios e desviou os olhos para a janela da frente.

Estava um dia ensolarado, um feixe de luz atravessava o grosso painel de vidro, e notei as rugas nos cantos dos olhos de Sibby. Linhas minúsculas provocadas por uma risada alta e alegre que eu já não ouvia há meses.

– Não. Eli conseguiu um trabalho muito bom como produtor na NBC. Talvez eu nem precise trabalhar mais.

– Sib... – comecei. Aquele apelido sempre foi especial. *Sib*, abreviação de Sibby, abreviação de Sibyl. Mas, para mim, sempre foi uma abreviação de *sibling*, *sister*, irmã. A irmã que nunca tive. Mas aquela não era a minha irmã, não a que reconhecia. – Eu não entendo... – completei.

Não entendo era um eufemismo tão grande que parecia quase engraçado. Não é que eu achasse que Sibby e eu viveríamos juntas para sempre, inclusive, já havíamos considerado morar separadas. Quando ela aceitou o emprego no Brooklyn, cogitei ficar em Manhattan, onde eu tinha trabalho fixo, mesmo sem o benefício de uma loja física como a de Cecelia, requisitada o suficiente para me esquivar da cláusula de não concorrência das lojas para as quais prestava serviço.

Como chegamos ao ponto de nem ao menos conversarmos sobre uma mudança tão grande quanto aquela? Como tal mudança pode ter sido simplesmente um anúncio e não o culminar de horas de conversa, incluindo algumas horas preenchidas por minha ambiciosa e determinada amiga dizendo que *talvez nem precise mais trabalhar?* Como isso *aconteceu?*

"Ela conduzia e eu seguia", ouvi novamente a voz profunda de Reid, e tudo o que consegui pensar é que *gostaria que tivessem me enviado um código, que eu tivesse recebido um sinal me dando indicações daquela transformação.*

– É uma grande mudança, eu sei – Sibby disse, despreocupadamente, abrindo seu *notebook* e apertando algumas teclas. – Vou abrir aqui a lista para que você possa...

– Não. Não, está tudo bem – rebati.

Tinha tomado apenas duas colheradas do meu iogurte, mas rapidamente o coloquei de volta na geladeira, com colher e tudo. Definitivamente, não o comeria mais tarde quando estivesse com aquela membrana nojenta que aparece depois de um tempo do iogurte aberto, que faz você se perguntar por que essa bebida sequer existe. Mas, naquele momento, só o que eu queria era sair dali antes que Sibby pudesse ver as lágrimas de frustração que queimavam meus olhos.

– Na verdade, estou cobrindo Cecelia na loja hoje de novo, então é melhor eu ir – respondi.

– Meg, escute, vai ficar tudo bem! Eu virei visitá-la, e você também vai me visitar.

Fiz uma breve pausa, sentindo outro inconveniente pico de raiva direcionada para ela. *Aí está*, pensei. Aquele pequeno e casual "vai ficar tudo bem". Era assim que ela vinha tratando a distância entre nós, mantendo tudo muito cordial, nunca dando a entender que houve qualquer mudança em nossa relação.

Ela, mais do que ninguém, sabia o motivo pelo qual esse tipo de coisa funcionava tão bem comigo, a razão pela qual eu nunca pressionaria demais para falar sobre o que, sem dúvida, tinha mudado.

– Sim, claro. – Minha voz soou a mesma de sempre, mas senti como se estivesse falando por entre dentes cerrados. – Estou feliz por você, Sib. – Eu parecia um disco riscado, repetindo a mesma frase "... e eu seguia" sem parar.

Por uma fração de segundo, nós nos olhamos e, para mim, parecia que havia uma montanha de letras entre nós, todas embaralhadas e desordenadas, mil coisas que eu precisava dizer a ela, mas não sabia como. Não sem provocar uma terrível avalanche. Não sem acabar soterrada pelos escombros.

Então, pisquei primeiro, logo antes do silencioso "obrigada" de Sibby, e decidi que era a minha vez de evitá-la por um tempo.

♥ ♥ ♥

É o seguinte: *eu também* costumava odiar Nova York.

Quando tinha treze anos, minha turma da oitava série foi dividida em dois grupos, sendo que metade faria uma viagem de quatro dias à capital, Washington, e a outra metade, a Nova York. Nos dias anteriores ao anúncio oficial, eu me deitava na cama e fazia promessas a um deus no qual nem tinha certeza se acreditava, jurando fazer todas as minhas tarefas com antecedência por um ano inteiro; parar de encher o saco dos meus pais para, enfim, me deixarem ter um celular, qualquer coisa, *qualquer coisa*, para que não fosse escolhida para a viagem a Nova York.

Peguei a viagem para Nova York.

Na verdade, estava com medo. Nunca tinha viajado para fora de Ohio e, mesmo dentro do estado, a única outra cidade que já tinha visitado era Cincinnati, onde moravam meus avós paternos. Ambas as viagens pareciam assustadoras, mas, nas fotos, Washington parecia composta principalmente por prédios oficiais, limpos, brancos, cercados por grama extremamente verde e bem aparada. Como cresci em um bairro planejado, grama extremamente verde e bem aparada era basicamente o que eu entendia por natureza.

Mas, nas fotos – para não mencionar os programas de TV e filmes –, Nova York parecia enorme, imprevisível, cinzenta, lotada, barulhenta e assimétrica. Havia o Central Park, claro, mas, nas fotografias aéreas que nosso professor de geografia mostrou, até o parque parecia aterrorizante, cercado por um labirinto de prédios cinzentos. Do lado de dentro, abrigava árvores de copas densas que, para mim, escondiam algo, o que era esse algo eu não sabia, mas provavelmente não era um monte de grama bem cuidada.

Quando cheguei em casa e contei aos meus pais, nenhum dos dois pareceu notar o tremor em minha voz, em vez disso, quase imediatamente – e conforme a tradição deles assumindo posições diametralmente opostas sobre tudo –, minha mãe horrorizou-se que uma viagem a um lugar tão "perigoso" quanto Nova York fosse até mesmo considerada, e meu pai, revirando os olhos, resmungou que eu era superprotegida. Algumas portas de armário batidas com violência mais tarde, quando eles finalmente terminaram a discussão, o tremor tinha evaporado da minha voz. Expliquei à minha mãe que teriam vários supervisores para cuidar dos alunos e contei ao meu pai o quão empolgada estava com a viagem.

Alguns meses depois, em um dia de primavera, lá estava eu: sentada com um bloco de desenho apertado junto ao peito, duas garrafas cheias de remédio para dor de estômago na mochila, repassando os conselhos do meu pai de "seja durona" e da minha mãe de "guarde o dinheiro dentro da pochete, e esconda a pochete dentro da calça".

E, então, Sibyl Michelucci se sentou ao meu lado.

Ela era nova na escola, tendo vindo de Chicago, era basicamente cem vezes mais *cool* do que qualquer um da nossa classe e, obviamente, um milhão de vezes mais *cool* do que a pessoa com duas garrafas de remédio para dor de estômago escondidas na mochila. Ela já tinha visitado Nova York "tipo, *muitas* vezes", porque seu pai era arquiteto e porque o sonho de sua vida era atuar na Broadway, e seus pais "tipo, apoiam *super*" e a levavam a um show pelo menos duas vezes ao ano. No ônibus, ela puxou o coro com aquele tipo de música que se canta junto e encontrou umas que ninguém odiava (*mágica!*), depois propôs um jogo da verdade do qual ninguém saiu constrangido (*feitiçaria!*).

Eu tinha amigos antes de Sibby, é claro – crianças com quem eu estudava há anos, crianças que me conheciam como uma pessoa educada, alegre, sempre desenhando ou colorindo alguma coisa. Mas, assim que tive idade suficiente para entender melhor as coisas, tinha um pé atrás com panelinhas, rivalidades e conflitos que sempre pareciam ferver sob a superfície e acho que por isso acabei mantendo certa distância. Mas não havia cautela alguma em Sibby, ela não mantinha distância de ninguém – nem de mim. Era descontraída, divertida e curiosa, e tinha um jeito de me incluir sem que eu me sentisse superexposta.

E foi naquela viagem a Nova York que ela se tornou minha melhor amiga.

Mas mesmo tendo Sibby ao meu lado, minha opinião sobre a cidade não mudou, não mesmo. Ainda estava amedrontada, ainda usava aquela pochete como se fosse um dispositivo médico que me mantinha viva, ainda tomava duas colheres de remédio para dor de estômago todas as manhãs antes de sairmos do hotel para os dias cheios de programas turísticos supervisionados. Ainda achava que estava em perigo iminente de ser assaltada toda vez que estava ao ar livre. Consegui aproveitar partes da cidade (no fim, o parque tinha muita grama bonita), mas não me *apropriei* dela.

Segui o fluxo.

Quando Sibby decidiu se mudar para a cidade, logo após a formatura, nós nos abraçamos e choramos e fizemos promessas de nunca perder o contato, mas nem uma única vez imaginamos a possibilidade de eu ir junto.

Eu havia conseguido uma bolsa parcial para cursar arte e design na Columbus e tinha me conformado em seguir morando com meus pais até conseguir economizar o suficiente para um pequeno apartamento. Iria me formar, trabalhar como designer gráfica, primeiro para a empresa do meu pai e, depois, se tudo desse certo, para outros clientes. Nova York seria um lugar que eu visitaria por causa de Sibby, mas não - *nunca* - um lugar em que eu moraria.

Mas, quando tudo desmoronou, foi para Sibby que me voltei, foi ela que me ajudou a recomeçar. O fato de eu odiar a cidade era irrelevante naquele momento e, de qualquer forma, eu a detestava tanto quanto o que tinha acontecido em casa - aquela briga final e horrível entre mim e meus pais. Quando eles, pela primeira vez, ficaram do mesmo lado. Quando finalmente - finalmente! - os pressionei o suficiente para me dizerem a verdade - sobre eles, sobre mim, sobre todas as coisas que esconderam de mim por anos.

Pense em uma avalanche! Alguns dias sentia como se ainda estivesse me esforçando para sair de baixo da neve e das pedras que rolaram ladeira abaixo.

Então, no começo - entorpecida, triste e assustada - simplesmente segui Sibby. Ela me ofereceu seu pequeno e desconfortável sofá, eu aceitei. O buffet para o qual ela trabalhava à noite precisava de mais garçons, eu me candidatei. Ela precisava ir aos testes para atuar, eu ia no metrô com ela, ajudando-a a carregar roupas extras e esperando nos corredores e saguões enquanto ela repassava o texto ansiosamente. Ela marcava programas com os amigos que tinha conhecido desde a sua chegada, eu ia junto.

Porém, quando eu estava pronta - quando finalmente fiquei por conta própria -, foram os letreiros e letras que me ensinaram a amar a cidade.

A torná-la meu novo lar.

Então, talvez seja por isso que, depois daquela conversa de revirar o estômago com Sibby, peguei o caminho mais longo até a loja, que é, na verdade, um grande desvio em ziguezague, só para matar o tempo antes que meu turno começasse, em mais ou menos uma hora, e me permiti ver mais das coisas que gostava: letras fazendo sentido.

No começo, não havia muito o que ver ou, pelo menos, não muita coisa do tipo que a maioria das pessoas notava. As placas na minha rua eram sobre como se mover em um espaço público, lembretes sobre como ser um morador: PROIBIDO ESTACIONAR, CONSTRUÇÃO À FRENTE, DÊ PREFERÊNCIA AO PEDESTRE. Elas eram escritas, em sua maioria, em maiúscula, sem serifa. Os tamanhos variavam, dependendo da dimensão do problema que você teria caso não prestasse a devida atenção a elas. Então, segui a oeste, em direção à Quinta Avenida, virei à esquerda, passando pelo lugar onde me sentei com Reid Sutherland na noite anterior, e ouvi mais de suas palavras ecoando em meus ouvidos.

Não têm aparecido muitos sinais para mim por aqui.

Desci a Union, sabendo que tudo estava prestes a mudar. As placas ali eram menos sobre como se mover em um espaço e mais sobre descobrir o que visitar, comer ou comprar. Havia um toldo vermelho delimitando um restaurante conhecido por utilizar exclusivamente, ou quase, ingredientes locais; seu letreiro parecia charmoso e descuidadamente escrito à mão, um título pesado e irregular, um endereço *web* todo em minúsculas, com jeito de que alguém só se lembrou dele depois e o rabiscou apressadamente, uma acomodação meio caótica à modernidade. A Union com a Sexta Avenida é uma esquina repleta de sinalização – a placa de uma clínica veterinária com uma fonte sem serifa, de espessura fina, limpa, passando uma imagem de segurança. Um mercado com uma estrela verde-limão no lugar do *A*, destacando-se contra o fundo preto – lugar *cool*, caro, provavelmente cheio de comidas que você nunca ouviu falar, mas que, se experimentar, certamente se tornará *cool* também.

No quarteirão logo depois da cooperativa de alimentos do bairro, os letreiros e as letras ficam cada vez melhores, excepcionalmente bons, na verdade. Uma suave cursiva no toldo castanho de um restaurante italiano. Do outro lado da rua, uma placa suave de novo, mas esta sinalizava uma lavanderia, exibindo letras simples e em *bold* contra um pano de fundo verde-escuro com moldura amarela, dispostas verticalmente, de forma eficiente, exatamente como gostaríamos que nossa roupa fosse dobrada. Minha favorita: a cacofonia confusa de vários letreiros de uma antiga loja de bicicletas local – impressão gótica no letreiro do prédio, uma serifa decorativa para a placa vermelha brilhante pendurada. Aquele outro parecia pintado à mão, assim como as letras exibidas na janela - brancas, emolduradas em azul -, sobre a porta de entrada. *Estamos aqui há muito tempo*, diziam os sinais. *Não importa se combinamos ou não.*

Continuei andando de cabeça erguida e senti como se estivesse contando, notando letreiros novos para os quais nunca tinha olhado antes. E olha que já vi muitos! Essas sinalizações me acalmaram da mesma forma que o faziam naquela época, quando aprendi a entender a cidade caminhando por ela, prestando atenção. Familiarizei-me com bairros letra por letra, placa por placa. Foi assim que me inspirei; foi como me apaixonei pela cidade, mas também como aprendi a sobreviver nela. Foi como ensinei a mim mesma que podia ser outra pessoa além da garota classe média superprotegida vinda de uma família aparentemente perfeita. Foi isso que esbocei tantas vezes, tarde da noite no metrô, fedendo a comida e morta de cansaço, distraindo-me dos pensamentos sobre meus pais ou sobre as chances de ser assaltada - letreiros e letras que tinha visto, novas ideias que se agitavam ruidosamente na minha cabeça como os trilhos sob meus pés. Foi isso que me convenceu a aceitar a primeira encomenda que me pediram: vinte e cinco convites para a festa de aniversário de oito anos do filho do gerente do *buffet* onde eu trabalhava.

Foi o que me convenceu a sair por conta própria, a começar o negócio que transformou Meg Mackworth em A Calígrafa de Park Slope.

Os sinais existem, disse para o Reid invisível que não saía da minha cabeça. *Só que você não aprendeu a lê-los.*

Estava a alguns quarteirões da loja quando me ocorreu uma ideia. Não podia fazer nada em relação a Sibby, em relação ao caminho que ela escolheu e que a afastaria ainda mais de mim, mas podia fazer algo em relação a mim mesma, em relação ao modo como me sentia naquele momento: solitária; com um bloqueio criativo; inquieta; com muita necessidade de falar por meio dos trabalhos que estava fazendo, de imprimir códigos para extravasar; relutante em até mesmo tentar começar um trabalho que tinha potencial para mudar tudo na minha vida.

Talvez eu precisasse me lembrar de que cada letra que desenho é um sinal. Não era necessário utilizar códigos imprudentes e inapropriados.

Precisava sair de novo, andar pelas ruas, ver as placas, lembrar do que me levou a trabalhar com caligrafia. Tinha que conseguir inspiração para aquele novo trabalho e, como bônus, teria algum conteúdo para as minhas redes sociais. Iria fazer caminhadas em busca dos melhores letreiros escritos à mão da cidade. Com um pouco de pesquisa e planejamento, os meses mais quentes chegando – haveria *alguma coisa*, algo para me ajudar a vencer esse bloqueio.

Enquanto me aproximava da porta de entrada da loja e destrancava os dois pesados ferrolhos do portão, uma relíquia antiga de quando aquele lugar era uma joalheria, parte do peso daquela manhã foi saindo dos meus ombros. Entrei e mantive as luzes apagadas, o interior da loja se encontrava bastante iluminado pelo sol de quase meio-dia. Antes da hora de abrir, decidi organizar todo o estoque, verificar novamente a caixa registradora, certificar-me de que a sala dos fundos estava arrumada para as reuniões que os calígrafos *freelancers* teriam no dia. Lachelle ao meio-dia, Yoshiko às duas, David às três e meia. No dia seguinte, Cecelia estaria de volta, e aquela distração temporária terminaria.

Mas agora tinha um plano. Por um segundo, pensei em como gostaria de ter alguém de quem me sentisse próxima o suficiente para ligar e dizer: "Ei, que tal darmos umas caminhadas inspiracionais?". Mas uma das piores consequências do distanciamento entre mim e Sibby foi a rapidez com que ficou clara a superficialidade de muitas das minhas relações – colegas e clientes, pessoas de quem eu gostava e que respeitava e curtia, mas que me conheciam apenas como a Meg alegre, brincalhona, que desenhava e trabalhava com facilidade, tem sorriso fácil e é ótima companhia para dar umas risadas e ter conversas leves.

Ligar para qualquer um deles naquele momento – quando estava tão bloqueada, quando meu hábito imprudente e ridículo parecia determinado a reaparecer – se mostrou, de alguma forma, impossível.

Mas talvez ir sozinha fosse um bom lembrete para mim mesma de que aquela cidade também era minha, quer Sibby dividisse apartamento comigo, quer não. Fosse Sibby minha *amiga* ou não. Aquela cidade era meu lar.

Um vulto branco no piso de carvalho desgastado capturou minha visão periférica quando me aproximei do balcão, um pedaço de papel que alguém devia ter deixado cair, e me abaixei para pegá-lo. Eu deveria ter varrido a loja na noite anterior, item que estava na lista de tarefas para o encerramento do turno da noite, mas fui distraída por Reid parado como uma estátua, me esperando para o nosso Ultradesconfortável Encontro Espresso-Chá.

Mas, quando peguei o papel, tive a mesma sensação que tive quando Reid estava bem ali na minha frente, o balcão e meu segredo entre nós. Aquele não era um rascunho, era um retângulo perfeito e imaculado, um papel-cartão grosso com cantos arredondados, daqueles caros. Tinta preta, em relevo, permitindo que você corresse as pontas dos dedos sobre as palavras, sentindo cada letra. Uma linda *Glyphic serif* – que surpresa!

O cartão era simples. Um nome, um título, um lugar, um endereço de e-mail.

Um *sinal.*

Pela primeira vez em meses, minha mente se iluminava com uma ideia. Ideia ultrajante, talvez, mas ainda assim – uma ideia.

Escrever para Reid Sutherland e perguntar se ele queria fazer parte do meu plano.

Capítulo 4

Nos seis dias seguintes, fui assombrada não por uma palavra, nem por uma letra, nem mesmo por um nome.

Fui assombrada por um único som: aquele ruído breve e leve que veio do meu celular quando pressionei "enviar" no meu impulsivo e-mail para Reid.

Ouvi-o durante todo o meu último dia cobrindo a folga de Cecelia na loja, quando o som ainda estava fresco, quando ainda estava em um estado mental no qual parecia completamente racional ir até a minha pasta "Enviados" para ler aquela mensagem curta e redigida às pressas a cada, digamos, doze a quinze minutos. Ouvi aquele som durante toda a noite e no dia seguinte também, enquanto tentava desesperadamente me concentrar no trabalho, enquanto recorria a tarefas como desenvolver um novo sistema de código de cores para minhas canetas (meu sistema antigo funcionava muito bem, obrigada), enquanto fazia um *story* em seis partes no Instagram sobre como desenhar uma letra *R* na cor preta. Disse a mim mesma que era *R* de *Remorso* e não do nome de uma certa pessoa que ainda não havia retornado meu e-mail. Recebi um *direct* dizendo que o meu *R* preto era "chato, rs", o que chegou a ser até reconfortante, já que não conseguia imaginar Reid tendo uma reação desse tipo ao meu e-mail.

Ouvi o barulho na quarta-feira à noite, sentada no sofá de casa, com aproximadamente dez mil abas do Google Maps abertas no navegador, pesquisando os passeios pela cidade que, muito provavelmente, faria sozinha.

Dessa vez, pareceu tão real que, apesar dos fones de ouvido que estava usando, olhei para cima, apenas para ver Sibby abrindo a porta do apartamento, os olhos fixos em seu próprio celular, um sorriso superficial e distante à guisa de cumprimento. Ouvi-o novamente na quinta de manhã quando ela saiu para o trabalho, enquanto eu estava quieta e imóvel na cama, ainda atordoada em consequência da noite maldormida.

Na sexta-feira, acreditei que teria um descanso dessa série O Coração Delator do Século XXI, porque Reid finalmente, finalmente – *finalmente*! – me respondeu. Hora do envio: 17h01, e por que não? Era uma mensagem breve, eficiente (nossa, que surpresa!), pouco mais do que uma repetição do meu próprio convite para nos vermos novamente. "Encontro você no passeio público de Brooklyn Heights", dizia. "Domingo, às quatro horas." Fiquei olhando para aquele e-mail por um longo tempo. Talvez ele tenha inserido algum código, embora não houvesse um *f* na mensagem para formar um belo "vai se foder", e não seria injusto se ele tivesse me enviado esse sinal, não é mesmo?

Mas o ouvi de novo, um pequeno eco dele, pelo menos.

Porque era domingo, uma semana desde que Reid havia me mostrado aquele programa. Porque eram três da tarde, e se eu quisesse chegar ao *passeio público* às quatro, precisava sair logo da loja e pegar o trem **R** ("chato, rs") para a Court Street. Porque, dentro de uma hora (e era óbvio que ele chegaria pontualmente!), eu precisaria fazer uma proposta para um homem que tinha motivos muito reais para não gostar de mim. Porque, se ele aceitasse, logo passaria a vê-lo quase que regularmente.

– Você parece agitada – Lachelle observou, ao que fiquei grata, porque pelo menos aquilo silenciou o ruído fantasmagórico em meu cérebro. De frente para mim, do outro lado da mesa, ela afastou a ponta do lápis da pedra de amolar e pegou a pequena lupa que usava pendurada no pescoço para verificar o resultado. Então, ela emitiu um ruído de frustração e largou a lupa, acrescentando mais algumas gotas de água à pedra.

– Não, de jeito nenhum – respondi despreocupadamente com minha voz alegre de atendimento ao cliente, apesar de estarmos nos fundos da loja.

Lachelle estava experimentando uma nova marca de tinta de nogueira que Cecelia havia encomendado para um trabalho beneficente com o qual estavam colaborando. Eu estava na loja com a desculpa de testar as canetas metálicas do estoque de Cecelia, mas a verdade é que Sibby e Elijah estavam no apartamento assistindo a um programa sobre pessoas cometendo erros terríveis na cozinha, e meus nervos estavam muito abalados para agir normalmente perto deles *ou* de fracassos culinários. E como eu não conseguia decidir o que seria pior – Sibby perceber meus nervos à flor da pele e perguntar o que estava acontecendo, ela perceber e não perguntar, ou não perceber nada –, achei que dar um pulo na loja seria uma boa ideia.

Um retorno à cena do ruído, se me permite.

– Então – Lachelle esclareceu –, é que a mesa está sacudindo por causa da sua perna inquieta.

Senti meu rosto corar enquanto imobilizava minha rebelde perna direita.

– Ah! Desculpe!

Lachelle olhou para mim e sorriu.

– Você tem um encontro ou algo assim?

Pliiim, meu cérebro disse em voz alta. Usei a caneta Tombow prateada que estava testando para representar esse ruído na página. Parecia decepcionantemente semelhante a uma onomatopeia de quadrinhos, o que indicava que minha criatividade estava perdendo de goleada ultimamente.

– Hmmm, não – respondi.

Lachelle pareceu não comprar minha resposta negativa, pois seus lábios franziram com ceticismo e, por um perturbador segundo, pensei em contar a ela. *Tem esse cara*, eu diria. *Ele é um ex-cliente que descobriu um mau hábito que tenho.* Lachelle e eu não nos conhecíamos tão bem assim, mas sempre nos demos bem. Ela era divertida, gentil e talentosa como ninguém, e talvez...

– Ah, que bom que você ainda está aqui – ouvi Cecelia dizer, entrando na sala e quebrando o encanto. Estava abraçada a uma pilha de mostruários, várias amostras de papel e letras que constantemente montava e remontava para clientes que precisavam de ideias. – Recebi ontem uma ligação falando de você – ela prosseguiu.

Senti meu estômago encolher de nervoso. E se ele tivesse mudado de ideia? E se ele tivesse decidido que Cecelia – que, afinal de contas, era a dona da loja de onde aqueles programas saíram – precisava saber o que eu fiz? E se ele tivesse dito que toparia me encontrar só para que eu não desconfiasse que contaria toda a verdade para a minha ex-chefe?

– Aah, éé? – de alguma forma, consegui transformar essas duas sílabas em quatro.

Cecelia me lançou um olhar curioso, mas continuou se movendo, repousando os livros em uma das prateleiras brancas que revestiam as paredes na parte posterior da loja, todos bem-organizados e dispostos em um lindo esquema de cores, dois dos muitos pontos fortes de Cecelia.

– Sim, uma nova cliente. Ela está *desesperada* para contratá-la.

Meu corpo relaxou aliviado. *Não era ele. Graças a Deus, não era ele*, pensei.

Cecelia se virou em minha direção, seus longos cabelos pretos e lisos – sem nem mesmo uma insinuação de grisalho, apesar de ela estar beirando os cinquenta – deslizando sobre um ombro, mãos nos quadris.

– *Desesperada* – ela repetiu, com um sorriso orgulhoso.

– Desculpe. Não sei por que as pessoas não usam o formulário online que disponibilizei no meu site. – Mesmo enquanto falava, sabia que não era exatamente por *isso* que estava me desculpando, já que Cecelia nunca havia se aborrecido com as ligações que às vezes ainda recebia procurando por mim e pelo meu trabalho. Estava me desculpando pela minha quase crise nervosa. Pela causa daquela quase crise e pelo problema que eu poderia ter causado a ela.

Cecelia levantou a mão da cintura e acenou com desdém.

– Não é esse o problema. Ela explicou que é cautelosa quanto ao uso de e-mails – Cecelia explicou e fez uma pausa, lançando um olhar para a frente da loja para se certificar de que ainda estávamos apenas nós três ali. – Acho que é uma pessoa *famosa*.

– Não aceite o trabalho – Lachelle disse imediatamente, levando a lupa novamente aos olhos e apertando-os na tentativa de enxergar melhor. – Três meses atrás, trabalhei nos convites de uma festa para uma das participantes daquele reality *Real Housewives* e foi um pesadelo. Tive que refazer o trabalho três vezes e não pude nem ver uma delas jogando bebida na cara da outra. Que desperdício!

– Não é uma *Real Housewife* – Cecelia respondeu, movendo-se para espiar por cima do ombro de Lachelle. Ela murmurou algo em aprovação ao trabalho que Lachelle já havia desenvolvido com a nova tinta e continuou: – Deu para perceber.

– Ela não falou nem o nome? – perguntei, sem nem saber por que, já que novos clientes não faziam parte do meu plano, pelo menos não até que eu cumprisse meu prazo.

Ela olhou para mim e fez que não com a cabeça.

– Ela deixou o nome e o número da assistente. Disse para ligar a qualquer hora.

– Opa, uma assistente! – Lachelle admirou-se. – Sim, definitivamente, ligue para ela.

– Ela me pareceu legal – Cecelia observou. – Acho que ela não jogaria bebida na cara de ninguém, e provavelmente pagaria *muito bem*. Se ela for uma grande estrela, pode ser um bom negócio para você.

– Sim, eu... – Fiz uma pausa e reuni minhas coisas com gestos exagerados enquanto me recompunha. Ainda não havia contado a Cecelia sobre o projeto no qual estava trabalhando; já que, dada a evaporação da minha criatividade, poderia não dar em nada. – Estou muito sobrecarregada no momento – terminei, e minha resposta soou tão convincente quanto minha negação sobre ter um encontro. Lachelle me dirigiu os mesmos lábios franzidos de antes.

– Tem certeza? – ela perguntou.

Apertei a bolsa contra o meu corpo e alisei a frente do vestido – que não tinha nenhuma estampa, para prevenir uma possível piora na situação com Reid, que provavelmente estaria de volta ao seu *look* de cara mala. Era um vestido tipo camiseta de manga curta, verde-esmeralda, que Sibby sempre disse que combinava com meus cabelos castanho-claros, por cima dele eu usava uma jaqueta *jeans*. Talvez eu devesse ter considerado se os vários pins e broches esmaltados decorando os bolsos da frente da jaqueta seriam uma distração. Um deles dizia "Mantenha a cidade de Nova York esquisita", o que certamente Reid não acharia muito atraente, já que a estranheza de Nova York devia ser o item número um na lista de "Razões Pelas Quais Ele Odeia NY".

Quando levantei os olhos novamente, Cecelia e Lachelle estavam me observando, ambas com expressão confusa, provavelmente por conta do meu silêncio incomum. Elas eram amigas próximas – cerca de cinco anos antes, Lachelle havia participado de uma das aulas de caligrafia de Cecelia, e aprendeu tão rápido que elas passaram a fazer parcerias com frequência. Mas elas também saíam juntas – ambas eram casadas e tinham filhos, embora os de Lachelle fossem mais novos do que os filhos já adolescentes de Cecelia. Juntas, elas tinham o que considero a magia dos calígrafos – uma confiança tranquila, uma firmeza, a mesma qualidade que lhes permitia tocar, com uma caneta tinteiro Dip embebida em tinta, sobre uma página em branco e criar algo bonito. Sem hesitar no meio do traço, sem pausas para apagar e tentar novamente.

Senti outra ferroada de solidão, de saudade. Fui à loja naquela tarde para ter companhia, para descansar do persistente ruído do e-mail que ficou na minha cabeça. Mas até jogar conversa fora parecia arriscado – não podia falar sobre Reid sem explicar como o havia conhecido, o que seria desastroso. Naquele momento, não me senti segura o suficiente para falar sobre o novo projeto e o meu prazo de entrega, e tinha vergonha de contar a elas sobre meu bloqueio criativo.

– Sim, tenho certeza *absoluta* – respondi alegremente.

Cecelia deu de ombros e puxou a cadeira ao lado de Lachelle.

– Guardarei o número de qualquer maneira, caso você mude de ideia.

– Ela vai mudar de ideia – Lachelle disse sorrindo e me dando uma piscadela. – Ela só está distraída por causa do encontro.

Cecelia parou no meio do movimento de se sentar, seus olhos se iluminaram.

– Um encontro? Que legal! – foi o que ela me disse.

"Que legal" é o que as pessoas casadas sempre dizem quando descobrem que você tem um encontro. Como se bons oitenta e seis por cento dos encontros naquela cidade não terminassem com você considerando fazer um pacto de sangue consigo mesma a fim de desistir dos homens.

– *Não* é um encontro. – Foi a afirmação mais convicta que pronunciei desde que havia chegado na loja. Cecelia, já devidamente sentada, cutucou Lachelle com o cotovelo, e ambas sorriram para mim. Revirei os olhos com bom humor e chequei meu celular. Ainda chegaria a tempo, mas não me sentia nem um pouco menos nervosa do que quando cheguei. – Vou pegar a Tombow – disse para Cecelia, colocando a caneta na minha bolsa. – Pode colocar na minha conta.

– Ok – Cecelia respondeu, mas já estava distraída pegando uma folha de papel nova do bloco que Lachelle estava usando.

– Até mais – eu disse, contornando a mesa.

– Meg. – A voz de Lachelle me fez parar quando já estava prestes a atravessar em direção à parte da frente da loja. – Alguém sabe aonde você está indo, certo?

Fiquei imóvel, desejando poder responder alegre e imediatamente. Mas aquela pequena demonstração de cuidado – esse código que traduzo como a-m-i-z-a-d-e – fez com que eu sentisse uma ligeira pressão de lágrimas atrás dos olhos. Levei um segundo para engoli-las de volta, antes de olhar por cima do ombro, sorrindo animadamente.

– Claro! – menti. Mas me senti tão grata que acrescentei: – Passeio público de Brooklin Heights. Lugar público e tudo.

– Divirta-se! – ela respondeu e, ao mesmo tempo, já estava checando a tinta com Cecelia, as cabeças próximas, o retrato do conforto de uma amizade profunda que eu já não sabia se experimentaria novamente.

Enquanto eu empurrava a porta de saída, a risada viva de Cecelia ressoou atrás de mim, e senti a solidão de todos aqueles meses se abater sobre mim.

Pliiim, ouvi quando a porta se fechou.

❤ ❤ ❤

No final, cheguei seis minutos adiantada.

A Montague Street estava movimentada – sol forte, temperatura quente e todo mundo exibindo aquele olhar meio atordoado de "nem acredito que finalmente parou de chover". Em vez de prestar atenção aos letreiros – quase como se tivesse medo de isso me dar azar antes de falar com Reid –, eu me voltei para as pessoas. Passei por uma sorveteria e observei um homem olhando para seu *milkshake* de chocolate como se fosse um noivo no altar que acabou de ver a noiva entrando pela porta. Vi uma criança balançando alegremente a mão da mãe enquanto lambia uma casquinha de sorvete, uns trinta por cento da porção original espalhados pelas bochechas e pela parte da frente de sua camiseta. Notei dois idosos parados do lado de fora de um café, ambos apertando os olhos e tentando enxergar o menu pregado na vitrine. O mais baixo dos dois disse:

– Eles têm *club sandwich*; você ama *club sandwich*! – Como se fosse um tesouro encontrado inesperadamente, e não um item que se acha em qualquer quarteirão da cidade.

Assim que cheguei ao Pierrepont Place, pude ver o azul do East River à frente. Com o sol brilhando, a água apresentava um tom mais claro do que o que tinha visto em muitos meses, e a brisa no meu rosto estava na medida certa para me refrescar sem me deixar preocupada de ficar com o cabelo grudado no batom, o que, como todos sabem, é o tipo ideal de brisa. Havia uma mulher próxima ao bicicletário fazendo malabarismo com quatro novelos de lã e cantando uma música sobre gatos astronautas (por que não? "Mantenha a cidade de Nova York esquisita") e enquanto normalmente eu pensaria naquilo como uma oportunidade ideal para desviar os olhos e fingir que havia algo interessante no celular, aquele espaço que desfrutei para observar as pessoas significava que eu estava, de alguma forma, envolvida e não vagamente alerta, com medo de uma daquelas bolas de lã atingir minha cabeça. Por alguns segundos, me senti um pouco como o cara do *milkshake* de chocolate ou o homem do *club sandwich*, lembrando-me, pela primeira vez desde que o ruído começou, o porquê achei que aquela poderia ser uma boa ideia. Mesmo que Reid dissesse "não" para a minha proposta, visitar aqueles lugares, com todas aquelas pessoas em volta, me faria bem.

Eu só precisava sobreviver àquele encontro, para o qual estava, lembrando mais uma vez, seis minutos adiantada, uma grande vantagem, já que podia me acomodar...

Mas claro que não! Obviamente ele já estava lá.

Estava a cerca de vinte metros de distância, seus antebraços apoiados no parapeito, mãos cruzadas à frente enquanto olhava para a outra margem do rio, em direção à cidade. Ele definitivamente não estava usando seu *look business casual*, em vez disso, vestia algo semelhante ao que usava na semana anterior em sua visita à loja – tênis, jeans, jaqueta. Talvez aquela fosse sua roupa de domingo – imaginei seu guarda-roupa com as peças organizadas por dias da semana. Um perfeito exemplo de pessoa fixada na fase anal do desenvolvimento. Seu perfil, mesmo a distância, era ridiculamente bonito.

Seu rosto fez surgir, diante de mim, a palavra *desfalecer* dançando ao som do ruído que vinha me assombrando.

Ele se endireitou enquanto eu me aproximava, como se pressentisse minha chegada e, quando se virou, ficamos suspensos, levemente desconcertados durante aquele intervalo de tempo em que nada acontece. Apenas ele ali, parado, esperando enquanto eu caminhava ao seu encontro. Senti como se estivesse andando sobre uma prancha em direção àqueles olhos azuis, inexpressivos e fixos em mim. Perguntei-me se ele diria: "Boa tarde".

– Oi – ele disse em vez disso. Tentei impedir minhas sobrancelhas de se arquearem de surpresa.

– Obrigada por ter vindo.

Notei uma mulher sentada no banco mais próximo a nós. Ela tinha uma dessas canecas para viagem em uma mão e o celular na outra, e encarava Reid com a boca ligeiramente aberta, o que provavelmente seria o que eu estaria fazendo se estivesse na posição dela e o visse pela primeira vez. Ele não pareceu notar. Então, convidei:

– Vamos caminhar?

E fiquei aliviada quando ele acenou positivamente com a cabeça, fazendo um gesto com o braço que me indicava para ir na frente. Talvez a mulher atrás de nós tivesse suspirado.

– Então – eu disse, aproveitando a abertura que seu casual "oi" pareceu oferecer. – Como foi seu fim de semana?

Ele olhou para mim e piscou uma vez. Definitivamente, ele não se dignaria a responder uma pergunta tão mundana. Foi como se eu tivesse perguntado para quais infecções sexualmente transmissíveis ele tinha testado.

– O meu está indo bem – continuei, como se ele tivesse me respondido. – Claro, choveu o dia todo ontem, então acabei não saindo de casa. Mas hoje o tempo está ótimo.

Se Sibby estivesse ali, ela me lembraria que falar sobre o clima daquela maneira era praticamente o mesmo que ter um "Eu venho do meio-oeste" tatuado no meio da testa. Meu próximo truque seria contar sobre uma feira de usados da qual ouvi falar. Ou, então, contar como comprei a bolsa que estava carregando com cinquenta por cento de desconto, além dos outros cinco por cento pelo defeito do zíper temperamental. *Será que Reid estaria interessado em saber minha opinião sobre a diferença entre manteiga e margarina?*, eu me questionei mentalmente.

– Você mencionou uma ideia – Reid disse, e ele obviamente não estava se referindo ao lance da manteiga versus margarina.

Limpei a garganta, comprometida a dispensar a conversa fiada para o nosso bem.

– Certo. Certo, bem. Estava pensando sobre o que você disse na semana passada. Sobre não haver sinais para você aqui... – Deixei a ideia no ar.

Observei-o com o canto dos olhos. Suas mãos nos bolsos da jaqueta, a cabeça inclinada para baixo. Ele estava me ouvindo, mas mantendo certa distância.

– Bem, sinais são meio que... a minha praia. Por conta do meu trabalho e tudo mais, estou sempre interessada em sinais, o que eles dizem, como dizem.

Ele parou e, como estava meio passo à frente, eu parei também, virando-me para olhá-lo. Seu rosto era tão sério, o tipo de rosto que se vê estampado em moedas.

– Eu não estava falando literalmente – ele disse. E interpretei a leve suavidade em sua voz como simpatia. *Querido Diário*, imaginei-o escrevendo depois, *hoje tive um encontro com uma mulher que vestia roupas com muitos botões e que não entendia o que é uma metáfora.*

– Não, quero dizer... claro, eu sei disso. Mas quando me mudei para cá, a materialidade dos letreiros, eles meio que, hmmm... – Olhei para o horizonte de Manhattan, todo o seu enorme caos em cinza e vidro. – Eles organizaram minha experiência – terminei por dizer.

Seguiu-se um longo silêncio durante o qual Reid simplesmente ficou me olhando. Pareceu-me que meu senso de organização era diferente do dele, com os *looks* para cada dia da semana e as anotações regulares no diário que o imaginei fazendo, mas, por algum motivo - talvez o mesmo pelo qual senti aquela estranha conexão com ele na semana anterior e no ano anterior também -, tive a sensação de que ele entendeu. De que ele queria que eu continuasse com minha explicação.

Começamos a andar novamente.

- Estou trabalhando em um projeto com prazo de entrega para julho, o que parece muito longe, mas ao mesmo tempo muito perto, porque estou... - Fiz uma pausa, engoli em seco. Bloqueada demais até para dizer a palavra em voz alta, o que devia ser o oposto da ironia. - Porque tenho tido problemas para me concentrar no trabalho ultimamente - disse.

- Isso me parece difícil de acreditar.

- Por quê?

Ele olhou para longe, em direção a um dos píeres abaixo, onde havia algum tipo de jogo de *kickball* acontecendo, um distante grito de celebração ou objeção ocasional chegava até nós.

- Porque você... os projetos, quero dizer. São muito... criativos.

Meus lábios se contraíram em aborrecimento. Algo na maneira como ele disse *criativos* - como se colocasse a palavra entre aspas imaginárias - fez parecer que meu trabalho era só um *hobby*. Disse a mim mesma para deixar para lá, mas, então, inusitadamente, minha boca entrou em ação antes que meu superego a detivesse.

- Você acha que pessoas criativas não precisam de foco?

- Eu não disse isso.

- Meu trabalho é um negócio sério e...

- Quis dizer que o que você faz parece interessante. Tanta variedade. Você nunca deve ficar entediada.

- Ah. - Pensei em contar para ele sobre os muitos "Por onde for, floresça", todo mundo querendo o mesmo tipo de *brush lettering*, de caligrafia reta, com traços grossos e desbotados. Mas seria mesquinho, afinal, eu tinha a sorte de pelo menos poder mudar o esquema de cores.

– Na prática não é assim? – ele perguntou. A questão era que, ainda que eu não conhecesse Reid de fato, mais uma vez tive a sensação sobre ele, algo intrínseco, de que ele nunca fazia uma pergunta para a qual não queria sinceramente saber a resposta. Em um mundo cheio do convencional e irrefletido "como você está?", cuja única resposta possível parece ser um neutro "tudo bem", a atenção de Reid parecia especial. Profunda.

Dei de ombros.

– É como qualquer outro trabalho, imagino. Pode se tornar repetitivo e frustrante. Quando isso acontece, é fácil cometer um erro.

Ele tossiu. Porque eu disse *erro*. Eu me perguntei se pular no rio daquela altura me mataria ou só aleijaria. Acho que meus passos vacilaram por um segundo, como se meu corpo estivesse realmente considerando a possibilidade. O rio não devia ser tão sujo como todo mundo sempre dizia.

– Está tudo bem – ele disse, olhando para a frente. – É uma palavra comum.

– Tenho certeza de que seu trabalho é interessante! – exclamei. – Diversificado ou algo do tipo – completei. Estava tentando reproduzir algumas palavras-chave que vi na página absolutamente impenetrável da *Wikipedia* sobre "analistas quantitativos", a qual havia lido na semana anterior em preparação para aquele encontro. Acho que desisti quando cheguei na palavra *estocástico* que, aliás, meio que me lembrou Reid, se o significado for uma combinação de *estoico* e *sarcástico*. Mas certamente ela tinha a ver com cálculo.

– Que tipo de projeto? – Reid me perguntou, em um corte absolutamente deliberado. Ele não estava interessado em falar sobre seu trabalho comigo, pelo que eu deveria ser grata, imaginei. Tratava-se de muita matemática adjacente e muita ex-noiva adjacente.

Parei e apontei para um dos poucos bancos vazios naquela parte mais movimentada do passeio público. Assim que me sentei, coloquei a bolsa no colo e peguei o caderno fino de capa mole que estava usando para anotar minhas ideias. Quando Reid se sentou ao meu lado, hesitei diante do farfalhar das coisas entulhadas na minha bolsa - um saco de *pretzels* ainda pela metade, provavelmente uns dez recibos amassados de lojas de departamento, entre outras coisas. Comecei a falar imediatamente para disfarçar, mas talvez colocar tudo para fora de uma vez pudesse ser uma benção, pois garantia que eu não pensasse muito sobre o fato de que Reid era a primeira pessoa com quem eu falava sobre meu novo projeto.

- Tem uma empresa chamada Make It Happyn, conhece? *Happen*, mas com *y* no lugar do *e*, juntando com, hmmm, *happy*.

- Não entendi.

Francamente, eu também não. Tanto que até me deixava um pouco envergonhada, mas não queria admitir isso para Reid, então continuei falando.

- É uma grande marca que trabalha com a maioria dos grandes varejistas de arte e artesanato. Eles fazem os componentes para *planners* do tipo faça-você-mesmo. Brochuras, acessórios e páginas de calendário.

- Como o que você faz.

- Não exatamente - disse, pensando na grande loja com letreiro *neon* na Atlantic Avenue que visitei depois da minha primeira conversa telefônica com a diretora artística, uma mulher de voz forte e fala rápida chamada Ivonne. O corredor da Make It Happyn estava lotado de clientes, algumas estantes quase esgotadas. Logo de cara, vendo algumas das coisas mais genéricas, hesitei. Um calendário do mês de janeiro feito todo em azul gelo. Fevereiro, rosa e vermelho. Março, tudo verde. Abril, gotas de chuva. Maio? Um *Maypol*, aquela haste da festa do mastro ao redor da qual as pessoas dançam no primeiro dia de maio. Em comparação com tudo isso, o "Por onde for, floresça" me pareceu extremamente espirituoso.

Mas também fiquei animada com as possibilidades, as artes que poderia criar. Aquele trabalho poderia significar uma guinada na minha carreira, o tipo de oportunidade que a maioria das pessoas na minha posição adoraria ter. Uma guinada na minha vida, especialmente naquele momento, já que poderia me oferecer os meios para continuar morando no meu apartamento mesmo sem ter com quem dividir o aluguel, pelo menos por um tempo.

– Quero dizer, sim – corrigi, levantando o queixo. – Eles são produzidos em massa, obviamente. Não... – Minha voz foi encolhendo até sumir. *Não escondendo comentários codificados sobre o* status *do relacionamento de ninguém*, foi o que passou pela minha cabeça. Sinceramente, esse era outro benefício daquele trabalho. Certamente, eu não ficaria tentada a inventar códigos ridículos e irresponsáveis em um trabalho que produziria para um público genérico.

– Único – Reid completou. O que foi gentil da parte dele, a conclusão mais generosa possível para a frase.

Com o rosto corado, alisei a frente da bolsa, mas parei quando ouvi o farfalhar novamente.

– Então – eu disse alegremente, para abafar o ruído –, eles pediram a mim e a alguns outros artistas para produzirmos páginas para um *planner* com três artes diferentes. Se me escolherem, lançarão uma linha de produtos com o meu nome.

– Ahã – ele disse baixinho, apenas um murmúrio. – Uma oportunidade de negócios.

– Você diz isso como se fosse algo ruim.

Ele virou a cabeça, lançando um olhar vago para o outro lado do rio.

– Não é ruim. – Gesticulou em direção ao horizonte de Manhattan e completou: – Obviamente.

Mas fez esse "obviamente" soar como algo ruim, fazendo com que oportunidades de negócios parecessem a pior coisa do mundo. Como se aquele horizonte fosse o próprio Sauron.

Quando olhou novamente para mim com seus olhos azuis empalidecidos pelo sol brilhante, sua expressão estava mais dura, mais parecida com aquela da semana anterior quando ele foi à loja.

– Apesar do que você possa pensar sobre meu trabalho – ele disse –, eu não sou uma espécie de consultor de negócios. Não é bem isso que faço.

– Não tenho ideia do que você faz.

– Eu disse. Eu sou um ana...

Foi minha vez de acenar com a mão.

– Pesquisei sobre isso, mas continuo sem entender o que é. Tudo o que entendi é que tem a ver com matemática. Você provavelmente é muito inteligente.

Sua boca se curvou para cima, mais alta do lado direito, fazendo uma linda linha decorativa em sua bochecha, uma curva vinda do queixo, com um movimento suave em direção à bochecha. A expressão durou apenas um segundo, talvez dois, mas foi o suficiente para parecer gravada a fogo em meu cérebro. Provavelmente vou tentar desenhá-la mais tarde. *Pliiim.*

– Não quero que você me ajude com meus negócios – expliquei, desviando o olhar. – Não foi para isso que o chamei.

– Foi para que, então?

Respirei profundamente, reunindo coragem.

– Para eu ter algumas ideias.

Contei a ele brevemente sobre os letreiros, como eles me inspiraram, como suas letras, especialmente naquela cidade, são *cheias* de variações. Mostrei a ele a página do meu caderno em que havia feito uma lista de alguns dos mais famosos letreiros escritos à mão da cidade. Peguei meu celular para mostrar o mapa que salvei, com pequenos pontos vermelhos marcando todos os lugares aos quais pretendia ir, mas antes que eu pudesse desbloqueá-lo, ele falou:

– Não vejo por que você quer a minha participação. Não sei nada de caligrafia.

– Porque você é um cara de números. – Foi uma afirmação, não uma pergunta, e ele não respondeu outra coisa além da mais educada inclinação de cabeça, o que me pareceu tanto um sinal de concordância quanto um convite para que eu continuasse, para eu me explicar clara e francamente.

Mas eu não sabia se conseguiria fazer isso. Não tinha certeza se conseguiria ser tão honesta, tão direta quanto ele. *Encontrei seu cartão de visitas e isso me pareceu um sinal.*

Então, dei de ombros displicentemente, como se fizesse aquele tipo de coisa o tempo todo.

– Na última vez em que conversamos, você disse que odiava esta cidade. E me pareceu que eu poderia...

Seu corpo se enrijeceu. O que era notável, uma vez que ele já era um cara rígido por natureza.

– Você sente pena de mim. – Seu tom foi cortante.

– O quê? Não! – A ideia de abrir a bolsa para lhe mostrar os *pretzels* e os recibos passou rapidamente pela minha cabeça. "Pareço uma pessoa que tem moral para sentir pena de você?", eu diria.

– Porque não estou... não estou de coração partido. Sobre Avery.

Aquela pequena nota de esclarecimento. Meu Deus!

– Queria companhia – falei precipitadamente e, então, percebi que era o que deveria ter dito desde o começo. Não era toda a verdade, mas certamente uma parte dela. Eu *realmente* queria companhia; e Reid, o único homem naquela cidade, neste mundo, que conhecia meu segredo, poderia, curiosamente, ser a pessoa certa para aquele trabalho.

Ele não disse nada por alguns segundos. Então levantou-se, enfiando as mãos nos bolsos da jaqueta e se virando para mim. Vindo de qualquer outra pessoa, eu leria aquilo como um gesto babaca, uma maneira de, literalmente, me rebaixar. Mas o rosto de Reid estava contemplativo, sua postura mais relaxada. Acho que ele simplesmente precisava se mexer, mesmo que um pouco.

– De fato, uma pessoa me disse recentemente que eu deveria tentar manter minha mente ocupada – ele disse.

Sei que ele não iria gostar, mas definitivamente estava sentindo pena dele. E o sentimento se intensificou quando Reid tirou uma mão do bolso e puxou as mangas da jaqueta – um pequeno gesto inconsciente que me revelou uma página inteira de sentimentos. Seu desconforto. Sua desorientação diante daquela paisagem.

– Viu? – Minha voz soou tão... *alegre*. – Pode ser uma ótima ideia. Mesmo se for horrível, sua mente estará ocupada com o quão horrível a experiência está sendo. – Sorri para ele e, em seu rosto, se desenhou um leve sorriso. Então, tudo ficou silencioso novamente, Reid olhando para o asfalto cinzento enquanto eu esperava com o caderno nas mãos.

– É um *y* em vez de *e*? – ele perguntou finalmente.

Pisquei em sua direção, levando um segundo para entender. *Make it Happyn*, claro.

– Sim.

– Porque ter o *planner* deixa você feliz, *happy*. – Ele disse aquilo tão categoricamente... Tão estocasticamente. Imagine se ele estivesse na reunião de *marketing* na qual essa ideia foi proposta? Provavelmente todo mundo teria vaporizado puramente pela força do seu desprezo.

– Acho que essa é a ideia.

– É ridículo.

Concordei, olhando para o meu caderno. E pensei: *vai ser tudo bem fazer isso sozinha. Bom, até.*

Ele pigarreou e esperou que eu olhasse em sua direção, fixando em mim olhos que, naquele momento, não estavam tão tristes. Disse, então:

– É ridículo, mas estou dentro.

Capítulo 5

Enviei uma mensagem para Reid pedindo para ele me encontrar perto da Garment Worker, uma grande estátua de bronze de um homem usando um quipá e trabalhando curvado sobre uma máquina de costura operada manualmente, uma homenagem carinhosa aos trabalhadores que fizeram da indústria têxtil de Nova York tudo o que ela já foi. Esperar perto dessa obra de arte em particular me acalmou, já que, em geral, o centro da cidade nunca foi a minha praia – mesmo a quarteirões de distância, a Times Square ainda era uma sombra ruidosa, causadora de enxaqueca. Muitas buzinas, luzes piscando e turistas fazendo coisas incompreensíveis, como se divertir de verdade em meio a esse caos. Mas mesmo com o barulho ainda ecoando, especialmente em uma tarde de quarta-feira, a quietude silenciosa da escultura me dava uma sensação de alento. E uma vez que cheguei meia hora mais cedo – como se estivesse tentando superar a obsessão – tive muito tempo para ser reconfortada.

Passei a maior parte desse tempo refletindo sobre duas coisas: uma delas era a lista de endereços que copiei. Comparei-a com o mapa no meu celular e revisei o caminho que tracei para a nossa caminhada. Se fiz a coisa direito – e isso é questionável, já que nunca se sabe se um letreiro pintado à mão terá sido removido, ou se alguma nova construção terá obstruído a vista –, Reid e eu conseguiríamos ver pelo menos uma dúzia de letreiros naquele dia. Quer eu gostasse do bairro, quer não, o Garment District tinha muito a oferecer em termos de sinalização, e havia até alguns letreiros – um de uma loja de roupas dos anos 1960, em particular – que incluíam desenhos. Minha lista fez com que eu me sentisse produtiva, preparada. Pronta para enfrentar o desafio e encontrar Reid com mais segurança, sentindo como se tivéssemos um objetivo compartilhado.

A outra reflexão era o fato de que, como um ser humano do sexo feminino, era claro que eu acordaria com duas novas espinhas na testa no mesmo dia em que tinha algo importante para fazer, pior ainda se envolvesse alguém para quem eu queria parecer apresentável. Claro que esta última consideração não era uma linha de pensamento produtiva, a menos que você considere produtivo levar a mão à testa de quarenta em quarenta segundos.

Mas era exatamente isso que eu estava fazendo quando Reid chegou. Ele havia passado longe da parte do armário das roupas casuais – na verdade, melhor seria dizer que ele incendiou essa parte e cuspiu nas cinzas, porque estava usando nada menos que um terno azul-escuro, quase preto. Corte fino. Camisa branca, gravata cinza. Uma bolsa carteiro cinza cruzando seu peito.

Ali estava o estilo cara mala de Wall Street do Reid.

Mas eu não deveria estar surpresa. Reid escolheu o dia e a hora do nosso encontro, intercalando com uma reunião que ele teria nos arredores e, claro, a reunião estava relacionada ao seu trabalho chique. Mas de alguma forma, ainda me chocava vê-lo naqueles trajes, e foi quase como se ele soubesse disso, porque, por alguns segundos depois de acenar com a cabeça, ele simplesmente parou e olhou para a estátua do imóvel e concentrado costureiro.

Agarrei minha lista com tanta força que quase a rasguei ao meio.

– Legal, né? – eu disse finalmente, movendo-me para ficar ao seu lado. – É a primeira vez que o vê?

– Não. – Ele olhou para mim e apontou para a Sétima Avenida com a cabeça. – Já visitei uma loja de noivas ali.

Ele não disse aquilo com malícia, mas a impressão que tive foi que lançamos algum tipo estranho de gás nervoso no ar. Todos em um raio de pelo menos um quilômetro pareceram congelar onde estavam e estremecer.

– Certo – respondi, esperando que a minha cabeça não tivesse se transformado completamente naquele *emoji* encolhido de vergonha. – Há muitas lojas de noivas e de tecidos por aqui. – A estranheza do nosso acordo, de estarmos juntos em qualquer que fosse o contexto, tomou conta de mim novamente, e parte de mim quis fugir, esquecer a coisa toda.

Um pedestre, parte de um pequeno grupo de turistas que estava rindo e olhando para o celular, esbarrou em mim e, quando o impacto me fez colidir com Reid, ele me equilibrou colocando uma mão no meu cotovelo e esbravejando para o passante:

– Cuidado, babaca!

Tive certeza de que o cara não o ouviu, mas sua fala foi tão inesperada que acabei esquecendo minhas inibições.

– Uau! – exclamei, fitando-o com olhos arregalados. – Você chamou o cara de babaca!

Aquele rubor que esperei aparecer na outra noite na loja apareceu nesse momento, levemente, bem na curva externa das maçãs do rosto de Reid.

– Quero dizer, nunca imaginei você falando uma palavra como *babaca*. – Ele franziu a testa e resolvi esclarecer: – Achei que seus insultos seriam algo como... não sei... Biltre? Patife? – *Alguma coisa do século retrasado*, pensei comigo.

– Por quê? – Sua voz ainda estava inexpressiva, mas seus olhos pareciam interessados, e sua mão definitivamente ainda estava no meu cotovelo, de modo que acabei por descobrir uma nova zona erógena até então desconhecida.

Dei de ombros, desalojando sua mão. Provavelmente eu não deveria compartilhar a coisa do filme de época.

– Você pareceu um nova-iorquino.

Os músculos de sua mandíbula saltaram.

– Você falou que havia muito para se ver por aqui.

– Isso mesmo! – Meu tom alegre demais, novamente. Tentei mostrar minha lista com menos entusiasmo, e ele olhou para ela por alguns segundos, as sobrancelhas ainda franzidas.

– Deveríamos inverter a ordem, começando pelos dois últimos locais listados – ele disse. – É mais eficiente.

Espiei a lista por cima de seu ombro, então, deslizei o polegar pela tela do celular e analisei o mapa. *Droga*, pensei. Para a surpresa de ninguém, ele estava certo.

– Foi grosseiro – ele disse de repente, me fazendo encará-lo. Ao redor de seus olhos aparentava cansaço, o azul brilhante e penetrante de alguma forma mais desgastado. – Usar aquela palavra.

Eu sorri. Sabia a qual palavra ele se referia – imaginei-a escrita, bem sem serifa, assim que saiu de sua boca. *Babaca*. Mas fingi não entender.

– Eficiente? – questionei, arregalando os olhos dramaticamente.

Ele pareceu gostar, pois seu meio sorriso voltou brevemente e, embora a piada não tenha quebrado a tensão entre nós, pelo menos a tornou mais administrável. Tive um *flashback* lembrando de cada vez que um professor organizava a turma em duplas: aqueles minutos iniciais em que você se senta ao lado de alguém que parece novo para você, mesmo que a pessoa tenha sentado a apenas algumas fileiras de distância durante todo o ano escolar.

O plano começou bem, muito bem na verdade. Os três primeiros letreiros – eficiente, de fato! – ainda estavam visíveis e, enquanto o primeiro era um pouco sem graça, não muito mais do que tamanhos diferentes da mesma letra bastão básica, o segundo e o terceiro foram as cerejas do bolo, basicamente *banners* gigantes pintados à mão nas laterais de prédios revestidos de tijolos. Diversos anúncios empilhados uns sobre os outros com muitos estilos de letras. Paramos em frente aos dois, ajeitando-nos da melhor maneira possível para eu poder tirar fotos sem atrapalhar as pessoas que andavam ao redor e, conforme nos deslocávamos, criamos um ritmo, uma cadência.

Algumas vezes, Reid pegava meu celular para tirar a foto, já que sua altura e seus longos braços realmente o colocavam em uma posição vantajosa. Às vezes, ele atravessava a rua ou se comprimia contra um carro estacionado para chegar mais perto do letreiro e conseguir um ângulo melhor. Quando conversamos, ele parecia seguro, focado – perguntou os nomes de certos tipos de letra ou pediu para que eu explicasse um ou outro termo usado para designar alguma parte do corpo da letra. A certa altura, brinquei com ele dizendo para assistir a alguns dos meu tutoriais para iniciantes na internet, e entreguei-lhe um dos meus cartões de visita com o endereço do meu site. Por alguma razão, vê-lo segurando aquele pedaço de papel, observando seu *design* cuidadoso, fez meu estômago se agitar. É como se eu estivesse espiando um momento privado, como aquele que tive quando, ao contrário, era eu a segurar o dele.

Ele cuidadosamente colocou o cartão no bolso interno de seu paletó, como se estivesse realmente planejando assistir a um daqueles vídeos, e senti meu rosto corar de prazer.

Mas por volta do sexto letreiro, as coisas começaram a degringolar. Não conseguimos encontrar dois letreiros seguidos – um porque cometi algum erro quando estava pesquisando outro, porque estava com a visão obstruída. O seguinte estava muito desbotado. Na sequência, não conseguimos encontrar meu adorado letreiro de costureira, aquele com tanto potencial – não sei se anotei o endereço errado, mas nada ali lembrava minimamente a imagem que vi *online*. Verifiquei o mapa novamente, ampliei várias imagens de satélite e pedi a Reid para tentar um aplicativo diferente enquanto eu procurava. De repente, me senti pressionada, constrangida, e foi Reid quem teve que sugerir que seguíssemos adiante.

Para piorar, as calçadas começaram a ficar cada vez mais cheias. Nossa estratégia de nos mantermos fora do caminho dos transeuntes pareceu inviável. A postura já sempre rígida de Reid enrijeceu-se ainda mais; ele parecia tenso e impaciente – "Eu *odeio* Nova York" –, e eu também fiquei afobada. Vi letreiros que não estavam na minha lista e me perguntei se devia parar para tirar fotos deles ou se devia me concentrar nos planejados. De repente, o céu ficou nublado, tão cinza quanto os prédios que pareciam assomar por todos os lados, o que tornou os letreiros ainda mais difíceis de serem vistos.

Por volta da Sexta Avenida e da 36th Street, encontramos um letreiro que vi em um *blog*, mas, quando nos aproximamos, meu coração se apertou – as partes que conseguimos avistar estavam desbotadas e havia andaimes de construção por toda parte, obscurecendo ainda mais a vista. O barulho estava inacreditavelmente triturante, metálico, deprimente. Reid e eu tínhamos que gritar nos comunicarmos, para sugerir ângulos nos quais conseguíssemos ver um pouco melhor. A certa altura, desentendemo-nos completamente, caminhamos em direções opostas, e tive que esticar a mão e puxá-lo pela manga para que me seguisse sob um andaime a fim de chegar mais perto do letreiro. Ali, o barulho estava tão alto que parecia penetrar em nossos ossos, fazendo-os vibrar no ritmo do som implacável, além disso, o calor emanado pelos milhares de corpos que se moviam pelo espaço exíguo nos engolfava. Quando emergimos, olhei para Reid e o vi mexer a mandíbula, como se tivesse atravessado o andaime com os dentes cerrados o tempo todo.

– Vamos tentar ver este aqui – eu disse, já abrindo o aplicativo da câmera no celular.

– Daqui você vai conseguir ver, no máximo, duas letras.

Ele estava certo, mas eu não queria ceder. Olhei em volta, esperando que, em um passe de mágica, fosse surgir uma escada para o céu que me permitiria chegar mais perto. Aquele letreiro parecia importante – o fundo era vermelho escuro; o *W* que conseguia enxergar tinha um sombreamento que nenhum dos outros tinha e, abaixo dele, tive quase certeza de que havia uma cursiva.

– E se eu...

E, de repente, começou a chover.

Mas não era uma garoa daquelas que vão engrossando progressivamente. Era o tipo de chuva que já começa pelo meio, grossa, forte, encharcando a roupa. Chuva que dispersa a multidão: todos a nossa volta correram para se esconder, a maioria se amontoando de novo sob o andaime que Reid pareceu tão aliviado em deixar. Uma vantagem da minha bolsa enorme e desengonçada era que podia colocá-la sobre a cabeça, embora isso tenha parecido um tanto amador quando Reid abriu sua própria bolsa, tirando de lá um guarda-chuva. Mesmo conhecendo palavras como *babaca*, ele definitivamente não era um, porque colocou o guarda-chuva sobre a minha cabeça em vez da sua e apontou para um toldo azul do outro lado da rua, sob o qual uma mulher baixinha puxava, aflita, os rolos de tecido para o interior da loja. Corremos por entre os carros, nossas roupas ficando úmidas pelo contato ocasional com os veículos parados, nossos pés chapinhando no asfalto molhado, Reid estava meio passo atrás de mim. Não podia dizer com certeza, mas tive a sensação de que sua mão pairava sobre as minhas costas.

Não tocava. Pairava.

Quando finalmente conseguimos nos abrigar, avaliamos os danos por alguns segundos. Minha meia-calça estava ensopada até os joelhos, meu vestido molhado, colado às minhas coxas. O terno de Reid estava escurecido com a umidade, seus cabelos castanhos pareciam mais acobreados. Olhei para ele e senti um sorriso de solidariedade se espalhar pela minha boca. *Engraçado*, não é? Não foi engraçado isso que aconteceu?

– Você não tem um guarda-chuva? – ele disparou, sem nenhum traço de humor na voz. Ele estava me dando uma *bronca*?

Encarei-o por um longo segundo, meu olhar censurando seu tom, o jeito arrogante que estava olhando para mim.

– Sim, eu *tenho* um. Mas não comigo agora, obviamente. – Pensei na minha bolsa barulhenta cheia de tranqueira. No trem, quando estava vasculhando dentro dela em busca da caixinha de Tic Tac, encontrei uma meia sem par, daquelas tipo soquete, que não dava para ver com o tênis. Era realmente espantoso que eu não tivesse um guarda-chuva lá, mas também era incrivelmente espantoso que ele estivesse apontando isso. – Não era para chover – completei.

Reid murmurou algo ao meu lado.

– O quê? – perguntei.

– Eu disse quarenta por cento.

Continuei olhando para ele. Havia uma única gota de chuva balançando na ponta do cabelo que se enrolava em sua têmpora.

– Quarenta por cento de chance de chuva – ele esclareceu. – O aplicativo de previsão do tempo mostrou esta manhã.

– Quarenta por cento não é cem, é?

A gota de chuva caiu na gola de seu paletó. Ele pareceu totalmente confuso, e apertou a mandíbula novamente. Como se tivéssemos recebido uma deixa, nos viramos para olhar para a rua à nossa frente, a chuva caindo inacreditavelmente mais rápida. O pequeno espaço que nos separava parecia crepitar, carregado com a estranha energia.

– Este novo projeto... – ele disse, a certa altura, sua voz mais alta para se sobrepor ao som da chuva forte que castigava o toldo logo acima. – Você vai desistir de seus clientes, caso o consiga?

Uma rajada de vento soprou um chuvisco sobre nós, e dei um passo para trás, observando a água se acumulando ao redor dos meus sapatos.

Irritada, me senti na defensiva – a caminhada que deu errado, a censura por causa do guarda-chuva, o modo como ainda podia sentir seu toque nos lugares em que ele encostou. Dei de ombros, demonstrando, levianamente, uma despreocupação que estava longe de sentir.

– Provavelmente, não. Gosto de trabalhar com as mãos. Mas sou uma só. Esse trabalho me daria segurança financeira, além de novas oportunidades. Com certeza, acabaria aceitando menos clientes.

– Tudo o que você faz agora é como *freelancer*?

Olhei para ele, mas tudo o que vi foi seu perfil, seus olhos continuavam pousados na rua.

– Sim – respondi lentamente. Cheia de suspeita. Não sabia por quanto tempo mais conseguiria parecer despreocupada diante disso.

– E se você tiver um mês difícil, com menos trabalho?

Comprimi os lábios. Por um lado, não queria soar como uma idiota pretenciosa. Por outro, Reid estava sendo idiota pretencioso ao fazer aquela pergunta.

– Consigo trabalho com facilidade. Sou bastante requisitada.

Ele concordou.

– Mas e se vierem tempos de vacas magras? – ele perguntou. – Você tem uma empresa aberta ou algo assim? Você paga algum tipo de benefício?

Meu *Deus*! Será que existe algo pior do que esse tipo de "macho palestrinha"? Um "macho questionador". Antes, no passeio público, suas perguntas foram diretas, muito abruptas. Mas não eram daquele jeito. Aquelas perguntas soavam um pouco acusatórias e com um tom um tanto superior.

– Achei que você tivesse dito que não era consultor de negócios.

– Sim – ele respondeu sombriamente, e ficou em silêncio. Mas, quando o silêncio se arrastou e a chuva diminuiu para uma garoa constante, ainda forte, Reid pigarreou e recomeçou. – Você tem plano de saúde?

– Ei, olhe – eu disse, apontando com cabeça para o outro lado da rua. Minha voz ainda soava alegre, mas nada dentro de mim estava de bom humor. – Lá está a loja Não É Da Sua Conta. E, bem ao lado, a butique chamada Coisas Que Você Não Tem O Direito De Perguntar.

Não olhei para ele, mas eu sabia – eu *sabia* o que ele estava fazendo. Ele também estava olhando para o outro lado da rua. Ele sabia que tais letreiros não existiam, mas olhou mesmo assim.

– Só quis dizer que os custos com saúde são exorbitantes, e muitas pessoas no meio criativo...

– Reid. – Virei-me para encará-lo, cruzando os braços sobre o peito e sentindo uma nova borrifada de chuva soprar contra todo o meu lado direito, as minhas roupas, o meu rosto, o meu cabelo. Nunca entendi direito o que as pessoas queriam dizer com "perder as estribeiras". Mas, naquele momento, eu estava por um triz.

Respirei fundo, esperei ele olhar para mim. Eu me sentia *elétrica.*

– Vamos deixar uma coisa bem clara. Eu não sinto pena de você, e você também não tem motivo algum para sentir pena de mim. Não sou o tipo *manic pixie dream girl*, uma musa que tem como objetivo transformar meninos em homens de verdade, que precisa da sua influência estabilizadora. Sou boa no meu trabalho. Construí um negócio em uma das cidades mais duras do mundo e, agora, as pessoas vêm até *mim*. Tudo o que eu queria quando procurei você era um...

Parei, assustada, meu rosto estava ficando quente. Estava para dizer *amigo*. Meu Deus, o que estava *fazendo*? Por que estava dizendo todas estas coisas a ele?

– Um o quê? – ele perguntou.

– Uma companhia – terminei, vacilante. – Como disse antes.

– Então, você tem uma empresa.

– Não... – Meu Deus, aquilo era tão... tão *frustrante*, o jeito como tudo se dava entre nós. Como ele me pressionava em cada coisa, como me atraía para a armadilha de dizer coisas que não deveria. A forma como ele não me *deixava* manter as coisas leves. – Não foi isso que quis dizer – respondi.

O mundo inteiro pareceu silenciar ao nosso redor, a chuva de repente diminuiu. Era apenas um chuvisco agora. Grossas gotas d'água se equilibravam na beirada do toldo sob o qual estávamos e, em segundos, havia o dobro de pessoas na rua, emergindo de onde quer que tenham se abrigado. Reid as observava, parecendo tenso, bonito e triste, e mesmo com toda a frustração, eu ainda sentia aquela coisa – aquela simpatia, aquela conexão.

Mas claramente eu estava errada.

Saí de debaixo do toldo. Uma grande gota de chuva caiu da borda e me atingiu na testa, bem em cima das espinhas. Sem guarda-chuva, sem dignidade. Que dia de merda!

– Meg – ele disse suavemente, e por um segundo achei que seus olhos estavam... suplicantes? Mas sua boca se fechou novamente. Ele não tinha nada a acrescentar. Aquela coisa toda foi dolorosa para ele, do início ao fim.

Ele tentou me entregar seu guarda-chuva, mas eu acenei que não.

– Isso foi um erro – eu disse e, dessa vez, ele não tossiu quando me ouviu dizer a palavra. *Aquela* palavra.

Ele só olhou para mim, segurando aquele estúpido guarda-(quarenta por cento de chance de)-chuva, no que eu acreditei que fosse um sinal de concordância.

Virei-me e fui embora, sentindo como se estivesse arrastando as letras daquela palavra fatídica atrás de mim.

Quando cheguei em casa, eu era uma bagunça raivosa e molhada, de cabelos desgrenhados. Eu me sentia basicamente um gato selvagem, se é que gatos selvagens podem ser assediados duas vezes no metrô, uma vez por um homem insistindo para que me sentasse em seu lugar e, em seguida, me chamando de "puta mal-educada" quando lhe disse que preferia ficar de pé pela quinta vez, e outra por seu amigo, dizendo que sempre gostou de uma "mina" temperamental, olhando descarada e repugnantemente para a minha virilha. Na saída, discretamente colei meu chiclete na alça da sua mochila, mas a menos que a goma de mascar tenha o poder de expandir e prender aquele cara e seu amigo babaca no casulo sufocante e destruidor da minha raiva feminista, essa foi uma vitória bastante vazia.

– Ei, você chegou!

Um sinal de quão furiosa eu estava, de como não me sentia eu mesma, é que não senti sequer uma faísca de gratidão ou alívio, ou esperança ao encontrar Sibby me cumprimentando como se eu chegar em casa fosse uma parte bem-vinda de seu dia. Ela estava sentada na pequena mesa de dois lugares que tínhamos na cozinha, com uma embalagem de *lámen* para viagem à sua frente, e tudo o que eu sentia era irritação. Seu cabelo não estava apenas seco, mas também impecavelmente alinhado. Seu delineador gatinho estava de volta em sua melhor forma, enquanto eu estava bem consciente do rímel escorrendo até a metade do meu rosto. Não vou nem começar a falar do quão limpa sua pele estava. E, para completar, aquele *lámen* era do meu restaurante favorito.

– Preciso de um banho – eu disse, e ela pareceu um pouco chocada. Nos últimos dois meses, eu tinha sido muitas coisas com Sibby: questionadora, educada, provavelmente até desesperada. Mas nunca brava ou rude.

– Ah, claro – ela respondeu, acenando com seu *hashi* de plástico. Na verdade, o *meu hashi* de plástico, o que obviamente não é tão ruim quanto ser assediada no metrô, mas ainda assim senti vontade de ter outro chiclete disponível. – Você acha que estará pronta em uns vinte minutos? Estou indo para a casa de Elijah, mas queria conversar com você primeiro.

Tive vontade de soltar o maior suspiro do mundo. O que quer que ela estivesse prestes a dizer, não tornaria aquele dia melhor, mas mesmo que o chuveiro estivesse chamando meu nome, preferi acabar com aquilo de uma vez. Aí, então, eu poderia chorar por causa da minha briga de merda com Reid *e* por causa daquela conversa, tudo ao mesmo tempo. Pega essa, Reid! Quem é eficiente agora?

Tirei a bolsa do ombro e a deixei cair no chão sem a menor cerimônia, o que me rendeu outro olhar de surpresa. Não era a pessoa mais organizada do mundo, mas desde que começamos a dividir o apartamento, aprendi a manter minha bagunça controlada e, principalmente, fora da vista de Sibby. Ela sempre gostou de organização, então, eu sempre – *eca* – "segui o fluxo".

– Pode dizer agora. Tenho certeza de que não vai demorar. – *Nada demora muito com você ultimamente*, pensei. Eu estava sendo tão passivo-agressiva que quase queria estar gravando aquilo. Poderia enviar a gravação para minha mãe mais tarde. Acho que ela ficaria orgulhosa.

– Ok – Sibby começou, lentamente. – Bem, sei que disse "no fim do verão". – E ela parou aí.

Eu – silenciosa e imperceptivelmente – soltei um suspiro.

– Mas vagou um outro apartamento no mesmo prédio e, Meg, esse é *muito* melhor. Tem janela na cozinha e...

– Esse *hashi* é meu – deixei escapar, e ela piscou surpresa. – Deixa pra lá. Leve o *hashi*. Não me importo.

– Meg, por favor. – Sua voz era tão gentil. Mas que direito ela tinha de ser gentil comigo, quando estava fazendo daquele lugar um inferno para mim há meses?

Pressionei as têmporas com os polegares, esfreguei a testa ainda úmida e senti uma pontada de dor quando esbarrei nas espinhas. Havia um latejar surdo de exaustão em meus ombros, minhas costas e meus pés. A verdade é que nós duas sabíamos que eu não iria discutir com ela. Especialmente sobre aquele assunto. Se ela queria partir, *que fosse*. Dada a maneira como cresci – com meus pais brigando durante todo o casamento desde o momento em que nasci, encenando o batido conto moral chamado "ficar juntos pela criança" –, eu sabia disso melhor do que ninguém.

– Ouça, tive um dia péssimo. – Abaixei-me para pegar a bolsa descartada, tentando parecer despreocupada, e não como se estivesse pensando no eficiente banho e choro que me esperava. – Então, se não é no fim do verão... ? – soltei a pergunta no ar.

Ela olhou para seu macarrão. Então *aquela* era a parte difícil. Endureci os ombros já rígidos em preparação.

– Podemos nos mudar no final de junho.

– Isso é... rápido. – Rápido tipo "impossível encontrar um sublocatário não sinistro nesse meio tempo" e, de qualquer forma, a esperança era que, quando Sibby se mudasse, eu não fosse precisar de um sublocatário imediatamente, pois teria conseguido o trabalho da Make It Happyn.

Uma nova onda de raiva cresceu dentro de mim, e me senti desesperada para me afastar dela, para conseguir empurrar tudo goela abaixo.

– Pensei em ligar para meu pai – Sibby disse. – Daí, eu poderia pagar o aluguel pelo resto do verão, mesmo saindo antes.

Então foi a minha vez de piscar de surpresa. Sibby havia rompido os laços financeiros com o pai há cerca de quatro anos, quando ele foi à cidade para uma conferência. Eles tinham se encontrado para jantar e, depois, assistir a um espetáculo, algum musical que Sibby já tinha visto três vezes. Já no bar do hotel, o sr. Michelucci disse a Sibby que não conseguia imaginá-la no palco de jeito nenhum.

– Você não é como aquelas garotas lá em cima, Sibyl – ele disse para ela. – Você não tem a voz, o rosto ou o corpo para isso. É hora de encarar os fatos.

Quando ela voltou para casa naquela noite, chorou copiosamente, engasgando-se ao repetir as palavras dele, e aquilo partiu meu coração. Gostaria de poder protegê-la, impedir a dor de um relacionamento estremecido com um dos pais, especialmente seu pai, de quem ela sempre foi mais próxima e sempre acreditou estar ao seu lado para o que desse e viesse.

Portanto eu sabia exatamente o quanto custaria a ela pedir aquele favor ao pai.

– Não precisa ligar para ele – respondi. Eu estava com raiva de Sibby e confusa com suas ações. Mas ainda a amava. Queria que ela fosse feliz. E se ela chegou a propor algo tão desesperado, então, obviamente o que ela precisava para ser feliz era se mudar. – Eu consigo segurar as pontas – completei.

– Mesmo? – ela perguntou, com a voz cadenciada, musical. Eu poderia grudar um chiclete no pai dela também. Ele estava tão enganado... ela *tinha, sim*, a voz, o rosto e o corpo necessários, o que quer que isso significasse. Acontece que muitas outras pessoas naquela cidade também tinham!

– Ah, sim... vai ficar tudo bem.

Eu já estava pensando em quanto tinha na conta-corrente naquele momento (conta *de pessoa jurídica*, muito obrigada), quanto tinha na poupança, quantos trabalhos regulares teria nas semanas seguintes, quando teria que pagar meu próximo imposto. Era extremamente irritante que eu estivesse pensando em quão útil poderia ser ter um analista quantitativo que faz contas de cabeça rapidamente naquele momento. Uma linda calculadora de bolso sob medida.

– Podemos acertar os detalhes mais tarde? Preciso *muito* de um banho.

– Sim, claro. – Ela pegou o celular que estava ao lado da embalagem de comida, e checou a hora antes de perguntar: – Por que seu dia foi tão ruim?

Encarei-a por um longo momento. O que eu poderia dizer nos minutos restantes que ela tinha para me dar? O que faria sentido, depois de tantos longos intervalos entre nossas interações? Pensei dolorosamente em Reid e em suas perguntas diretas e sem sentido. Aquelas que eu disse que ele não tinha o direito de perguntar. Não tinha, mas ainda assim...

Não eram as piores perguntas do mundo.

Não dei uma resposta, apenas dei de ombros e gesticulei para meu rosto e corpo molhados e sujos, dizendo a ela para se divertir na casa de Elijah. Fui para o meu quarto e fechei a porta atrás de mim.

Mas antes de tirar as roupas, peguei o celular na bolsa e o segurei por alguns minutos enquanto olhava ao redor. Há semanas, tudo o que eu via no meu quarto era o caos apertado da minha mesa e o trabalho que estava tentando fazer e refazer enquanto lutava com o projeto da Make It Happyn. O resto, porém – claro, era pequeno e bagunçado, mas também carinhosa e cuidadosamente escolhido. O edredom de plumas azul-claro absolutamente perfeito. Os grandes travesseiros brancos com monogramas cinza que eu mesma havia desenhado, um luxo que me permiti depois que saiu o artigo no *Times*. O lenço rosa transparente que drapeei sobre o abajur de cabeceira. A pequena estatueta na cor ouro rosé que Cecelia havia me dado no Natal há alguns anos, um pássaro em repouso, seu corpo arredondado era perfeito para refrescar a palma da mão. A silhueta que fiz do horizonte de Manhattan - as linhas que definem os prédios feitas de trechos de conversas aleatórias que ouvi no metrô, escritas em uma minúscula e imaculada fonte *Roman print*.

Eu não queria ter que me mudar dali. Não queria outra reviravolta.

Mas precisava de mais dinheiro - e logo - para que esse plano desse certo. Mas já que não tinha mais passeios com Reid marcados na agenda, imaginei que teria tempo. *Consigo trabalho com facilidade*, ouço-me dizendo a ele. *Sou requisitada*.

Deslizei o polegar sobre a tela do celular e naveguei pelos meus contatos.

- Cecelia - eu disse quando ela atendeu -, você ainda tem o número daquela cliente que mencionou?

Capítulo 6

Não quero ser dramática, mas: Era a droga de uma estrela de cinema!

Quer dizer, não era uma Meryl Streep, mas era uma pessoa que esteve em pelo menos um filme ao qual, por sinal, eu também assisti. Chamava-se *A barraca da princesa*, e não só Sibby e eu o vimos juntas no cinema, quando tínhamos catorze anos, como cada uma de nós tinha sua própria cópia, de modo que o assistimos em umas sessenta por cento das vezes em que dormíamos na casa uma da outra.

A barraca da princesa, objetivamente falando, não era um bom filme, estava repleto de frases como "Você é uma princesa onde importa: por *dentro*" ou "Minha barraca era pequena, mas este castelo é uma prisão!". Anos depois, Sibby e eu ainda recitávamos essas falas uma para a outra, tanto em momentos apropriados quanto nos mais inadequados, e sempre caíamos na risada depois.

Embora tirássemos sarro, também adorávamos o filme. Tratava-se da história de uma princesa há muito perdida, acreditando-se órfã e farta do sistema que a arrastava para dentro e para fora de lares adotivos. Vivendo sozinha à beira de uma floresta, ela era forte e engenhosa, porém escondia suas circunstâncias de todos em sua escola, incluindo o menino bonito da sua turma de inglês, que escrevia poesias que não eram desprezíveis – uma façanha, sejamos sinceros – e que sempre levava um sanduíche extra para ela, só porque sim.

Sibby e eu ficamos tão envolvidas que provavelmente teríamos incendiado o cinema se a princesa Freddie (nome real: Frederica, óbvio) não conseguisse seu final feliz (coroa, castelo, barraca, namorado poeta-sanduicheiro), então, foi bom que deu tudo certo para ela.

Acho que também deu certo para a jovem estrela que fez da princesa Freddie um nome familiar em cada casa dos Estados Unidos, porque, na tarde de sexta-feira, lá estava eu na porta da casa novinha em folha em que ela morava com o marido – um artista que havia passado recentemente de ator a diretor – em Red Hook. A casa fazia parte de uma fileira de casas geminadas com fachadas revestidas com algo parecido com tijolos vermelhos por serem todos muito juntos, mas diferentes por serem brutalmente modernos, algumas tinham também um revestimento preto que parecia madeira queimada, outras com um que me lembrou o lado fosco do papel-alumínio e outras, ainda – incluindo aquela – com aço *corten*, aquele que parece ferro enferrujado alaranjado. Todas tinham janelas enormes e altas no segundo e terceiro andares, do tipo que um decorador chique diria que você *não pode*, de jeito nenhum, cobrir com cortinas. Não era do meu gosto, mas morava naquela cidade há tempo suficiente para saber que uma casa daquelas custava, pelo menos, dois milhões, ou até mais, dependendo do que se esconde além daquelas portas.

Tive certeza de que em breve vislumbraria esse "além", mas, naquele momento, eu estava muito ocupada me concentrando em tentar não ficar boquiaberta, quando a assistente de Lark Tannen-Fisher, chamada Jade, me apresentou uma folha de papel que "jurava por Deus" não estabelecer qualquer vínculo legal entre mim e a cliente, mas que também continha palavras assustadoras como *profissional* (que achei que significava eu) e *eliminação* (que, supus, não significava assassinato, mas vai saber). Eu estava ali há três minutos no máximo e, mesmo sabendo que não aceitaria aquele trabalho até falar com um advogado (sim, sei quando chamar um advogado! Chupa, Reid!), ainda estava tendo problemas para processar aquele primeiro minuto quando Jade me explicou quem eu estava prestes a conhecer.

Novamente: a droga de uma estrela de cinema!

Quando a olhei por cima do "papel que não criava vínculo legal algum", Jade abriu um sorriso extrabranco e disse:

– Lark está *tão* empolgada para conhecê-la. Ela *adora* seu Insta!

– Excelente! – respondi, mas minha mente não me deixava pensar em qualquer coisa além de *HÁ UMA BARRACA EM ALGUM LUGAR AQUI?* Fiquei com esse pensamento durante todo o trajeto pelo longo corredor de entrada, que cheirava a tinta fresca e dinheiro e provavelmente continuaria pensando se não entrássemos em uma enorme cozinha/sala de jantar/sala de estar, aberta, arejada e bem iluminada. Ainda não havia muitos móveis, mas todas as peças embutidas eram lindas – armários de madeira escuros e elegantes cobrindo uma parede inteira, puxadores de aço combinando com os eletrodomésticos, uma enorme ilha de mármore branco encimada por luzes que saíam de pendentes de vidro soprado. E um pouco além, um candelabro que era uma obra de arte, ramos de madeira retorcidos lindamente entrelaçados com delicados prismas de vidro. No espaço em que os móveis da sala certamente seriam colocados havia uma lareira baixa e retangular embutida em uma meia parede de tijolos brancos, janelas acima e nas laterais emoldurando-a, com vista para o tipo de pátio ajardinado pelo qual metade da população do Brooklyn mataria.

Apesar de Jade ter falado comigo em frases que incluíam, pelo menos, mais doze palavras em itálico, eu não tinha certeza se estava processando tudo aquilo adequadamente. Não pareci nem um pouco *cool* quando ela puxou uma cadeira de acrílico chique e me convidou a sentar e "me acomodar", perguntando, em seguida, se eu queria beber alguma coisa. Quando recusei, recebi outro sorriso ofuscante e ela saiu dizendo que nos veríamos mais tarde.

Vou conhecer a Princesa Freddie, pensei, enquanto estava sentada ali com meu caderno de trabalho e minha Micron a postos. Nenhum dos dois era cor-de-rosa ou tinha brilhos, o que, naquele contexto, me pareceu um erro inaceitável.

– Meg?

Lark, incrivelmente, parecia a mesma daquela da tela de tantos anos atrás – mais baixa do que eu pensava, os planos de seu rosto mais nítidos com a idade adulta, mas ainda com aquele longo cabelo castanho-escuro emoldurando seu rosto, olhos castanhos para combinar e um punhado de sardas espalhadas no nariz e bochechas. Seu sorriso era o da Princesa Freddie, de boca fechada e cauteloso – lembrei-me que, depois que o filme estreou, li em uma entrevista que ela contou que sempre foi ridicularizada por causa do tamanho de sua boca. Como eu tinha a boca cheia de aparelho odontológico na época, senti uma certa afinidade.

Lark apertou minha mão quando me levantei da cadeira. Fiz um verdadeiro esforço para não fazer uma reverência, segurando a Micron na outra mão com tanta força que meus dedos doíam.

– Obrigada por me receber – eu disse, como se eu tivesse ido para seu chá de panela ou um coquetel.

– Estou muito feliz que você veio. Sigo você há séculos!

Considerando que passei boa parte do meu primeiro ano da escola desenhando esboços de sua tenda mágica na floresta, aquele foi um momento de dissonância cognitiva para mim. Com certeza eu sorri bobamente, sentindo como se meu aparelho tivesse crescido de volta em minha boca.

Mas, quando nos sentamos à ilha gigantesca e Lark me contou sobre o trabalho que ela queria que eu fizesse, algo nela fez meu sorriso começar a parecer congelado e estranho de uma maneira diferente. Ela era leve, alegre, um *modus operandi* que eu conhecia muito bem e com o qual geralmente me sentia confortável, mas tudo o que ela dizia parecia carregado com o nome do marido. Cameron quis deixar Los Angeles porque era uma terra inculta. Cameron escolheu Red Hook porque é "autêntico". Cameron quis aquela casa porque sua simplicidade não interferiria em seu "processo". Cameron apoiava sua carreira como atriz, mas ao mesmo tempo não aprovava as ofertas que ela recebia para trabalhar em comédias românticas e, definitivamente, não queria vê-la fazendo TV. Cameron queria filhos, dois meninos. Cameron gostaria que ela cozinhasse melhor.

Então, odiei Cameron discretamente, o que era inapropriado, já que Lark não queria que eu fizesse *apenas* um *planner* personalizado para ela. Ela também queria que eu trabalhasse em duas grandes paredes da casa, porque Cameron gostava de citações inspiradoras (desejei que ele não fosse fã de "Por onde for, floresça!"). Uma delas era uma versão em maior escala de algo que fiz antes, um painel estreito na cozinha que eles queriam escrito a giz, mas a outra – para a qual Lark me conduziu –, era uma parede enorme de pé direito alto no quarto principal, onde eles queriam que a arte fosse feita à tinta.

– Não costumo trabalhar com tinta – expliquei para ela, de frente para todo aquele vazio branco.

Aquilo não era totalmente verdade – cerca de um ano e meio antes, fiz um *workshop* de pintura de letreiros de quatro fins de semana, em Williamsburg, para pegar um pouco de prática com letras e composições em estilo retrô. Adaptei a maior parte do que aprendi para meu trabalho com caneta e papel. Mas também fiz alguns letreiros à tinta para Cecelia e para a loja, e um para o pequeno Spencer Whalen, principalmente porque não queria que Sibby tivesse problemas se eu recusasse.

Então, provavelmente eu conseguiria dar conta daquele serviço e ainda contaria com a vantagem de aprimorar minhas habilidades com o pincel. Desde que eles não quisessem nada muito complicado, provavelmente ficaria bom, embora mais demorado do que eu esperava.

Mas, de repente, algo me deixou desconfortável. A princípio, olhando para as paredes, achei que era um eco do meu passeio mais recente com Reid, ainda que aquelas não fossem vazias. Depois de alguns segundos, porém, percebi que era outro tipo de familiaridade, era a sensação de que, se eu fizesse aquele trabalho, iria querer dizer coisas que não tinha absolutamente direito de dizer. A sensação de que iria quebrar a promessa feita a mim mesma – a Reid, não que eu devesse me importar – se aceitasse.

– Posso lhe indicar algumas pessoas que fazem esse tipo de trabalho em período integral – acrescentei assim que percebi que o silêncio se estendeu por tempo demais. Não havia quase nada naquele cômodo ainda, somente uma enorme cama californiana *king size* com lençóis brancos e uma grande foto emoldurada em preto e branco do casamento de Lark e Cameron encostada na parede ao lado. Nela, o rosto de Lark estava quase completamente obscurecido, e Cameron usava um gorro de tricô caído para trás e largos braceletes de couro preto em ambos os pulsos. Na praia! Novamente me senti comprometida com a decisão de recusar o projeto. Como conseguiria fazer aquele trabalho sem esconder uma mensagem sobre o quanto desaprovava o traje de casamento de Cameron?

Provavelmente, não resistiria.

Mas, então, Lark disse:

– Ah... – E ela pareceu genuinamente desapontada. – Talvez eu deixe pra lá. Estava meio que tentando evitar... – Ela se calou, enfiou as mãos no bolso da frente do moletom, dentro do qual estava praticamente nadando. – Acho que preferiria ter menos pessoas entrando e saindo da casa, sabe?

Olhei em sua direção, e ela encolheu os ombros timidamente.

– Fico nervosa com essas coisas de privacidade.

– Ah, claro – eu disse, como se pudesse entender o que é ser uma estrela infantil. Olhei a parede novamente, dessa vez me sentindo decididamente menos comprometida a recusar. Durante todo o minitour por aquela casa enorme, não pude deixar de pensar *Este castelo é uma prisão!* Só que, dessa vez, isso não pareceu nada engraçado. Quando vi Lark naquele filme, anos atrás, a diferença de idade de três anos entre mim e a Princesa Freddie parecia enorme. Ela era uma adolescente *de verdade*, não o tipo de adolescente que eu era – em desenvolvimento e desajeitada –, e festas, bailes de formatura e passeios ainda estavam em um horizonte muito distante para mim. Mas, naquele momento, com Lark ao meu lado, naquele cômodo enorme e estéril, eu me senti a mais velha, a verdadeira adulta do lugar.

Talvez eu pudesse fazer o trabalho, para ajudá-la. Poderia ignorar tudo o que ela disse sobre Cameron, manter minha promessa para mim mesma e dar a ela o que desejava. E seria bom para mim também; não apenas financeiramente, aquele seria um bom desafio concomitante ao projeto da Make It Happyn. Um lugar para extravasar todo o excesso de inspiração que *com certeza* ainda tiraria das minhas caminhadas pela cidade.

Respirei fundo e falei com toda a confiança alegre e casual que ainda consegui reunir em relação ao projeto:

– Sabe de uma coisa? Eu topo! Gosto de experimentar coisas novas.

Ela, então, me deu um grande e genuíno sorriso e disse:

– Cameron está sempre me incentivando a tentar coisas novas.

Segurei um gemido e deixei escapar:

– Como cozinhar.

Assim que as palavras saíram da minha boca, fiz uma careta. Em primeiro lugar, estava parecendo Reid, em quem eu não deveria: (a) estar pensando e (b) imitando de forma alguma. Em segundo lugar, eu mal conhecia aquela mulher e, por último, eu tinha acabado de me comprometer a manter a boca – ou as mãos – calada sobre o que quer que estivesse acontecendo na vida dela. E sabe-se lá se Lark/Princesa Freddie não tinha uma veia tirânica e eu estava a cinco segundos de ser jogada na rua? Jade tinha um aperto de mão firme o suficiente para mostrar que seria capaz de fazer esse trabalho.

Mas Lark me surpreendeu com uma gargalhada que a fez levar a mão à boca. Quando se recompôs, soltou um pequeno suspiro.

– Às vezes é exaustivo tentar coisas novas, sabe?

Ah, como eu sabia! Perguntei-me se ela gostaria de ouvir uma história sobre uma tentativa de fazer coisas novas em que você liga para um homem que não gosta de você, pede a ele para se juntar aos seus esforços, provavelmente inúteis, de encontrar inspiração artística, desenvolve uma afeição inadequada pelo seu rosto e, então, tem uma briga com ele na chuva em uma rua movimentada no centro da cidade.

Exaustivo mesmo!

– Entendo perfeitamente – respondi.

Por um segundo, nós duas encaramos a parede, e tentei me convencer de que todo aquele vazio não se transformaria em outro bloqueio.

♥ ♥ ♥

Liguei para Cecelia quando estava a caminho de casa.

Não fiz isso pensando em desrespeitar o desejo de privacidade de Lark – ou, Deus me livre, aquele pedaço de papel –, mas porque Cecelia me ajudou guardando o número dela e iria querer saber como foi.

– Ah, Meg! – ela disse, sua voz era alta. – Era uma *Real Housewife*?

Ri, mas logo me senti triste novamente pensando em Lark, naquela casa grande, em Cameron querendo filhos – apenas meninos –, em alguém cozinhando, em seu retrato de gorro combinado com braceletes de couro e em Lark parecendo um pouco chocada com tudo aquilo. Afastei esses pensamentos.

– Definitivamente, não. Mas ela tem muitos seguidores, então, seria ótimo se mostrasse algum trabalho meu em suas redes sociais.

– Isso é exatamente o que eu esperava! Outro *planner*?

Contei a ela brevemente sobre o *planner* e as duas paredes. Ela se mostrou interessada, mas também distraída, provavelmente estava conferindo o estoque ou examinando novas amostras.

– Então, queria agradecer e...

– Que bom que você ligou – ela me interrompeu. – Será que poderia dar um pulo aqui na loja? Um *motoboy* deixou um pacote para você há alguns minutos.

– Aff. É da ink•scribe de novo? – Outro nome excessivamente estilizado para uma empresa que estava sempre me enviando coisas grátis aos cuidados da loja. As amostras eram porcarias, como canetas que duravam, literalmente, um dia e meio. Provavelmente já haviam me enviado umas cinquenta desde o artigo do *Times*. – Se for, guarda para mim? – Planejei buscar no dia seguinte e doaria o material para a creche que ficava a dois quarteirões de casa.

Ouvi um farfalhar do outro lado da linha. Cecelia murmurou algo sobre precisar de seus óculos que, mesmo sem vê-la, eu sabia que estavam pendurados na gola de sua camisa.

– Ah, aqui estão – ela disse, meio segundo depois. – Não, este aqui... está escrito Sutherland. Quem é esse?

Meu rosto ficou imediatamente quente.

– Ah, hmmm...

– Seria o cara do encontro, talvez?

Mudei imediatamente de direção, indo para a estação da Smith Street, que me levaria até a loja.

– Não, imagine! Não deixaria algum cara com quem estou saindo enviar coisas para a loja. Ele é um... – Parei. Não podia arriscar. Fora de contexto, Cecelia não conseguiria se lembrar do nome. Mas se eu dissesse "ex-cliente", isso poderia despertar sua memória. – Ele é um consultor para pequenos negócios.

Que coisa *idiota* que fui dizer! Parecia que o "macho questionador" tinha entrado mesmo na minha cabeça. O pacote provavelmente continha um monte de informações sobre seguro saúde, seguro de vida, coisas que eu já sabia. Que *babaca*!

– Ah, boa ideia! – Cecelia aprovou.

Terminamos a ligação com eu dizendo a ela que estaria lá em breve e, pelo resto da viagem, fiquei fazendo uma coisa que às vezes me permitia: compor um longo, altamente organizado, mas incrivelmente espirituoso sermão de censura a alguém que me sacaneou. Mas, naquela versão, eu estava vendo tudo escrito. Eu o escreveria de maneira caótica, aleatória, misturando várias fontes diferentes. Algo que realmente irritasse Reid. Letras em estilo bolha, definitivamente; isso provavelmente faria sua cara derreter (cadê o *emoji*?). *Abri um MEI meses atrás*, eu escrevia em meu pensamento. *E tenho uma conta poupança para questões de saúde. Inclusive, já pesquisei uma dessas apólices de seguro de ativos para minhas mãos.* Claro, eu deixaria de fora a parte que diz que essas apólices são caras a ponto de me fazer rir alto.

Quando estava chegando perto da loja, meus pensamentos se perderam, e tudo o que consegui fazer foi imaginar como seria aquele *Sutherland* no pacote. Será que ele mesmo havia escrito o endereço? A possibilidade de ver sua caligrafia me pareceu excitante e enervante. Íntimo. É raro ver a caligrafia das pessoas hoje em dia. Por mais surpreendente que possa parecer, ninguém vê a minha, já que o que desenho não é muito semelhante à minha escrita natural. Até o meu próprio *planner* era estilizado – os cabeçalhos para listas de tarefas em cursiva, letras amplas, tudo minúsculo, sem inclinação, as tarefas em si escritas em uma fina fonte *Roman* blocada, tudo em maiúscula. Isso ficava bem nas fotos.

Mas uma vez que o pacote que Reid enviou estava em minhas mãos – Cecelia tinha interrompido brevemente sua conversa com um cliente para apontar para a mesa na parte posterior da loja, na qual estava guardado –, vi que ambas as etiquetas na frente haviam sido digitadas, provavelmente por alguém que trabalhava para Reid. Ignorei a decepção e abri o pacote – era fino, mas rígido, nada mais do que um envelope padrão, tamanho ofício, o tipo de coisa na qual vem um contrato. Então, imaginei que fosse o irritante eu-não-pedi-por-este-conselho-sobre-negócios. Bem, pelo menos se Cecelia voltasse, minha mentira pareceria convincente.

Porém não era um conselho de negócios.

Era uma carta. Papel A4, branco, nada de especial, embora mais grosso que o papel de impressora comum.

E estava manuscrita.

Querida Meg, começava e, por um segundo, não conseguia ir além daquelas duas palavras. Apesar de parecer ter saído direto de um filme de época, Reid não escrevia com algum tipo de letra cursiva do século XVIII; em vez disso, como a maioria das pessoas hoje em dia, ele escrevia misturando letra cursiva e letra bastão – o *M* do meu nome separado do *e*, mas o *e* unido ao *g* por uma linha suave. As letras estavam próximas umas das outras, mas as palavras em si guardavam um espaço para respirar – espaçamentos largos e uniformes que me fizeram lembrar da maneira como a mandíbula de Reid se descerrou quando saímos da calçada lotada de andaimes.

Tinta preta escura. Pressão uniforme. Inclinação para a direita, uma vertical baixa. Resisti à vontade de traçar as letras com o dedo. Querida Meg. E me forcei a continuar a leitura.

Peço desculpas pelas perguntas que fiz na quarta-feira.

Tenho certeza de que você notou que não tenho o dom da conversação, além disso, eu estava nervoso, por isso me apoiei em assuntos que conheço melhor. Assuntos que conheço mais do que arte, pelo menos. Isso não é desculpa para a má companhia que fui.

Ontem de manhã, voltei ao prédio com os letreiros que não conseguimos enxergar. Antes das 7 da manhã é diferente, como você deve saber.

Barulho de trânsito, barulho de construção, barulho de pessoas: ainda está tudo lá, mas em volume mais baixo, e é por isso que eu não deveria ter sugerido um encontro naquele horário. A luz não estava boa e o andaime ainda está lá, então continua sendo impossível ver as letras, mas fui a um outro lugar depois do trabalho e encontrei esse letreiro. A foto está anexada a esta mensagem. Espero que ajude.

Se serve de alguma coisa, foi um regozijo vê-la em ação. Desejo-lhe todo o sucesso.

Reid Sutherland

Fiquei olhando para o texto por um longo tempo, ignorando, por um tempo, o que ele enviou em anexo. Não estava procurando um código, porque sabia que Reid não deixaria um. Se ele perguntava, ele queria saber. Se dizia algo, ele estava falando sério. Se escrevia para você, ele dizia exatamente o que queria que *você* soubesse.

Em vez disso, escolhi as frases de que mais gostei, as que me fizeram querer concordar com ele, responder-lhe, perguntar-lhe. "Eu estava nervoso", li de novo, e tive vontade de dizer: "Eu também estava. Não é desculpa", e pensei: *Não, mas eu o perdoo.* "Antes das 7 da manhã", e me perguntei: *A que hora você se levanta? Qual horário você tem que estar no seu estranho trabalho de calculadora?*

"Foi um regozijo vê-la em ação." Aquilo era bem filme de época, eu sei, mas, naquele momento, me apaixonei pela palavra regozijo. Na minha cabeça a vi escrita em uma elegante letra cursiva de traços finos. Coloquei algumas letras em *bold*: R-E-**G**-**O**-**Z**-I-J-**O**.

Ele anexou a cópia de uma fotografia, mas era possível ver que o original era em preto e branco. No canto inferior direito, consegui ver um trecho de uma etiqueta, algo que deve ter ficado preso na copiadora, um "PNY" que, eu sabia, levava um B antes. Arquivos de fotos da Biblioteca Pública de Nova York. Foi para lá que Reid foi depois do trabalho. Para a *biblioteca.*

A foto retratava alguma cerimônia de inauguração, com alguém importante cortando uma fita, embora aquele devesse ser um momento pré-tesouras grandes e pré-sorrisos, pois os homens estavam sérios em seus ternos escuros parados atrás de uma longa e fina fita de tecido. Atrás deles, aparecia uma versão mais nova do prédio que, no dia em que fomos lá, estava encoberto por andaimes. Mas ao deixar meus olhos desviarem para cima, por cima deles, eu pude vê-lo. No canto superior esquerdo, havia mais da metade do letreiro que tentamos enxergar sem sucesso. Não *recém-pintado*, me pareceu, mas novo. Claro e iluminado e, embora eu não pudesse vê-lo por completo, consegui ver o suficiente do que perdemos na rua. A cursiva que me esforcei tanto para ver pertencia a uma marca de roupas masculinas, nada de que eu já tivesse ouvido falar, mas consegui imaginar as roupas, de alguma forma, a partir daqueles signos – chapéus que combinavam com as linhas ascendentes das letras, alguns floreios, sugerindo produtos estilosos, mas não ousados. Um letreiro organizado, elegante e inspirador.

Mais abaixo, havia uma linha de letras que tinha desaparecido quase por completo, e quase não percebi que estava lá. Era despretensiosa, estreita, toda em maiúscula. A frase exibida me fez sorrir, e me perguntei se aquilo não causou em Reid uma reação exatamente oposta. Não pude deixar de me perguntar o que aquela linha significou para ele.

NO ESTILO NOVA-IORQUINO, dizia.

Um sinal literal, mas talvez de outro tipo também.

Enrolei um pouco para chegar em casa, não querendo parecer muito ansiosa. Parei para fazer algumas compras na mercearia e fiquei presa em uma conversa com Trina, a moça que trabalhava no caixa às sextas-feiras e que, hilariamente, insistiu em me mostrar a infecção que pegou no umbigo, lugar em que havia colocado um *piercing*. No caminho para casa, dei de cara com uma de minhas clientes que saía de sua aula de zumba e, quando elogiei sua roupa de ginástica estilosa, ela se empolgou para me dar um convite para um evento para amigos e familiares em sua loja de roupas *athleisure* favorita, um estilo esportivo, confortável e urbano. Quando finalmente cheguei em minha rua, vi meu vizinho, Artem, com a filha, ele estava agachado, do lado de fora da porta de entrada, tentando corajosamente desenhar um unicórnio para ela com giz na calçada. A cabeça parecia uma coxa com uma adaga saindo dela, então, fui profissionalmente obrigada a assumir o controle, consertei o desenho e escrevi o nome da menina ao longo da curva das costas do unicórnio até sua cauda esvoaçante. Ela bateu palmas e abraçou meus joelhos, e Artem me deu um sorriso agradecido. Pela primeira vez, em muito tempo, senti que consegui imprimir o que minha marca representava nas letras que eu desenhava, O ESTILO NOVA-IORQUINO.

Chegando ao apartamento, retirei cuidadosamente minhas compras das sacolas sem ceder à tentação mesquinha de colocar algumas das minhas coisas no lado de Sibby da geladeira. Fiz algumas anotações relacionadas ao projeto de Lark, respondi a comentários nas redes sociais e organizei o sorteio de um novo conjunto de cadernos.

Finalmente, abri o envelope e coloquei a fotografia que Reid me enviou no centro da cama. Sentei-me na cadeira da escrivaninha, apoiei os pés sobre o colchão e respirei fundo.

Ele atendeu no primeiro toque. Seu *alô* era exatamente como eu esperava. Um alô declarativo em vez de inquisitivo.

Alô e ponto-final.

– Oi. Recebi a foto.

– Bom – ele disse. – Vou agradecer ao meu parceiro. – O *motoboy*, supus. Perguntei-me o que será que as pessoas que trabalhavam para Reid pensavam dele. Imaginei que um monte de coisas erradas, por exemplo, que ele nunca (nunca!) ficava nervoso.

– Obrigada. Pela foto e pela carta.

Passaram-se alguns segundos de silêncio e eu me perguntei se ele iria repetir o pedido de desculpas em voz alta. O pensamento foi tão chocante que estendi a mão procurando por meus fones de ouvido. Se ele dissesse aquilo enquanto eu estava com o telefone encostado no ouvido, não sei... Pareceu-me perto demais.

Mas ele disse apenas:

– De nada.

Ainda assim, coloquei os fones de ouvido e depositei meu celular sobre a mesa para não ficar olhando o formato do nome dele na tela.

– Então, quer dizer que você foi à biblioteca.

– Fui. – E, após um segundo, ele acrescentou: – Gosto de pesquisa. Fiz muito isso na pós-graduação.

– Você fez pós-graduação?

– Sim. Mestrado e doutorado. Ambos em matemática.

Não foi uma ostentação, apenas um complemento, uma antecipação da pergunta seguinte que eu certamente faria se ele dissesse apenas "sim". Sei que não sou boa com números, e não é que achasse que ele estava mentindo, mas era difícil acreditar que Reid – que não parecia ter mais que trinta anos – tivesse todos aqueles títulos. Bem, talvez eu também não seja boa em estimar a idade das pessoas.

– Vai ajudar? – ele indagou e, antes que eu pudesse fazer a pergunta seguinte, completou: – A foto, digo.

– Ah, sim. Ela é incrível. Mas não consigo me imaginar fazendo algo tão grande.

– Mas você conseguiria. Você seria capaz de fazer isso.

Senti uma onda de prazer com aquela confiança rápida e natural depositada em mim, mas logo murchei quando lembrei daquela enorme parede em branco no quarto de Lark e Cameron.

– Geralmente, eu gosto da escala em que trabalho. Mas esses letreiros têm algo a me ensinar.

– Como assim?

– Eles precisam causar um grande impacto e isso tem que ser muito rapidamente. Precisam ser impressionantes o suficiente para fazer um transeunte olhar para cima, mas não tão impressionantes a ponto de as pessoas terem que parar para decodificá-lo. Memorável, mas simples. Há um verdadeiro equilíbrio nisso.

Reid emitiu um leve ruído, como que assentindo enquanto pensava sobre o que falei.

– A bibliotecária com quem conversei tinha muito material acerca de pintores de letreiros para recomendar. Livros sobre a profissão e também alguns volumes antigos sobre o ofício em si. Posso enviar para você as informações que ela me passou. Já deveria ter feito isso, na verdade.

Fiquei em silêncio por alguns segundos, e ele também. Se eu dissesse "Sim, envie", acho que aquilo terminaria com um e-mail ou uma mensagem de texto, sendo o nome e o número de uma bibliotecária a minha última comunicação com Reid. Ele não pressionaria e acreditaria já ter feito o suficiente para finalizar aquela conversa. "Desejo-lhe todo o sucesso."

Odiei pensar nele lá fora, infeliz por entender mal aquela cidade.

– Reid – eu disse, sem ainda me sentir pronta para desligar, mas também sem me sentir pronta para perguntar a ele o que gostaria. Olhei para a fotografia, para as letras ali. – Diga-me uma coisa que você gosta sobre esta cidade. Só uma coisa.

Ouvi-o respirar fundo. Uma longa inspiração seguida de uma expiração rápida, quase frustrada. Malditos fones de ouvido: são tão íntimos quanto o aparelho de celular grudado no ouvido!

– Gosto da comida – ele finalmente disse. Antes, achava sua voz inexpressiva. Mas, na verdade, não era. Era profunda, silenciosa e significativa, sem desperdiçar nada. – Não os restaurantes chiques e caros. Gosto de entrar naqueles lugares minúsculos, cuja cozinha ocupa a maior parte do espaço, e comprar um prato de comida enorme, delicioso e barato. Tem que ser bom para conseguir sobreviver nesta cidade. A comida aqui, nesses tipos de lugar... é uma meritocracia.

Consegui imaginar o tipo exato de lugar de que Reid falava.

Estive entrando e saindo deles durante todo o tempo em que morava na cidade, e também gostava deles. Lugares tão decaídos e de aparência tão descuidada que você não consegue imaginar, a princípio, por que o carteiro, o cara da mercearia, sua *designer* de sobrancelhas ou seu chefe basicamente gritam na sua cara que você *tem* que experimentar; e você é considerado um completo filisteu por não ter experimentado ainda.

Mas aí você experimenta. Você espera na longa fila e acaba errando seu pedido enquanto todos os frequentadores regulares reviram os olhos pensando "aff, amadores!". Você se senta em frente a um balcão estreito com um garfo de plástico e saboreia uma comida melhor do que qualquer outra coisa que já comeu e, a cada novo lugar, o sarrafo sobe mais um pouco, pois o sabor sempre consegue ser ainda melhor. E, então, você se prepara para gritar na cara da próxima pessoa que encontrar.

Reid provavelmente não fazia a parte de gritar, mas tudo bem. Carta de desculpas escrita à mão, xerox de uma foto de biblioteca, celular pressionado contra meu ouvido: nada daquilo me fez sentir mais conectada a Reid do que aquele pequeno fragmento de informação sobre suas preferências nesta cidade que ele dizia odiar tanto.

– Ok – respondi suavemente, e me perguntei se ele conseguia perceber o sorriso na minha voz. – Quer tentar de novo?

Capítulo 7

– Ok, eu admito – ele disse secamente, curvando seus ombros largos mais uma vez para deixar outro cliente passar. – Geralmente, pego a comida para viagem.

Reid e eu estávamos em pé – *bem* perto – do lado de dentro de um estreito restaurante de esquina em Nolita, um lugar israelense que preenchia todos os requisitos que ele e eu havíamos discutido ao telefone na noite anterior: Minúsculo. Grandes porções. Barato. Era um lugar que ele frequentava com certa regularidade, disse-me, então verifiquei minha lista e afirmei que poderia encontrar alguns bons letreiros naquela área.

Qualquer lugar parecia um bom começo para a minha sugestão de tentarmos novamente. Uma refeição de que ambos provavelmente gostaríamos parecia uma boa maneira de nos soltarmos antes de partirmos para outra missão de busca de letreiros.

Mas, naquele momento, suspeitei, considerando a rigidez de nossas posturas diante da proximidade forçada, que nenhum de nós realmente pensou nas consequências práticas daquele recomeço, porque apenas nos últimos cinco minutos já havíamos descoberto coisas um sobre o outro que, ao menos para mim, só se descobre, no mínimo, no segundo encontro. Reid, por exemplo, graças à fila que se estendia porta afora e que, por isso, estava aberta, deixando entrar uma brisa forte e quente de primavera, soube como era ter uma mecha do meu cabelo comprido contra a pele do seu pescoço, o que ele saudou com o que só poderia ser descrito como uma indiferente tolerância. Talvez ele tenha até mesmo estremecido enquanto se afastava, apoiando-se nos calcanhares daqueles mesmos tênis cinza, para o mais longe possível.

Quanto a mim? Eu estava ao lado do corpo de Reid por tempo suficiente para perceber que havia um leve cheiro de cloro nele, cheiro de dia de verão na piscina, e entre isso e o cheiro leve e picante de seu sabonete, eu me senti mais ou menos do mesmo jeito que me senti quando dancei pela primeira vez música lenta com um menino, na sétima série. *É esse o cheiro que os meninos têm?*, pensei, recém-introduzida nas maravilhas de uma colônia aplicada com moderação, novata que era na vontade de pressionar o rosto contra a pele de outra pessoa.

– Você mora perto daqui? – perguntei, determinada a não pensar em pressionar meu rosto em lugar algum. Mas quando Reid olhou para mim, sua testa franzida, só consegui pensar em pressionar meu rosto contra um balde de gelo ou uma capa de invisibilidade. Minhas bochechas esquentaram de vergonha. – Quero dizer, não para levarmos a comida para lá! Eu não estava... me convidando. Ou tentando me meter nos seus negócios.

Seus lábios se contraíram, um quase sorriso.

– Negócios – ele disse, inexpressivo. – Território arriscado. – O quase sorriso cresceu. Torto e um pouco tímido.

Meu Deus, como ele é bonito!, pensei.

– Reid – comecei, lutando contra meu próprio sorriso e novos pensamentos sobre pressionar o rosto –, você fez uma piada?

– Provavelmente, não – ele respondeu, abaixando a cabeça e puxando a manga de sua jaqueta sobre o relógio. – Não sou conhecido por meu senso de humor.

Pelo que você é conhecido?, pensei, mas antes que pudesse perguntar qualquer coisa, uma voz gritou "MAG!" em nossa direção.

Revirei os olhos. "Mag", murmurei para mim mesma, movendo-me pela multidão em direção ao balcão, no qual um jovem colocou dois gigantescos quadrados de papelão de comida. Tinha certeza de que ele sabia que meu nome não era "Mag", mas aprendi que pronunciar erradamente os nomes, como acabara de ocorrer, era algum tipo de ritual no serviço de alimentação de Nova York. Senti Reid nas minhas costas, ouvi-o dizer "Perdão", enquanto atravessávamos um grupo particularmente denso de adolescentes perto do caixa. Eles provavelmente iriam ter que dar um Google para saber o que essa palavra significa.

Tivemos sorte encontrando dois bancos lado a lado ao longo da janela na parte anterior da loja, o balcão à nossa frente tinha profundidade exatamente na medida para acomodar nossos pratos e nada mais. Apesar de nosso embaraço mútuo, me senti reconfortada pela forma como representamos, competentemente, uma rotina familiar e casual de jantar fora: coloquei minha bolsa no banco de Reid, enquanto ele foi ao outro balcão pegar guardanapos e garfos de plástico; endireitei nossos pratos e estiquei o braço por debaixo do bar para pegar um frasco de molho extrapicante, enquanto Reid fez o caminho de volta e distribuiu seus espólios.

Dois amigos, saindo para um jantar. *Companhia.*

Assim que nos acomodamos, garfos em mãos, finalmente encontrei algo para dar vazão à minha vontade de pressionar o rosto contra... o que quer que seja, curvando a cabeça para sentir o cheiro da comida – era o *falafel* mais bonito que já tinha visto, cenouras salteadas com alho, uma salada de tomate e pepino que planejei misturar com o *homus* ao lado. Delícia!

– Seu nome é Megan? – Reid perguntou, interrompendo meu pequeno ritual. Endireitei-me no assento e olhei para ele que, por sua vez, segurava o garfo acima do prato, como se saber meu nome completo fosse realmente necessário para começar a comer. Esperei fervorosamente que ele não estivesse perguntado para que pudesse fazer algum tipo de oração por mim, ou então aquela refeição ficaria extremamente estranha. Extremamente mais estranha.

– Hmmm. Não – respondi, começando a misturar *homus*-pepino-tomate. Podia sentir Reid me observando fazer aquilo, e apostaria qualquer coisa que ele estava achando muito nojento. Dei de ombros. – É Margaret.

– Margaret – ele repetiu.

– Antiquado, eu sei. – Era mais ou menos um nome de família, mas ninguém estava a fim de ouvir essa história. Coloquei uma garfada de comida na boca. Nossa Senhora! Talvez devêssemos mesmo ter feito uma oração! Aquelas cenouras tinham gosto de orgasmo!

– Gosto de coisas antiquadas – Reid observou, e pensei em rebater com uma piadinha provocativa do tipo "Grande surpresa!", mas quando olhei em sua direção, o vi misturando o *homus* em sua salada, sua testa totalmente franzida, e me virei de volta para a minha comida, deixando meu cabelo cair sobre o ombro para esconder meu sorriso.

Ele está tentando, pensei. *Tentando novamente.*

Por alguns minutos, comemos em silêncio, e isso não foi tão ruim, exceto pelo fato de que não estava nada silencioso à nossa volta. A fila ainda estava para fora do restaurante e havia pessoas sentadas ao nosso redor, a dupla ao meu lado pontuando a conversa com risadas ruidosas. Do lado de fora da janela, um caminhão de lixo passou roncando, deixando um rastro de fumaça escura para trás, os transeuntes abaixando o rosto enquanto caminhavam para escapar dela. Eu me senti estranha e desconfortavelmente responsável – tive vontade de dizer: "Faça melhor que isso, Nova York!", para que Reid não ficasse com aquele olhar que surgiu em seu rosto no nosso último encontro. Um olhar tenso, do tipo mal-posso-tolerar-isto. Pensei em sua carta, em todas as vezes que ele escreveu a palavra *ruído* em sua letra organizada, metade cursiva.

O barulho da cidade é todo em maiúsculas, o tempo todo. Escrito com uma grande caneta preta permanente com ponta de cinzel. Impossível ignorar.

– Ei! – ele disse, me surpreendendo. – Olhe! – Ele estava gesticulando na direção da janela, não onde a fumaça do caminhão de lixo se demorava, mas do outro lado, para um bar meio decadente na diagonal oposta ao lugar onde estávamos sentados. – Aquilo é escrito à mão, não é?

Era. O toldo era de vinil preto, obviamente serigrafado, mas abaixo da moldura que separava os andares superiores de tijolos do bar, havia uma pequena extensão de tinta preta desbotada, não muito diferente da cor do quadro de giz no qual eu iria escrever na cozinha de Lark. Naquele quadro estava escrito o nome do bar em uma serifa inexperiente, um S com pontas irregulares e a parte final da perna do T inclinada para cima. As letras estavam preenchidas em cor calêndula-escura e contornadas por um vermelho tijolo, retomando a cor do prédio acima. Senti o cutucão de uma ideia se formando – aquele esquema rico e inesperado de cores com aquela letra cursiva elegante da foto que Reid me enviou.

– Que olho! – exclamei, pegando o celular para tirar uma foto.

Eu poderia esperar até que estivéssemos do lado de fora de novo, mas aquele parecia um dos raros momentos que, às vezes, acontece quando eu estou no meio de um projeto – quando minha mente fica tão agitada que eu tenho que dormir com meu bloco de desenhos ao lado da cama, para caso acorde no meio da noite com uma inspiração. Fazia muito tempo que eu não experimentava momentos assim.

Guardei o celular e me ajeitei no banco.

– Obrigada – eu disse, pegando meu garfo novamente.

Reid limpou a garganta.

– Você já ouviu falar de John Horton Conway?

Eu estava com a boca cheia de *falafel* e não podia responder, então apenas balancei negativamente a cabeça, esperando que John Horton Conway não fosse uma grande figura histórica que eu definitivamente deveria conhecer, mas de quem não conseguia lembrar porque aquela comida estava boa demais.

– Ele é um matemático.

– Como você – meio que resmunguei, mastigando o *falafel*.

Reid balançou a cabeça.

– Não, ele é um professor. – Ele mexeu sua mistura de *homus*-tomate--pepino de um lado para ao outro no prato, e continuou: – Acho que não foi uma experiência bem-sucedida para ele. – Pareceu melancólico por um segundo, mas, então, falou novamente: – Ele é brilhante. É capaz de fazer um tipo de matemática inacreditável.

– A-hã – concordei, sem admitir que não tinha certeza do que se poderia classificar como "matemática inacreditável". *Possivelmente*, pensei, *uma longa conta de dividir.*

– Ele também se diverte com uma série de jogos. Dizem que sempre carrega dados com ele ou uma mola ou cartas de baralho. Durante anos, quando estava começando, era assim que passava todo o seu tempo. Gamão. Xadrez. Novos jogos que ele mesmo inventava...

– Ele parece um cara divertido. – Fiz uma pausa de meio segundo antes de acrescentar algo, uma tentativa hesitante. Aquele encontro, aquela refeição era como se estivéssemos em meio a um imprevisível jogo Jenga: blocos de madeira empilhados formam uma torre, e nós dois, um em seguida ao outro, removíamos um bloquinho retangular da parte de baixo por vez e, em seguida, o acomodávamos no topo, criando uma torre cada vez mais alta, mas também cada vez mais instável. Jogando-nos. Arriscando-nos. Observando se a torre iria colapsar. – Provavelmente tem um *grande* senso de humor – completei.

Reid me olhou e deu aquele *quase* sorriso torto. A torre continuava de pé. Ofereci a mim mesma uma salva de palmas imaginária.

– As pessoas costumavam pensar, ele mesmo pensava, que estava perdendo tempo jogando. Mas, na realidade, ele estava resolvendo problemas matemáticos o tempo todo. Relaxando e abrindo sua mente para receber as ideias que estavam a caminho.

– Você faz isso?

– Não nos últimos tempos. Mas, na verdade, eu estava pensando no seu... – Ele se calou.

Quase consegui vê-lo puxar seu próprio bloco da parte de baixo da torre.

– Reid. Você está prestes a me dar uma ideia de negócios?

Ele se mexeu no banco.

– Não.

Aguardei. Ele com certeza estava prestes a me dar uma ideia de negócios.

– É mais uma... ideia de ideias – ele disse, aquele bloco pairando bem no topo da torre.

Suspirei dramaticamente, mas, por dentro, eu estava sorrindo. Queria saber a *ideia de ideias* tanto quanto quis ver sua caligrafia.

– Ok, vamos ouvir.

Ele pegou o guardanapo, que estava pousado sobre uma de suas coxas como se estivéssemos em algum lugar chique, e limpou a boca antes de colocá-lo cuidadosamente ao lado do prato de papelão.

– Estava pensando na sua lista.

Devo ter feito uma cara e tanto, porque ele acrescentou imediatamente:

– Que é uma lista excelente. Muito eficiente.

– Maaas – completei, impelindo-o a continuar, enquanto comia minha última garfada.

– Pareceu um tanto estressante seguir a lista e procurar por coisas... planejadas. – Ele limpou a garganta novamente. – Ocorreu-me que poderia ser útil lembrar que os sinais são... – Fez uma pausa e olhou para o outro lado da rua. – Muitas vezes, imprevisíveis.

"Como você", tive vontade de dizer.

– Sei que você tem um objetivo: buscar sua inspiração. Mas e se você... tornasse essa busca mais divertida? Como um jogo.

Pisquei, engolindo a comida pesadamente. Qualquer um que olhasse para mim e Reid – qualquer um que notasse suas excelentes maneiras à mesa, sua boa postura e suas roupas de fim de semana de bom gosto e que reparasse em minha camiseta *Clever Girl* de dinossauro, o jeito como me debruçava sobre meu prato e como nem mesmo cogitei colocar o guardanapo no colo – qualquer um pensaria que seria eu a propor algo divertido, leve. Um jogo.

– Não é da minha conta – ele continuou, no silêncio que deixei pairar, e fez um movimento para recolher seu prato.

– Espere – eu disse, e suas mãos ficaram imóveis.

Qualquer um pensaria que realmente *não era* da conta dele, até eu. Mas ter Reid como ami... – como *companhia* –, provavelmente significava que era melhor eu parar de pensar assim. Havíamos construído uma baita torre até então, naquele restaurante pequeno, barato e delicioso.

– É meio que da sua conta – respondi. – Se você ainda estiver dentro.

Por um segundo, olhamos um para o outro, a torre alta e vacilante entre nós. Os cantos de sua boca estavam contraídos, como se estivesse fazendo um esforço para controlar sua expressão. Ainda estava barulhento no restaurante, mas não a ponto de eu não conseguir ouvir suas próximas duas palavras, uma promessa calma e simples.

De companhia. Talvez até de amizade.

– Estou dentro – ele disse.

– Margaret – Reid disse, uma hora e meia mais tarde, olhando para seu celular. – Conseguimos.

– Todas elas? – Havia uma nota de decepção na minha voz. *Acabou tão cedo*, pensei, embora a luz do sol já estivesse diminuindo, e meus pés, ficando cansados.

Agora eu me movia ao seu lado com desenvoltura, mais familiar, e espiei por cima do seu ombro, mas ainda me certificando de não deixar nenhum dos meus cabelos rebeldes voar sobre ele. E lá estavam, espalhadas pelas oito fotografias da galeria de fotos de Reid, todas as letras do meu nome, meu nome *inteiro*, aquele que ninguém usa de fato, mas que havia sido metade da nossa busca desde que deixamos o restaurante.

Escolhemos algo fácil para a nossa primeira experiência com a ideia de jogo que Reid propôs. Cada um de nós, decidimos, teria que tentar encontrar versões de todas as letras do nome do outro; o de Reid incluiu seu nome do meio – Hale –, "do lado materno da família", ele me disse, a fim de equilibrar as coisas. As regras eram simples: não usar o mesmo letreiro para mais de uma letra nem nada que não estivesse escrito à mão.

Nós não estávamos competindo de verdade; não era o tipo de jogo em que tentávamos superar um ao outro. Era mais como compartilhar as palavras cruzadas de domingo – em vez de passarmos o jornal dobrado um para o outro, trocando pistas e palpites, Reid e eu íamos mostrando um ao outro os letreiros que notávamos enquanto caminhávamos. E, assim como as palavras cruzadas compartilhadas de domingo nunca terminam sem pelo menos uma concessão a uma pesquisa no Google, nós ajustamos algumas das regras conforme avançávamos. Um *H* particularmente impressionante em um letreiro de vinil nos inspirou a introduzir no jogo a "carta curinga", que permitia abrir uma exceção: aceitarmos uma única letra que não fosse desenhada à mão. O pedra-papel-tesoura foi implementado para quando um de nós identificasse um bom exemplo que combinasse uma das letras – *A, E, R* – que ambos tínhamos contidas em nossos nomes.

– A letra *E* – Reid disse, apontando para o mural da Bleecker Street em frente ao qual ele estava parado. Era uma imagem incrível em vermelho, branco, preto e dourado da Debbie Harry, do *Blondie*, vestindo uma blusa com estampa de leopardo e exibindo um olhar desafiador em seus olhos pintados de preto.

Havia muitas letras naquele mural – uma versão torta do logotipo do antigo bar de *punk rock* CBGB sem as serifas decorativas, em uma letra cursiva preta fina contra um fundo vermelho-escuro, letra blocada, tudo em maiúsculas no canto inferior direito.

Reid deu um *zoom* e fotografou o *E* em BLONDIE, ele era vermelho e o traço de cima, mais curto que o de baixo, dando uma aparência robusta. Mesmo que todas as imagens em seu celular estivessem fora de ordem – afinal, não havia uma regra sobre ter que encontrar letras consecutivas – era fácil reconstruir meu nome a partir daqueles oito instantâneos. Ali, *Margaret* não pareceu um nome tão antiquado. Pareceu vivo, colorido, alegre. De alguma forma, pareceu mais *Meg* do que *Margaret*.

Deslizei o polegar sobre a tela do meu aparelho e o inclinei para que Reid pudesse ver os vários blocos que compunham seu nome. *Reid Hale*. Um nome que soa meio... moderno. E esnobe também. Mas daquele modo, assim como as letras do meu nome, *R-e-i-d* pareceu diferente nas fotos. Barulhento, vivo e *divertido*, como nosso próprio jogo e a Bowery Street ao nosso redor ganhava vida naquela noite de sábado.

Minhas mãos estavam coçando para fazer alguns esboços e nem percebi que meu cabelo estava voando no rosto dele novamente, até que ele pigarreou e se endireitou.

– Posso enviar as fotos pra você – ele disse, movendo-se para puxar a manga de sua jaqueta novamente. A noite estava quente o suficiente para que eu nem tivesse tirado meu casaco que estava enfiado na bolsa, mas Reid ficou de jaqueta o tempo todo.

– Sim, seria ótimo! – falei com animação excessiva, tentando vencer o constrangimento que, agora que o jogo havia acabado, pareceu ter se reinstalado entre nós. Resisti à vontade de suspirar. Durante nossa caminhada, Reid não esteve exatamente solto, mas comprometido, interessado e determinado, sim. Sua versão de empolgação consistia basicamente em apontar algo, com o ocasional e atraente levantar de sobrancelha, mas, ainda assim, havia algo de amável, de reconfortante em seus gestos, de modo que era agradável tê-lo por perto.

– Isso foi muito bom... *ideia de ideias* – eu disse.

– Ajudou?

– Sem dúvida.

Reid acenou uma vez com a cabeça, uma inclinação firme com um quê de pontuação. Um fim para a frase que continuava entre nós há algum tempo.

Voltamos para a esquina, onde uma multidão esperava para atravessar a Bowery. Poderíamos nos despedir ali, e eu poderia voltar, continuar andando, ver mais alguns letreiros sozinha, andar por um bairro onde as letras mudavam, tornando-se símbolos de uma língua que eu não conhecia. Poderia chamar um Uber quando chegasse à ponte de Manhattan. Um luxo, já que os preços estavam exorbitantes, mas eu sentia que tinha feito por merecer.

Porém... também queria parar por alguns minutos, analisar os resultados do jogo, olhar as fotos e ver o que me parecia mais interessante para servir de inspiração. Eu conhecia uma cafeteria próxima ao local onde estávamos – "devido ao avançado da hora, não acho prudente tomar café" – e, olhando em direção a ela, vi mesas disponíveis. Enquanto visualizava eu, meu caderno, minha Staedtler e aquelas fotos... senti uma pressão familiar aumentar. Aquela contração em minhas mãos – mas e se eu me sentasse lá e não desse em nada? E se eu tivesse outro bloqueio e não conseguisse...

– Você deveria escolher uma das letras – Reid disse, interrompendo meus pensamentos. Pisquei, voltando os olhos para ele. – Escolha uma delas e faça um dos nossos nomes, ou o nome de um mês. Para o seu projeto. Tudo a partir do estilo daquela letra. Outro jogo.

– Uau! – exclamei, rindo do modo como ele pareceu ter lido minha mente. – Talvez, você *devesse* ser um consultor de negócios.

– Talvez – ele disse com um pequeno sorriso autodepreciativo.

Olhei para o meu celular novamente, para a minha galeria de fotos. O legal do jogo foi a maneira como o criamos juntos, *jogamos* juntos, como nenhum de nós estava apenas "seguindo o fluxo". Perguntei-me se tinha sido tão bom para ele quanto foi para mim.

Então, antes que eu pudesse pensar mais sobre isso, empurrei meu celular em suas mãos.

– Escolha uma – propus. – Escolha uma e venha comigo.

Então passei por ele em direção ao café, ainda não me sentindo pronta para dar o jogo por terminado.

♥ ♥ ♥

– Você não está falando sério! – exclamei, olhando para a seleção de Reid.

Ele deu de ombros, levantou a xícara e tomou um gole do chá que havia pedido. Do outro lado da pequena mesa redonda, sua postura era quase tão impecável quanto a da primeira vez que nos sentamos juntos em um lugar como aquele.

Mas agora era diferente. Para começar, *também* pedi um chá e, embora estivesse com a sensação de que estava lambendo terra, pelo menos tive certeza de que não acordaria no dia seguinte com uma ressaca de cafeína.

Em segundo lugar, Reid e eu estávamos *jogando*.

– Por essa eu não esperava – eu disse, batendo o lápis contra o caderno aberto à minha frente.

Sua boca se curvou brevemente enquanto pousava sua xícara na mesa.

– Se você se lembra, "inesperado" era a ideia.

O *a* minúsculo que aparecia no meu celular era estranho, deformado. Tinha dois andares, o tipo de *a* que parece um colchete, comum em fontes romanas, mas não em escrita manual. Mas, enquanto a maioria dos *a*s de dois andares tem um terminal circular, o terminal daquele era triangular por causa das proporções irregulares da letra. Plano na parte inferior, contornos grossos e em blocos, nada consistente ou familiar.

Fiquei surpresa que ele tivesse escolhido aquela letra – o metódico e elegante Reid, mas não fiquei descontente. Na verdade, enquanto segurava meu lápis e o virava facilmente para acomodá-lo na mão, de acordo com minha maneira habitual de segurá-lo para desenhar, um sorriso repuxou os cantos dos meus lábios, pois já sabia o que iria fazer com ele. Um nome de mês, o primeiro não relacionado aos trabalhos que estava desenvolvendo para meus clientes em *semanas*.

Em dois minutos, copiei o *a* – geralmente sou mais rápida, mas precisei fazer algumas tentativas para acertar as proporções e, quando consegui uma versão que me deixou satisfeita, já havia usado a folha quase toda. Eu podia sentir os olhos de Reid em minhas mãos e, embora às vezes ter pessoas me observando trabalhar me deixasse um pouco embaraçada, no geral, não me importava. Ele estava tão quieto que não foi tão diferente de quando coloco meu celular em seu pequeno suporte e gravo um vídeo mostrando como faço meu trabalho.

A parte difícil – o jogo, de fato – não era a cópia, mas a imitação, a maneira como devia pegar aquela letra e usá-la como inspiração para algo novo. Isso me tomou mais tempo – mais tentativas, mais erros, enquanto lutava para acertar os ombros extralargos das bordas superiores das letras, brincando com algumas opções para dar a eles mais dimensão, mais textura. Senti a mente esvaziar e minha mão trabalhou mais suavemente, com confiança.

Dez minutos e duas páginas depois, consegui um rascunho. Não era ali que eu pararia se estivesse em casa, se tivesse mais tempo, se tivesse todas as minhas coisas comigo. Já estava pensando nas cores que usaria para o preenchimento, e em como aqueles ombros largos poderiam se tornar pequenas telas, os esboços minúsculos e criativos que eu poderia fazer dentro...

– Março? – Reid perguntou, lendo o que escrevi. Foi a primeira vez que ele falou desde que eu havia começado a desenhar.

Levantei os olhos em sua direção. Ele estava inclinado para a frente, cotovelos apoiados na mesa, sua xícara vazia no espaço entre eles. Se era assim que ele estava sentado enquanto eu trabalhava, então acho que nossas cabeças estavam curvadas bem próximas, e saber que meu esboço o atraía para perto me fez sentir estranhamente poderosa. Agora que havia terminado, estava livre para notar coisas sobre o Reid visto de perto: a pouca luz daquele lugar fazia seus olhos parecem de um azul mais escuro. Os cílios que os emolduravam eram longos, mas não ostensivos – loiro-escuro, mais claros nas pontas, de modo que o verdadeiro comprimento deles passava despercebido para o observador casual. E ele tinha uma única e pequena sarda marrom clara na bochecha esquerda.

Percebi, enquanto tentava me recompor, que seu método de se inclinar para trás, afastando-se, era muito eficaz para deter desejos involuntários de pressionar o rosto contra outra pessoa – não que ele tivesse tais desejos com que se preocupar.

– Março – repeti. – A única escolha sensata para este tipo de letra.

Ele franziu a testa:

– Como assim?

Ajeitei-me na cadeira, sem saber como explicar a forma como tentava ler as letras para além das palavras que elas formavam.

– Você reparou na loja de cujo letreiro tiramos esta letra?

Ele abriu a boca e a fechou novamente antes de franzir ainda mais a testa, aprofundando a ruga que se formava. Então disse, ainda mais formalmente do que o habitual:

– Não me atentei a isso.

Resisti à vontade de sorrir.

– Não se preocupe. Não era uma das regras do jogo.

– Certo.

– De qualquer forma, era uma loja de produtos do estilo velho oeste. Botas, roupas e aquelas... sabe aquelas gravatas que não são gravatas? Com... couro e aquela coisa. – Gesticulei, tentando explicar.

– Não parece o tipo de coisa que eu usaria. – Ele pareceu horrorizado com a mera ideia, e tive que morder os lábios para não rir.

– A questão é... – expliquei quando readquiri o controle. – A loja é meio que... diferente. Vender esse tipo de produto, nesta cidade, naquele bairro. Você não imaginaria aquele tipo de comércio aqui, não é mesmo? Então, a placa, as letras têm que transmitir essa mesma sensação. A sensação de algo imprevisível.

– Ok. – De alguma forma, ele fez soar como "prossiga".

– E março é, definitivamente, o mês mais imprevisível do ano. Então, *tinha* que ser março.

Ele olhou para a palavra, depois olhou de volta para mim.

– Não entendo. Março está aí todo ano. Logo após fevereiro.

– Sim, mas todo ano as pessoas pensam "Março! Vai ser *ótimo*! Início da primavera!". Mas definitivamente não é bem assim, certo? Porque, do nada, ocorre uma tempestade de neve, totalmente fora de época, e é como se o inverno tivesse recomeçado. Coisas inesperadas acontecem em março.

Ele olhou para mim e achei que iria contestar. Ele poderia dizer, por exemplo, e com razão, que se você esperava isso *todo* mês de março, acabava que ele não era tão imprevisível assim. Mas, veja bem, o meu *M-A-R-Ç-O* era o melhor de todos os argumentos.

Em vez disso, ele disse:

– Você associa a caligrafia com o... – Ele girou a xícara. – O sentimento.

– Sim – concordei, aliviada. Tomei um gole do meu chá sabor terra. O calor que sentia não vinha da bebida. Vinha daquela noite, daqueles jogos, daquele momento. Daquele mútuo entendimento ou, pelo menos, da tentativa de chegarmos a um.

Mas então Reid disse algo que esfriou tudo novamente.

– Avery – ele disse, sua voz estava firme. – Consigo entender por que você escolheu aquela caligrafia para ela. A do nosso... das coisas do casamento.

– Ah – fiz, atordoada. Reid era tão *direto*. Estar com ele, às vezes, era como aprender um idioma totalmente novo.

– As fadas combinavam com ela. Ela era... – Ele fez uma pausa e olhou para o caderno entre nós. Em algum momento nos últimos segundos, eu havia fechado o caderno. Minha mão direita estava espalmada em cima dele, apoiando-me contra todo aquele desconforto. – Irreal, de certa forma – ele finalizou. – Linda e poderosa.

A única coisa que consegui fazer foi assentir. Ela *era* essas coisas, de fato. Até eu pensava assim, e mal a conhecia.

Ele olhou para mim, aquele traço de tristeza em seus olhos, até parecer ver algo nos meus. Seu olhar se aguçou, e ele se endireitou na cadeira.

– Peço desculpas.

– Não! – eu disse, depressa demais. – Sou eu que...

Parei, pressionando a mão contra o caderno. Não achava que iria abri-lo novamente aquela noite. O "a" que Reid escolheu – agora não parecia tão inesperado. Não parecia que ele o escolheu porque realmente estava curioso sobre o que eu faria com a letra. Mas porque seria um caminho para aquele confronto constante e iminente entre nós. O que eu tinha feito! O que fui esconder naquelas letras!

Era tão *difícil* sentir aquele confronto pairando no ar.

A torre que começamos a construir se aproximava do colapso.

– Está ficando tarde – ele disse, parecendo notar.

O avançado das horas, foi tudo em que consegui pensar. Concordei, mas não fiz menção de pegar minhas coisas e me levantar.

– Posso acompanhá-la até o trem? – Aquelas maneiras formais e adoráveis! Eu me perguntava se ele sabia o quão inesperado ele era. Quão irreal, nesta cidade.

Sorri para ele. Meu talento mais verdadeiro, aquela leveza fingida, não importando o que aquele caderno de esboços que repousava sob minha mão continha.

– Vou ficar por aqui mesmo. Peço um Uber daqui a pouco.

Ele inclinou a cabeça em um aceno, mas pareceu desapontado.

– Espero que você... – Apontou para o meu caderno. – Espero que seu trabalho corra bem.

– Obrigada. – Ainda estava abalada, como se a torre agora fosse eu, vacilante e incerta. *Game over*, vi as palavras em minha mente, piscando, computadorizadas, nenhuma letra escrita manualmente à vista.

Então achei que Reid resolveu ele mesmo arriscar.

– Eu me diverti – ele disse, sério como sempre. Olhei para ele, a severidade nas linhas de seu rosto me pareceram franqueza. *Esperança.*

– Eu também – respondi com sinceridade, a memória de todas aquelas fotos no meu celular piscando, o cursor já pronto para deletar aquele *Game over.*

– Talvez possamos jogar novamente um dia desses.

MAY*be. Talvez*, repeti mentalmente, ainda vacilante. Enfiei um dedo dentro do caderno, sentindo as marcas que meus esboços deixaram ali, o leve grão de grafite roçando na minha pele.

Mas ele se virou para sair antes que eu pudesse responder.

Capítulo 8

– Sim. Não, espere. Não, eu acho. Ou... não sei?

Ao meu lado, Lark olhava para nove folhas de papel diferentes, todas cobertas com alguns dos meus estilos de caligrafia mais comuns, aqueles que eu costumava alternar entre os *planners* e os calendários de parede dos meus diversos clientes. Talvez eu tenha deixado de fora os *brush letterings* mais populares, mas se eu tivesse que fazer mais um projeto daqueles de sempre, encontraria uma maneira de quebrar meus próprios dedos, e aonde isso me levaria?

A lugar nenhum.

E era exatamente a lugar nenhum que aquela reunião estava indo, porque Lark estava tendo uma dificuldade enorme para tomar, literalmente, qualquer decisão. A pergunta que havia levado àquela última rodada de pavor existencial foi se ela iria querer realces em preto. Eram três e meia da tarde de terça-feira, e estávamos ali desde pouco depois do meio-dia ou, talvez, desde o nascimento de Cristo. Levantei meu olhar irritado para a frente da loja, onde Lachelle estava atrás do balcão. De vez em quando, ela olhava para trás, em minha direção, e fazia uma espécie de careta demonstrando empatia.

Quando estive na casa de Lark, na semana anterior, percebi que ela parecia hesitante, preocupada com as opiniões do marido, pequena e perdida naquela casa enorme. Então foi, em parte, por isso que eu sugeri que nos encontrássemos em outro lugar. Sendo nossa primeira tentativa de analisar as possibilidades para as duas paredes, achei que poderia ser menos estressante para nós duas se não ficássemos diante da grande tela em branco que, de alguma forma, parecia ainda mais branca em virtude do espaço inacabado da casa.

A outra razão pela qual sugeri irmos a outro lugar foi o medo de que Cameron estivesse lá com o gorro horrível e os braceletes pretos nos pulsos. E se ele falasse algo sobre não gostar de comédias românticas na minha frente? A questão era que eu tinha que me manter longe da tentação.

Inicialmente, propus um dos meus locais habituais para reuniões com clientes, mas Lark hesitou; então, eu me lembrei do que ela disse sobre privacidade, assim, consertei rapidamente a gafe, prometendo que o espaço de trabalho nos fundos da loja nos permitiria revisar ideias "sem interrupções".

Já que Lachelle nunca havia assistido a *A tenda da princesa* ("Como assim um namorado poeta-sanduicheiro?", ela havia perguntado quando tentei explicar mais cedo para prepará-la), até aquele momento, a reunião parecia estar dando certo, exceto pelo fato de que meus ossos da perna estavam calcificando sob aquela mesa. Pelo fato de que eu achava que estaria fora dali uma hora atrás. E pelo fato de que já queria estar de volta ao meu apartamento e na frente da minha mesa, trabalhando nos novos esboços que comecei para a Make It Happyn.

Desde aquele sábado à noite, fiz mais esboços para Make It Happyn do que em todas as semanas desde que recebi a ligação. O jogo com Reid – por mais estranho que tenha sido o final – pareceu acender algo em mim. Para cada uma das dezesseis letras que reunimos, tentei fazer uma palavra – às vezes, o nome do mês, às vezes, o nome do dia, às vezes, o tipo de termos gerais banais que aparecem nos *planners* e nas páginas de calendários: "TAREFAS", "LEMBRETES", "LISTA DE AFAZERES", "ANIVERSÁRIOS", preenchendo-os com detalhes decorativos e desenhos. Nenhum deles ainda me parecia exatamente certo para o trabalho, mas sentia que estava a caminho de algo. No domingo, estava tão absorta que nem ouvi Sibby se movendo pelo apartamento. Quando finalmente saí do meu quarto no final da tarde, determinada a encontrar alguma coisa para comer, pisquei em choque ao encontrar um conjunto de caixas já alinhadas em nosso corredor estreito.

– Opa! – eu disse, quase esbarrando em Sibby saindo de seu quarto. – Não tinha me dado conta...

De fato, não havia nada a fazer além de me calar. Foi doloroso, claro que foi. Mas não doloroso a ponto provocar dor de estômago; não doloroso a ponto de eu precisar voltar correndo para o meu quarto para chorar atrás da porta fechada. Eu até a ajudei – logo depois de enfiar uma barra de granola na boca – a desmontar uma velha estante modular que havíamos montado há alguns anos, enquanto comíamos pizza e tomávamos vinho doce demais, seu celular tocando música enquanto trabalhávamos. Daquela vez, no entanto, trabalhamos em silêncio, cordialmente. Sugeri que ela envolvesse algumas das prateleiras em algumas toalhas de praia velhas que ela tinha debaixo da cama, e ela me agradeceu. Perguntou se eu gostaria de ficar com uma das mesinhas de cabeceira que ela não precisaria em sua nova casa, e eu disse que não.

Então, voltei para o meu quarto, ansiosa para continuar trabalhando.

Ajeitei-me na cadeira, meus olhos passeando pelas páginas à frente de Lark. Eu não deveria estar frustrada – concordei com aquele trabalho e precisava dele, *especialmente* por causa de todas aquelas caixas enfileiradas no corredor de entrada do apartamento. A maioria dos meus clientes geralmente já tinha uma boa noção do que queria ou preferia que eu continuasse fazendo o mesmo trabalho que vinha fazendo para eles. Mas Lark era nova naquilo, era nova na cidade e também nova, eu achava, em ser convidada a tomar decisões em nome dela mesma e do seu novo marido.

Portanto, eu precisava ter paciência.

– Sei que isso é ridículo – ela disse, levando a mão à testa, esfregando dois dedos ao longo da linha do cabelo, bem na têmpora. Aprendi, naquelas últimas três horas, que ela fazia aquele gesto quando estava particularmente confusa. O que aconteceu muitas vezes. Realmente, muitas vezes.

– É só que... vai estar nas *paredes*.

Eu sorri suavemente. Naquele tipo de situação, toda a minha leveza alegre era útil e eu usei cada centímetro dela naquele momento.

– Mas se você não gostar – respondi, alegremente –, sempre pode pintar por cima depois. E o giz... Pfff. – Acenei com a mão, casualmente. – Um pouco de detergente especial, uma esponja grande, e você tem uma tela em branco novamente. Sem problemas!

Lark piscou para mim.

– Eu não poderia fazer isso – ela disse, parecendo chocada. Ela realmente não era como a princesa Freddie, que era desafiadora, imperturbável, subversiva. – Depois de todo o seu trabalho?

Achei bacana que ela se sentisse assim, que levasse o que eu fazia tão a sério. Mas, se aquele era o problema, ela definitivamente estava pensando demais. Uma característica fundamental do meu trabalho é a sua impermanência. Claro, meus *planners* são feitos à tinta e, sim, os clientes sempre podem voltar e admirar uma página específica. Mas, na verdade, o *objetivo* dos *planners*, dos calendários, é que você o percorra, marque os dias e vire a página. Que siga em frente.

Abri a boca para tranquilizá-la, mas, então, me ocorreu uma ideia.

Uma memória.

"E se você tornasse isso mais divertido?"

Não era a primeira vez que pensava em Reid desde sábado à noite – sua voz baixa, séria, seu rosto severo e bonito, seus cílios secretos e seu suave meio sorriso de prazer. Cada letra que esbocei foi um lembrete dos momentos divertidos que passamos juntos, do nosso jogo. Mas inevitavelmente eu me lembrava também daqueles últimos e dolorosos minutos no café, do jeito como deixamos as coisas no ar, e tentava tirá-lo da cabeça por um tempo.

Mas, naquele momento na reunião, me agarrei à memória dele no restaurante, do passeio que fizemos, elaborando nossas regras. Sem dizer nada para Lark, estendi as mãos e peguei as nove folhas de papel, amassando um pouco algumas. Ela fez um pequeno ruído de angústia, mas eu ignorei e empilhei as folhas apressadamente.

– Ok – eu comecei –, vamos tentar uma coisa. – Olhei para a frente da loja e vi que Lachelle estava debruçada sobre o balcão, folheando casualmente um catálogo de suprimentos, e chamei-a. Ela veio apressada como se precisasse me resgatar do purgatório em que eu estava. Eu lhe retribuí um sorriso agradecido antes de explicar meu plano.

As regras que fiz estavam confusas, um pouco sem sentido. Cada uma de nós receberia três folhas e teríamos dez minutos – *apenas* dez minutos, porque eu não queria que Lark ficasse presa em outro vácuo de indecisão – para fazer algum tipo de aviãozinho de papel com cada uma. Quando o tempo acabasse, todas nós ficaríamos em uma fila atrás da mesa e, um por um, lançaríamos os aviõezinhos na loja.

Os dois que chegassem mais longe seriam os modelos que eu usaria nos tratamentos iniciais das letras.

Não impus condições, não disse a Lark que os tratamentos seriam definitivos, não informei que eu poderia misturar e combinar praticamente qualquer um dos vários estilos que havia espalhado naquelas nove folhas. Naquele momento, nada disso importava. Tudo o que importava era que Lark saísse de sua própria cabeça por alguns minutos.

– Posso usar meu telefone? – Lachelle gritou. Qualquer um pensaria que eu havia anunciado um prêmio de dez mil dólares para quem ganhasse. Eu deveria ter imaginado; Lachelle tinha uma veia supercompetitiva. No ano anterior, alguns dos comércios locais ao longo da rua da loja fizeram um concurso de decoração de vitrines para o Halloween, e Lachelle basicamente recrutou Cecelia, que não tinha qualquer interesse naquele tipo de concurso, e eu para trabalharmos até tarde da noite antes da decisão. Quando a loja ficou em segundo lugar, ela acusou os juízes de adulteração de votos. De vez em quando, ela ainda trazia essa história à tona. "Vigaristas", ela dizia, balançando a cabeça.

– Claro, por que não? – respondi e, antes mesmo que eu terminasse a frase, Lachelle estava digitando freneticamente, com certeza procurando por vídeos de instruções para fazer aviões de papel.

Comecei a dobrar uma folha usando o tipo de tática rudimentar que se aprende na escola primária e, por alguns segundos, Lark simplesmente ficou olhando ora para mim, ora para Lachelle, como se nossas diferentes abordagens fossem o dilema mais recente de sua vida. Mas finalmente ela pegou o celular e, depois de uma rápida pesquisa, começou a dobrar também. De vez em quando, Lachelle fazia um ruído de satisfação e, de repente, ela disse:

– É melhor você se preparar, Meg! – E Lark riu baixinho.

Quando nos alinhamos atrás da mesa, tínhamos formado uma espécie de estranho vínculo de competidoras no lançamento de aviões de papel. Lachelle brincou que eu tinha "braços de macarrão" quando minha primeira tentativa falhou miseravelmente. Lark cobriu a boca com a mão quando Lachelle se posicionou para a primeira tentativa, como se estivéssemos nas olimpíadas e, quando Lachelle reparou nela fazendo isso, disse:

– Você não vai rir quando eu ganhar, princesa! – O que nos fez rir ainda mais. É bem óbvio que era a pior naquela competição, o que forneceu ótimo material para minhas oponentes fazerem piada. Não me importei com as provocações, mas, antes que eu pudesse me impedir, pensei em Reid novamente, imaginando que todo o seu conhecimento de matemática provavelmente faria dele um *designer* de aviões de papel extremamente habilidoso. Já seus ombros largos seriam excelentes para o arremesso.

Mas, eu não deveria estar pensando naquilo.

– Somos você e eu, princesa – Lachelle disse, lançando um exagerado olhar de rabo de olho para Lark antes de arremessar seu último aviãozinho. Pelo que consegui ver, ele caiu na frente do primeiro que ela havia lançado, o que significava que dois de seus três aviõezinhos poderiam ser os vencedores. Olhei para Lark e percebi que sua última folha ainda não estava dobrada. Ela me olhou timidamente.

– Meu tempo acabou. – Ela estava segurando a folha, a escrita voltada para o seu corpo e, mesmo não a conhecendo bem, pude perceber uma coisa.

O tempo dela não havia acabado.

Antes que eu pudesse dizer qualquer coisa, antes que pudesse dizer a ela que não tinha problema, que ela poderia ir em frente não importando as regras do jogo – ela enrijeceu o rosto e amassou a folha em uma bola apertada.

E, então, ela jogou a bola, como se estivesse no topo do montinho onde fica o arremessador no jogo de *baseball*, na direção da loja. E a bola chegou quase até a porta da frente.

– Droga! – exclamou Lachelle. – Não sabia que podíamos fazer apenas *bolas*!

Dei de ombros.

– Não tinha nenhuma regra proibindo.

O sorriso de Lark foi enorme e, dessa vez, ela não se incomodou em cobri-lo.

– Giz ou tinta para o vencedor? – perguntei antes que ela pudesse pensar muito.

– Tinta. – Ela pareceu surpresa consigo mesma.

Tive vontade de dar um soco no ar em sinal de vitória e Lachelle fez isso de verdade, ainda que, provavelmente, fosse pegar no meu pé por causa da regra das bolas toda vez que eu a visse pelos próximos meses.

Mas finalmente – finalmente! – tínhamos chegado a algum lugar.

♥ ♥ ♥

Quando Lark saiu da loja, arrumei as minhas coisas e me despedi de Lachelle (sim, ela falou sobre as bolas de novo); já passava das quatro e meia e, embora eu estivesse bastante contente com o desfecho da reunião, também estava esgotada. A maior parte do meu desejo ardente de voltar para a minha mesa de trabalho tinha ido embora, já que cogitar me sentar em uma cadeira novamente parecia a pior ideia possível. Na verdade, parecia que meu traseiro tinha se transformado em uma panqueca ou uma tortilha. Talvez uma *pizza*.

Além disso, eu estava com fome.

E, apesar de ter lidado muito bem com Sibby encaixotando suas coisas no fim de semana, eu não estava a fim de voltar para o apartamento. Se eu não me trancasse no quarto para trabalhar, era provável que eu sentisse sua ausência iminente de forma mais aguda e, de qualquer forma, estava uma tarde agradável, quente, arejada e eu meio que queria...

Caminhar.

Jogar.

Minha bolsa desengonçada batia ritmicamente contra a parte superior da minha coxa enquanto eu descia a rua e, a cada batida, eu pensava no meu celular dentro dela, em pegá-lo e enviar uma mensagem para Reid. Fiquei frustrada com Lark e sua paralisia de decisão à tarde, mas eu estava sendo diferente ao me esforçar tanto para não pensar em Reid e naquele quase confronto? Será que ele saiu daquele café se perguntando se eu ligaria para ele de novo? Será que meu hiperfoco no projeto para a Make It Happyn, nos últimos dias tinha sido, em parte, minha própria versão do olhar paralisado de Lark para a sua gama de opções, sem coragem para tomar uma decisão sobre nosso... arranjo?

Cheguei ao Joe's, na Quinta Avenida, sem nem pensar, a menos que "sentir cheiro de *pizza*" fosse uma forma de pensar. Dentro da loja estreita – ainda não muito lotada pelos muitos clientes que chegavam para o jantar – pedi uma fatia e, equilibrando-a em seu prato de papel já flácido, decidi comer do lado de fora. Reid gostaria daquele lugar e daquela *pizza*. Ele não gostaria do prato de papel ou do fato de eu ter apenas dois guardanapos para uma fatia que, com certeza, exige quatro guardanapos, mas não se pode ter tudo.

Sentei-me no banco de madeira vermelho que havia ao redor da árvore do lado de fora do Joe's, e olhei para o toldo torto e para o letreiro de vinil branco acima. Na verdade, não havia muita coisa interessante para se ver ali – *talvez* as pequenas serifas na placa presa ao refrigerador anunciando "geladeira exclusiva para *sorbets* italianos pré-embalados". Mas assim que terminei minha última mordida e limpei os dedos (eu sabia, dois guardanapos não seriam suficientes), tomei uma decisão.

Aqueles últimos minutos com Reid foram desconfortáveis, um lembrete das circunstâncias em que nos conhecemos. Foi desconfortável encarar novamente, mesmo que de forma tão sutil, o que eu havia feito.

Mas, antes de esse fato acontecer, muito do passeio tinha sido o oposto de desconfortável. Foi fácil jogar aqueles jogos com ele. Tornou mais fácil desenhar para a Make It Happyn. Havia tornado as coisas com Lark mais fáceis.

Daí, pensei que, talvez, aquele mal-estar – o risco de confronto – poderia valer a pena.

Joguei o prato no lixo e peguei outro guardanapo, limpando melhor as mãos antes de pegar o celular na bolsa. Então tirei algumas fotos, todas elas da vitrine do Joe's. O *J* e o *O* de *Joe's*, o *G* e o *O* do letreiro da geladeira de *sorbet*. Esperei até que o relógio no meu celular passe de 16h59 para 17h e anexei todas as quatro fotos em uma mensagem para Reid.

Digitei um único ponto de interrogação, pressionei enviar e esperei.

Alguns minutos depois, meu telefone tocou e não pude deixar de sorrir, sabendo que era ele antes mesmo de olhar para a tela. Pressionei o botão do meu fone de ouvido, esperando que meu alegre "Olá!" afastasse qualquer peso remanescente da nossa última conversa.

– Então – ele começou e, com essa única palavra, percebi que havia sentido falta de sua voz –, não conseguiu encontrar um ponto de interrogação em um letreiro?

Meu sorriso imediatamente se alargou. *Vale a pena.*

– Droga. Você me pegou!

Houve um pequeno silêncio durante o qual esperava que Reid estivesse sorrindo também, embora não para ninguém em sua proximidade imediata, já que também me dei conta de que sentiria mais do que um pouco de ciúmes se outra pessoa visse toda a força de um sorriso que *eu* causei. Esses devaneios e coisas suaves que eu sentia por Reid não poderiam ser algo bom, mas era tão animador sentir algo diferente de estresse, solidão ou bloqueio...

– Você está andando? – ele perguntou e, do outro lado da linha, de repente, ficou mais barulhento, como se Reid tivesse saído para a rua.

Gostei de pensar que ele deve ter me ligado enquanto ainda estava dentro do escritório, me pareceu que talvez ele também estivesse empolgado.

– Sim. Estou no Brooklyn.

– Ah. – Ele pareceu... talvez... desapontado? Difícil afirmar.

– Pensei que, talvez, se você estiver voltando do trabalho para casa, talvez pudéssemos... – E me calei ao parar em uma faixa de pedestres. Não queria que aquelas duas pessoas esperando ao meu lado, mesmo que não estivessem prestando atenção em mim, testemunhassem minha possível rejeição.

– Andar juntos? – Reid completou.

Olhei para as duas pessoas ao meu lado, que continuavam simplesmente atentas aos seus próprios celulares. Uma delas estava pressionando o polegar freneticamente em monstros minúsculos e felpudos que flutuavam e se arrastavam pela tela, o que me pareceu um jogo terrível.

"Veem?", eu quis dizer a eles, sentindo-me presunçosa. "Foi uma boa ideia ter procurado por ele!".

– Sim – respondi, começando a atravessar a rua. – Quero dizer, precisamos de um jogo, obviamente.

– Obviamente – ele repetiu e, na verdade, percebi que *era possível* notar algo pelo telefone, pois, dessa vez, achei que ele estava gostando daquilo.

Então me senti envergonhada, já que não havia pensado em uma ideia antes de ligar para ele. Fazer nossos nomes tinha sido fácil, óbvio, seguro. Eu poderia sugerir algo igualmente banal como soletrar o mês de aniversário ou o nome do primeiro animal de estimação, mas isso pareceria ridículo, praticamente uma tentativa de roubo de identidade e, de qualquer forma, me peguei querendo ter um tipo diferente de conversa com Reid.

– Ok – eu disse, respirando fundo –, uma palavra para descrever o seu dia.

O som que Reid fez pareceu um gemido e isso me fez diminuir o passo. Ouvir aquele ruído vindo dele me pareceu tão... *íntimo.*

Engoli em seco e me recompus. Recompus meus vários pensamentos rebeldes sobre uma intimidade com Reid e disse:

– Podemos escolher outra coisa.

– Não, pode ser isso mesmo. – Houve uma pausa. – É justo. Letreiros feitos à mão apenas?

– Você está tentando ir pelo caminho mais fácil?

– Ai de mim! – ele exclamou. E fiquei com medo de começar a desenvolver algum tipo de biblioteca de fantasias sexuais de filmes de época. *Ai de mim, ai de mim, ai de mim...*, acabei pensando na palavra *cravat* quando ele terminou a frase. – Não estou andando agora em uma área conhecida por coisas artesanais.

Aquilo significava que ele estava no centro da cidade, e imaginei arranha-céus fálicos, pessoas com olhos de cifrão ao redor dele. Gravatas modernas e não *cravats*, aquelas gravatas antigas que pareciam um lenço, o que era uma pena.

– Não precisa ser apenas com letreiros feitos à mão – consenti, mas já estava tirando uma foto de uma placa com menu de sanduíches desenhada a giz, focando no *S*. Já sabia qual seria a minha palavra. – Posso ser flexível.

Reid e eu decidimos que teríamos quinze minutos para encontrar as letras de nossas respectivas palavras; e as enviaríamos um ao outro simultaneamente quando o tempo acabasse. A princípio, senti uma pontada de nervosismo – iríamos desligar e encontrar nossas letras separadamente?

Ou ficaríamos ao telefone – uma espécie de estar junto mesmo estando distante –, tentando encontrar assunto para conversar?

Mas Reid resolveu isso por nós, pois, assim que começamos a contar o tempo, ele perguntou onde eu estava e como era o bairro por onde eu estava andando, como se quisesse minimizar a distância entre nós. Tirei fotos enquanto andava e fiz o meu melhor para descrever o sabor peculiar de Park Slope no início da noite de uma terça-feira. Carrinhos de bebê e crianças em idade escolar nas calçadas, enquanto as ruas, já congestionadas, estavam ocupadas por carros esporte gigantescos. Contei a ele como fiquei surpresa que algumas lojas fechassem tão cedo quando me mudei para Nova York e falei também – enquanto descia a 12ª Avenida – sobre a minha padaria favorita, que fica aberta até as sete. Quando cheguei lá, listei para ele as opções de *cupcakes* que havia e perguntei qual ele achava que eu devia escolher, ao que ele respondeu:

– Não sou muito de comer doces. – O que me fez rir.

Pedi um *Brooklyn Blackout* – com quatro tipos diferentes de chocolate –, mas decidi não comer enquanto conversávamos.

Reid também começou a me contar sobre os lugares pelos quais estava passando. Mas disse que não era tão bom em descrever as coisas quanto eu. Disse que, quando olhava em volta, tinha dificuldade em ver qualquer coisa digna de nota.

– Parece tudo igual para mim. Tudo é alto. Cinza. Cheio. Sujo.

– Isso é o que eu costumava pensar também. – Tirei outra foto, o adorável *r* azul minúsculo na vitrine da padaria. – Antes de me mudar para cá.

– Sim, mas você está no Brooklyn. É diferente.

– Nem sempre morei no Brooklyn. Morei em Manhattan quando cheguei aqui.

– Ah, é?

– Claro, sabichão – respondi, provocando-o. – Você e seu trabalho chique. Acha que não tenho o que é preciso para viver em Gotham? – Tirei outra foto, não acreditando muito no jeito como e eu Reid estávamos conversando. Era ainda melhor que o jogo. Apesar de eu estar andando sozinha, não me senti nada solitária.

– Não foi isso que eu quis dizer. – Houve outra longa pausa, e me perguntei se era porque ele estava tirando uma foto. – Mas... não associo você a este lugar.

A maneira como ele disse "este lugar", de alguma forma, fez com que aquilo parecesse um ponto a meu favor, e talvez eu devesse entender assim mesmo. Talvez um lugar que Reid visse como cinza e sujo não fosse um lugar com o qual eu quisesse estar associada em sua mente. Mas talvez fosse só porque ele me conheceu ali, na loja de onde eu ainda estava a apenas alguns quarteirões, desenhando um programa para um casamento que nunca aconteceu.

Ouvi uma série de bipes, e Reid disse:

– Acabou o tempo. – O que foi um alívio, pois não eu tinha certeza de para onde eu teria levado a conversa depois disso. – As damas primeiro.

Então eu me postei embaixo de um toldo, aconchegando-me perto de um prédio, para enviar as minhas fotos para ele. Uma mistura de letras, umas escritas à mão, outras não, mas não me importei muito. Na verdade, apreciei o conjunto. Combinava com a palavra que escolhi.

S-U-R-P-R-E-E-N-D-E-N-T-E.

Levou um minuto para todas as fotos chegarem e houve alguns segundos de silêncio enquanto Reid as examinava.

– Gosto mais do *T* – ele observou, e eu sorri. Era a minha letra favorita também. Foi a penúltima que capturei e imediatamente pensei nela para *agosto.* Que é também o mês do meu nascimento, não que estivéssemos fazendo a coisa do roubo de identidade. Então ele perguntou:

– Por que surpreendente?

– Tive uma reunião com uma nova cliente – expliquei, deixando de fora a parte em que eu continuava surpresa por ter conhecido a Princesa Freddie na vida real. Imaginei que ele, como Lachelle, não entenderia o que era um namorado poeta-sanduicheiro. – Usei um jogo para ajudá-la a tomar uma decisão. – Parei e limpei a garganta. – Você me inspirou.

Ele não disse nada por o que me pareceu uma eternidade. Mas então veio com a fala mais fofa:

– É um baita elogio inspirar uma artista.

Baita elogio. Uma artista.

Vindo de algum lugar antigo e instintivo que muitas mulheres têm dentro de si, eu quase disse: "Não sou uma artista!", mas me contive. Claro que sou uma artista; e das boas! Em vez disso, grata por ele não poder ver meu rosto corado, eu disse:

– Sua vez.

– A minha parece um tanto inadequada. Apenas cinco letras.

– Pare de enrolar e passe as fotos para cá!

Ele me pareceu estar suspirando.

Quando as fotos chegaram, pude acrescentar mais um motivo pelo qual meu dia tinha sido surpreendente.

– Que diabos! – exclamei, em voz alta, e uma mulher empurrando um carrinho de bebê extremamente chique me lançou um olhar assustado. Dei a ela um breve sorriso de desculpas antes de olhar novamente para a tela do celular. – *Todas* as letras são escritas à mão!

– Caminhei até South Street Seaport – ele disse, e pensei ter detectado uma nota de autossatisfação ali. – Muitos letreiros pintados à mão por aqui.

– Acho que, de alguma forma, você trapaceou! Você é um trapaceiro neste jogo incrivelmente *nerd* que só nós conhecemos. – Eu queria que Lachelle estivesse ali; ela definitivamente teria algo a dizer sobre aquilo.

Na verdade, não, não queria. Pois, nesse caso, eu não estaria sozinha naquele jogo secreto com Reid. Não estaria sozinha na primeira vez em que o ouvi rir. Mesmo por telefone, seu riso me pareceu adorável. Suave, baixo, mal e mal uma risada. Era mais como uma *risadinha* abafada. Imaginei essa palavra escrita à mão. Eu a faria sem ascendentes, de modo que todas as letras ficassem no mesmo nível. Faria com que quase não houvesse espaço entre elas, para que a palavra parecesse tão aconchegante e calorosa quanto seu riso realmente soava.

Finalmente, olhei para a palavra que ele enviou. Ele escreveu: *T-E-N-S-O*.

– Não foi um dia bom, hein?

– Foi... como eu disse. Ou melhor, como escrevi.

– Você quer conv...

– Não – ele disse rapidamente. – Essa palavra meio que resume tudo.

Reid falava tão pouco sobre seu trabalho que quase me fazia desejar entender melhor aquela página sobre analistas quantitativos da *Wikipedia*. Mas talvez eu devesse me sentir grata, dado o quanto o trabalho de Reid estava ligado às coisas que tornaram nosso último encontro tão estranho: Avery e o pai de Avery.

– Sinto muito – respondi.

– Não é sua culpa.

Perguntei-me se ele também estava parado em algum lugar. Pessoas, carros e ônibus passando, mas uma membrana separando um espaço pequeno, aconchegante e silencioso na linha de nossos telefones. Talvez "sinto muito" e "não é sua culpa" fossem coisas que Reid e eu já deveríamos ter dito um ao outro em outro contexto, mas isso não importava.

O que importava era o que estávamos fazendo naquela hora.

– Então – eu disse, depois que o silêncio ficou um pouco longo demais. – South Street Seaport, hein?

– Sim, não é tão longe do meu escritório.

– Não é um lugar cinza nem sujo. – Eu gostava de lá, na verdade.

Sibby e eu tínhamos ido a uma feira de outono por lá, alguns anos antes, e compramos um monte de tubérculos deformados, mas coloridos, dos quais, como acontece com a maioria dos visitantes casuais de feira sem talento para cozinhar, acabamos usando apenas a metade. À sombra do distrito financeiro,

South Street parecia... baixa. De uma maneira agradável. No nível do chão, à beira d'água. Os prédios são mais antigos, com tijolos desbotados e charmosas fachadas nas lojas. Uma pausa da altura, às vezes vertiginosa, do local logo atrás. Abri a boca para contar a Reid sobre a sorveteria Big Gay que havia aberto por lá, mas me lembrei que ele não comia doces.

– Não, acho que não. – Pareceu que ele tinha começado a inspirar profundamente, como se pudesse finalmente respirar, mas uma buzina se intrometeu, soando quase ao mesmo tempo que a respiração.

Fiquei... decepcionada. Queria ouvir sua respiração profunda do começo ao fim.

– Infelizmente – Reid completou –, tenho que ir para outra reunião. Uma reunião de trabalho.

Ai de mim, pensei.

Mas também senti uma forte onda de prazer passando pelo meu peito ao pensar em Reid deixando o trabalho por alguns minutos apenas para jogar comigo. Talvez, com isso, seu dia terminasse um pouco menos tenso. Talvez eu tivesse transmitido um pouco da surpresa do meu dia para ele.

– Claro. Obrigada pela companhia! – Então acrescentei algo, algo sincero, algo que Reid me disse uma vez. Parecia certo dizer aquilo, como se eu estivesse nos ajudando a construir um tipo de rotina.

Como se fôssemos mais do que apenas companhia. Como se fôssemos *amigos*.

– Eu me diverti.

Houve mais uma pausa do outro lado do telefone, e esperei não ter tornado as coisas estranhas. Nas últimas semanas, tinha aprendido que eu era extremamente talentosa em tornar as coisas estranhas com Reid.

– Você estará livre no sábado? – ele perguntou. Sem rodeios. Diretamente. Jeito Reid de ser.

Eu sorri.

Dessa vez, não hesitei em responder.

Capítulo 9

Quando desliguei o telefonema com Reid, na terça-feira à noite, senti muitas coisas.

Em primeiro lugar, me senti ansiosa: para chegar em casa e voltar para a Make It Happyn armada com ideias recém-formadas e músculos das pernas recém-soltos.

Em segundo lugar, me senti confiante: eu não *precisava* que Reid me dissesse que sou uma artista, mas o lembrete foi bom de qualquer maneira, especialmente na execução do trabalho que eu estava desenvolvendo como resultado de nosso primeiro jogo.

Em terceiro lugar, me senti esperançosa: em relação ao progresso que havia feito com Lark, à dor e à raiva relacionadas a Sibby – que eu parecia estar deixando um pouco de lado – e ao modo como eu havia me arriscado, propondo outro jogo a Reid.

Em quarto lugar, me senti empolgada: fizemos *planos*. Íamos jogar de novo e, de certa forma, *estávamos* jogando desde então. Enviamos fotos um para o outro, as minhas, principalmente de letreiros de comércios locais, e as de Reid, principalmente de anúncios desbotados nas laterais dos prédios, o tipo de relíquia que havíamos procurado em nossa primeira caminhada juntos. Nem falávamos muito nas mensagens – às vezes adicionávamos um endereço ou uma nota sobre qual letra era a nossa favorita –, mas elas pareciam cheias de promessas para o nosso próximo encontro.

Mas, quando chegou o sábado, o que senti foi minha menstruação.

Eu deveria saber, e não apenas porque A Calígrafa *de Park Slope, obviamente*, tem um método muito específico pelo qual ela controla seu ciclo: um minúsculo ponto vermelho ao lado da data prevista no meu *planner* mensal. Eu deveria saber, já que acordei na sexta-feira de manhã com o tipo de humor que oscila descontroladamente entre "estou a dez segundos de matar alguém" e "estou a três segundos de chorar porque notei uma camada de poeira no peitoril da janela, logo, sou uma *porca* imunda". Sorte do mundo lá fora que não tive que sair do apartamento o dia todo, mas, infelizmente para mim, estava passando uma maratona de *Em Busca da Casa Perfeita* na TV, durante a qual fiz, apaticamente, um ou outro trabalho de clientes regulares enquanto fantasiava sobre assassinar cada um dos participantes que reclamava das cores das paredes. Então chorei por causa do preço do metro quadrado dos imóveis em Missouri (era realmente muito acessível!).

A certa altura, quando reagi e tentei novamente terminar os esboços nos quais estava trabalhando desde terça à noite, meu telefone tocou com o desagradável som de buzina que configurei para as raras mensagens de texto do meu pai. Abri a mensagem, e lá estava uma foto dele, bronzeado e sorridente, apertando a mão de um homem de terno com um broche da bandeira dos Estados Unidos na lapela, um certificado emoldurado entre eles. Atrás do meu pai estava Jennifer, a mulher com quem se casou duas semanas depois que ele e minha mãe se divorciaram oficialmente, e mal tendo completado três meses da minha saída de casa.

Empresário local do ano da Câmara de Comércio, dizia a legenda seca e informativa sobre o meu pai, e senti uma ferroada daquela horrível raiva antiga. Abri meu caderno e escrevi duas palavras, adicionando alguns *swashes* dramáticos para decoração, e tirei uma foto para enviar de volta para ele.

Fabuloso! Parabéns!, escrevi, bonito e comemorativo, mas havia cinco letras caindo discretamente abaixo da linha de base – *F-A-L-S-O* –, tão discretamente que só eu notaria.

E pensei: *Reid notaria.*

Eu me senti tão mal por ter feito aquilo, tão mesquinha e desprezível que quase, *quase* mandei uma mensagem para ele cancelando nosso encontro, meus dedos pairando sobre o teclado do celular.

Então pensei nele soletrando aquela palavra para mim – *T-E-N-S-O* – e soube – em algum lugar, dentro de mim – que não queria que ele passasse o sábado sozinho. Eu tinha ido para a cama cedo com aquela dor incômoda e antecipatória na parte inferior da barriga esperando ter mais sorte com o pêndulo do humor pré-menstrual pela manhã.

E quando acordei, *realmente* senti menos vontade de matar ou chorar. Isso porque, claro, o evento principal havia chegado, o que significou que a dor incômoda se transformou em algo mais pesado e agudo. Minhas costas doíam, tudo o que eu vestia parecia um tamanho meio pequeno demais, e eu gostaria muito de prender uma mangueira de aspirador na minha boca e conectá-la diretamente a um saco de chocolate, apertar uma bolsa térmica contra a barriga e assistir a uma série de comédias românticas nas quais ninguém nunca parece menstruar, nunca.

Mas eu tinha dito sim para Reid e não queria voltar atrás – não apenas por ele, mas por mim também. *Queria* andar e jogar e me inspirar novamente.

Assim, guardei alguns absorventes extras em uma bolsa pequena – não consegui me imaginar carregando a minha enorme bolsa de sempre – engoli alguns comprimidos de analgésico e fiz uma longa viagem de metrô até o Village.

Ele estava esperando por mim quando subi os degraus da estação, como prometeu que estaria, com seu uniforme Reid casual: tênis, *jeans*, camiseta e jaqueta. Seu rosto obviamente parecia fan-tás-ti-co, e eu ficaria muito feliz se ele não olhasse para o meu e imediatamente franzisse a testa.

– O que aconteceu? – perguntou em vez da tradicional saudação.

Meu único consolo diante daquela pergunta foi o pensamento que me passou pela cabeça sobre o que aconteceria se eu anunciasse em voz alta a Reid, em uma rua pública, que eu estava menstruada. Imagine o pigarro! Seria lendário.

– Ah, sabe como é... – respondi, acenando com a mão em direção à estação. – Longa viagem.

Ele endireitou ainda mais a sua postura já ereta.

– Eu teria ido até o Brooklyn.

Na verdade, ele tinha se oferecido para isso quando planejamos aquele encontro, mas eu mesma sugeri que nos encontrássemos no Village, onde eu sabia que havia muitos letreiros antigos pintados à mão. Forcei um sorriso tentando suavizar o encontro que começou com o pé esquerdo – a expressão no meu rosto assim que Reid me avistou, qualquer que tenha sido, e aquele tom defensivo e constrangido em sua voz.

– Já sei – eu disse descontraidamente. – Sua vez de inventar um jogo.

Comecei a andar sem me importar se ele tinha outra direção em mente. Acabei tendo um novo acesso de cólica, daquele tipo que serpenteia até a frente das suas pernas. Se era para fazer aquilo dar certo, eu precisava cerrar os dentes e continuar andando.

Assim, fiquei contente que Reid já tinha, de fato, um jogo em mente. Dessa vez, cada um de nós escolheria uma cor e, em seguida, tentaríamos obter o maior número possível de letras do alfabeto nessa cor ao longo de uma hora. Não havia regras para o tipo de letra ou letreiro, mas agora já conhecíamos o jogo – ou um ao outro – bem o suficiente para saber que ambos tentaríamos encontrar as coisas mais interessantes possíveis. Os letreiros escritos à mão e os pintados à mão, coisas que me dariam algo com o que trabalhar.

Reid me deixou escolher primeiro, e escolhi azul, o que proporcionou meu primeiro sorriso genuíno da tarde, porque eu sabia que certamente ele iria escolher azul, percebi isso ao olhar seu rosto quando falei a minha cor. Ele, então, escolheu verde, mas contestei, dizendo que aquilo era basicamente trapaça, pois verde é uma *versão* do azul. Ele definitivamente não gostava de ser chamado de trapaceiro, porque respondeu:

– Tudo bem. Escolho vermelho então.

Nos primeiros quarteirões, provoquei-o sobre isso também, porque vermelho era *obviamente* a cor mais fácil de se encontrar. Ele deu seu meio sorriso e continuou tirando suas fotos, enquanto eu resmungava sobre ser a jogadora mais multifacetada. Ambos ganhamos pontos com o enorme letreiro velho e descascado do C. O. Bigelow que ficava na lateral de um prédio de tijolos, embora Reid tenha se gabado de que a tinta vermelha estava em melhor estado do que a azul pálida. "Gabar-se", para Reid, basicamente envolvia declarar um fato, mas ainda assim...

Porém só havia se passado meia hora quando comecei a murchar. Aqueles comprimidos de analgésico que tomei provavelmente eram, na verdade, bala velha, porque eu poderia jurar que meu útero estava pesando trinta e cinco quilos, e tudo da minha cintura para baixo era puro desconforto. Eu estava *acabada* e muito longe de casa para poder fazer qualquer coisa a respeito. Definitivamente deveria ter cancelado ou pelo menos escolhido vermelho antes que Reid pudesse e...

– Meg? – ouvi-o dizer.

Olhei para ele e percebi que havia perdido alguma coisa, e como Reid não era de falar muito, foi uma verdadeira perda.

– Sinto muito, acabei me distraindo.

– Nós podemos parar. – Então ele fez aquela coisa de novo, puxando para baixo a manga de sua jaqueta-desnecessária-para-o-clima. Talvez aquele gesto fosse o mesmo que os dois dedos de Lark ao longo de sua linha de cabelo, ou talvez fosse o mesmo que eu querendo deitar no meio daquela calçada para contemplar os vários horrores e indignidades dos meus anos férteis. – Se isso não está ajudando, quero dizer.

Meus ombros caíram derrotados. Eu estava fingindo muito mal ser meu eu normal e alegre, e mesmo as ideias que eu estava tendo com os letreiros não estavam compensando meu mal-estar.

– É só que... – Parei, suspirando pesadamente. Ele olhou para mim, sua testa enrugada da mesma forma que estava quando saí do trem. – Não estou me sentindo muito bem hoje – por fim admiti.

Mal tive tempo de me sentir envergonhada, porque Reid parou, colocou a mão sob meu cotovelo – *opa, ainda era uma zona erógena* – e gentilmente me guiou até a beira da calçada, fora do caminho dos pedestres atrás de nós.

A resposta foi tão... imediata. Tão instintiva, preocupada e direta, ou seja, tão *Reid*, que me trouxe de volta a sensação de "estou a três segundos de começar a chorar". Abaixei os olhos, fitando meus sapatos que agora pareciam mais de meio número menores. Ele tinha o mesmo cheiro do fim de semana anterior – sabonete e aquela pitada de piscina – e, se aquilo se transformasse em choro de verdade, eu não confiava em mim mesma para resistir ao instinto de pressionar o rosto contra ele.

– Eu sabia – ele disse. – Você está doente.

– Na verdade, não. – Sem pensar, passei a mão sobre a barriga, na parte em que doía.

– Você está... – Ele parou, colocou as mãos nos bolsos da frente de sua calça *jeans*. – Ahã – ele disse, suavemente.

Não pude deixar de rir. Aquilo tudo era muito filme de época, quando as pessoas não podiam dizer as palavras "perna" ou "tornozelo" porque era moralmente perturbador demais. No entanto, ele – com toda a sua séria e empertigada cautela – parecia estar me convidando a dizer a palavra em voz alta.

– Se esse "ahã" significa "menstruada", então, sim, você está certo.

Ele não pigarreou, não apertou o maxilar ou ficou com as bochechas coradas. Só lançou um olhar cético para a pequena bolsa que eu carregava – um verdadeiro erro de cálculo, admito, já que não conseguiria colocar uma bolsa térmica nível militar dentro dela –, e indagou:

– Você tem tudo o que precisa? – Como se estivesse planejando ir até a farmácia mais próxima e me comprar uma sacola de suprimentos.

O engraçado é que achei que ele realmente faria isso. "Em qual corredor encontro os absorventes?", ele diria, com aquela voz muito séria.

Puxei a barra da minha camisa favorita, uma peça velha e listrada com botões na frente, que foi lavada tantas vezes que se tornou tão macia quanto os lençóis da minha cama.

– Estou bem. Não quero desistir ainda. Só estou me sentindo... nojenta.

Tive certeza de que ele franziria a testa diante daquela descrição, mas ele apenas acenou com a cabeça e olhou para um lugar mais adiante, onde havia um pequeno cercado arborizado com uma grade preta de ferro forjado separando-o da rua e da calçada movimentada.

– Vamos nos sentar um pouco. Você pode colocar os pés para cima.

Olhei para ele e, dessa vez, ele realmente corou um pouco.

– Minha irmã sempre faz isso. Quando ela se sente... – Ele se calou.

– Nojenta? – terminei por ele, sorrindo suavemente, menos por causa da palavra do que pelo que Reid me contou, algo sobre sua vida privada, algo que não estava ligado ao seu noivado rompido. – Você tem uma irmã?

Outro aceno de cabeça enquanto mantinha aqueles olhos azuis focados em mim, seu rosto fan-tás-ti-co demonstrando preocupação.

– Ela é mais nova. Ainda mora com meus pais.

– Ah – eu disse, mas, de repente, tinha dez mil perguntas, tantas perguntas sobre Reid e sua vida que o peso delas me distraiu do peso extremamente desagradável em meu abdômen. *Realmente, seria bom me sentar um pouco, colocar os pés para cima... Descansarei, beberei um pouco de água e, se não ajudar, voltarei para casa para dormir, e perguntarei a Reid se podemos nos encontrar novamente em alguns dias*, pensei.

Mas, enquanto esperava melhorar, por que não um joguinho de vinte perguntas?

♥ ♥ ♥

– Então, há *sete* de vocês? – perguntei, minha voz soando aguda.

Reid contraiu os lábios, mas era o tipo de contração cujo significado, agora eu sabia, escondia um sorriso.

– Sim.

Ajustei minha postura, me ajeitando sobre as ripas duras do banco embaixo de mim. Podia não ser tão confortável em termos de móveis, mas aquele cercadinho era adorável – pequeno, sombreado e silencioso, mesmo estando há apenas alguns passos do tráfego movimentado da Sexta Avenida. Ao redor dos vários canteiros bem cuidados havia cercas pretas, baixas e arqueadas e, embora a vegetação ainda estivesse escassa naquela época do ano, a maioria dos arbustos estava cheia e verde, e as árvores acima de nós farfalhavam com uma leve brisa.

E o melhor de tudo? Dois letreiros pareciam nos cumprimentar quando entramos, ambos na mesma parede do prédio que fazia divisa com o parque. Eles estavam velhos, desbotados e parcialmente obscurecidos pelas árvores, os dois anunciando a mesma farmácia local que já não existia mais. Um tinha letras brancas sobre fundo preto; o outro, letras pretas sobre fundo branco. Fontes sem serifa, firmes e práticas, tornadas ainda mais bonitas pelo desgaste do tempo. Toda vez que eu fazia uma pergunta a Reid, ele olhava para elas.

– Vocês todos se parecem? – perguntei de olhos arregalados. Sete irmãos Sutherland, ele havia me dito. Seis meninos e uma menina. Depois disso, tive vontade de perguntar se eles já fizeram um *show* na Áustria ou se alguém já havia escrito uma série de romances sobre eles.

Era ridículo o quão melhor eu já estava me sentindo.

Reid olhou para os letreiros com a testa franzida.

– Alguns de nós, suponho que sim. Connor, Garrett e eu, todos temos esta cor de cabelo, igual ao meu pai.

"Todos têm o seu maxilar?!", tive vontade de perguntar.

– Mas Owen, Ryan, Seth e Cady têm o cabelo escuro, como o da minha mãe.

– Como você se lembra dos nomes de todos? – brinquei, mas não inteiramente. – Uma família tão grande, não consigo nem imaginar.

Ele sorriu.

– Ninguém esquece os nomes dos seus irmãos. Não importa quantos tenha.

– Sim, claro. – Dei uma risada desajeitada. Então, baixei os olhos e pressionei as coxas com as mãos, esfregando o ponto dolorido, a dor quase completamente dissipada. Quando havíamos chegado ao cercado, Reid insistiu para que eu esticasse minhas pernas ao longo do banco e, em um passo de mágica, tirou uma pequena cartela de analgésico (não vencido) do bolso da jaqueta. Claro que a primeira das minhas vinte perguntas quase foi: "Quer casar comigo?". Mas, em vez disso, resolvi perguntar se ele sempre carregava analgésicos no bolso.

– A ocasional dor de cabeça causada pela tensão, você sabe – ele respondeu enquanto acomodava seu corpo alto e esguio do outro lado do banco, deixando a maior parte do espaço para mim. Algo se fechou em seu rosto quando respondeu, um eco daquele *T-E-N-S-O*, então, aproveitando a menção dele à irmã, limitei-me a fazer perguntas sobre seus irmãos.

– Você tem irmãos ou irmãs? – ele perguntou, e imaginei que seria justo eu responder, mas eu realmente preferia que aquele jogo de vinte perguntas continuasse focado nele.

– Hmmm, não. – A resposta saiu mais ríspida do que eu gostaria. Mas não ter irmãos era um ponto sensível na história da minha família, quase tão dolorido quanto meu pai ter tido um caso de uma década com Jennifer, e isso com minha mãe estando ciente durante todo o tempo. – Mas sempre me perguntei como seria – acrescentei, tentando atenuar minha rispidez.

– Abarrotado – ele disse, categoricamente. Olhou para mim, sua boca se curvando para cima, e acho que foi a sua maneira de suavizar a própria resposta.

– Morando aqui, você sente falta deles?

– Sim – ele respondeu imediatamente. Em seguida, voltou a olhar para os letreiros. – Mas morar sozinho é um alívio, às vezes.

– Nunca morei sozinha – admiti e, diante da minha própria surpresa por ter dito aquilo, apertei mais forte os músculos das coxas, trabalhando-os como se fossem uma massa de pão.

Quando olhei para cima, vi Reid observando o movimento e senti um calor agradável no centro do corpo.

Mas ele pareceu dar-se por si e levantou os olhos, seu olhar azul se emaranhando ao meu brevemente. O calor se espalhou, parecia vivo no espaço entre nós.

Ele pigarreou.

– Nunca?

Balancei negativamente a cabeça.

– Saí da casa dos meus pais para vir para cá e tenho morado com Sibby desde então – respondi, massageando meus músculos mais agressivamente.

– E Sibby é sua...?

Respirei fundo, impressionada com a rapidez com que a conversa havia mudado de rumo. Era estranho como me sentar ali, no silêncio, com Reid, era parecido com caminhar pelas ruas barulhentas ao seu lado. Um tipo diferente de jogo, levando a um tipo diferente de desbloqueio.

Ainda assim, um desbloqueio.

– É minha melhor amiga. Crescemos juntas.

– Ter alguém de casa aqui com você deve ser legal. Alguém que você conhece tão bem. – Havia uma nota melancólica em sua voz, a ponto de eu me perguntar quanto do desdém dele por Nova York não estava relacionado a não ter alguém daquela família grande e abarrotada da qual ele, claramente, sentia falta.

– Tem sido. Mas... hmmm, ela se mudará em breve para outro lugar com o namorado. – Olhei para a entrada do parque. – Para este bairro, na verdade. Então, acho que terei essa experiência de morar sozinha, pelo menos por um tempo.

Por um segundo, tudo em que consegui pensar foi no primeiro apartamento que Sibby teve, aquele para o qual eu fui quando saí de casa. Era em Hell's Kitchen (nome apropriado para a sensação no meu estômago na época) – um único cômodo, mais comprido do que largo, com o sofá compacto de Sibby encostado na mesma parede que sua cama de solteiro. Nas primeiras noites, quando ela me ouvia chorar, só precisava estender a mão para segurar a minha. De manhã, eu dobrava meus cobertores e nos sentávamos lado a lado, comendo a aveia instantânea que Sibby preparava no micro-ondas minúsculo que ficava em cima do frigobar. Normalmente, meu celular tocava com minha mãe ou meu pai ligando, e Sibby dizia: "Quer que eu atenda desta vez?" – Não importava quantas vezes eu dissesse não, ela nunca me pressionou.

– Você não está feliz com isso – Reid disse. Foi mais uma afirmação do que uma pergunta.

Parei de trabalhar os músculos, imobilizando as mãos sobre as coxas, fingindo verificar o esmalte verde-claro lascado nas unhas.

– Temos tido alguns problemas recentemente. Não uma briga nem nada assim, mas nos distanciamos. Ou... ela se distanciou de mim, acho. Não tenho certeza de que ela quer continuar sendo minha amiga.

Foi a primeira vez que eu disse aquilo em voz alta para alguém. E, surpreendentemente, me senti *aliviada*. Foi um pouco como quando confessei que estava menstruada e queria parar de andar por um tempo ou como quando entramos naquele parque para nos sentarmos e meu corpo inteiro cedeu, já antecipando o conforto.

– Sinto muito – Reid disse depois de alguns segundos de silêncio. – Deve ser difícil.

Aquele *reconhecimento* teve o mesmo efeito do analgésico que Reid havia me dado, ajudando a afastar a dor.

- Obrigada. - Senti o inconveniente pêndulo emocional balançar novamente, e veio de novo a vontade de chorar. Fiquei aliviada por ter compartilhado o problema, mas não queria ter uma catarse completa ali, ao ar livre, principalmente porque Reid não parecia estar carregando uma mangueira de aspirador e um saco de chocolate na jaqueta dele.

- Você nunca perguntou a ela se não quer mais ser sua amiga? - ele questionou.

Quando olhei para ele, vi que ele também me olhava como se tivesse feito a pergunta mais fácil do mundo. Como se aquela fosse a pergunta mais fácil para eu fazer a Sibby. Como se perguntar coisas às pessoas - coisas realmente difíceis -, não trouxesse um temor em relação às respostas que dariam. Como se não houvesse nada a temer quanto à nossa própria reação às respostas.

- Não com todas as palavras - respondi com uma voz horrivelmente falha. Então pisquei e voltei a olhar para as minhas pernas, mortificada.

Após uma longa pausa, Reid falou novamente.

- Acho que não sei como são as coisas com um amigo assim, um que você tem há tanto tempo. Eu tinha meus irmãos, mas não... não tenho amigos próximos, com os quais tenha crescido.

Não soube como explicar o que aconteceu naqueles poucos segundos depois que ele terminou de falar, exceto que foi como se um pedaço do meu coração se partisse e deixasse meu corpo e atravessasse pulsando o banco e se prendesse a Reid.

Tudo por causa daquela confissão gentil, daquele esforço para que eu me sentisse melhor.

Limpei a garganta e observei-o olhar de volta para os letreiros.

- Ninguém da escola? - perguntei.

Ele balançou negativamente a cabeça.

– A culpa é minha. Eu era... difícil na escola.

Difícil? Tentei imaginar Reid arremessando bolas de cuspe, respondendo aos professores, não fazendo a lição de casa. Não consegui e meu rosto deve ter transparecido algo, pois, quando ele olhou de volta para mim, sorriu brevemente e recomeçou:

– Eu ficava entediado. Sempre terminava as tarefas rápido demais. Isso frustrava meus professores e, obviamente, não me tornava exatamente popular com os alunos.

Aquela cena sim, consegui imaginar. O sério e estudioso Reid decifrando qualquer código que lhe tenham dado e não recebendo recompensa alguma por isso. Recebendo, porém, aquele tipo de resposta confusa e ligeiramente hostil que faz uma criança se sentir inferior, envergonhada. Aquela contração da boca em particular, no rosto do pequeno Reid.

Houve outro balanço do pêndulo, dessa vez indo firmemente em direção ao desejo de assassinato. Basicamente, voltado para todos os ex-professores de Reid e para qualquer outra criança que não... não tenha se encantado por ele. Eu provavelmente deveria estar extremamente preocupada com o quanto *eu* estava encantada por ele, mas, naquele momento, encontrava-me empenhada demais em lhe perguntar mais coisas. Não era mais um jogo; não tinha mais nada a ver com inspiração. Porém ainda assim parecia tão, tão importante.

– Mas deve ter melhorado, certo? – repliquei. – Digo, quando você foi para a faculdade... Ou, quem sabe, na pós-graduação...

Reid olhou para os letreiros novamente, permanecendo quieto por um longo tempo.

– Eu tinha quinze anos quando entrei na faculdade.

– *Quinze?!* – Aos quinze anos, eu ainda dormia com um bicho de pelúcia, o que tive o bom senso de não dizer em voz alta.

– Em uma universidade comunitária, no primeiro semestre. Um programa de extensão do ensino médio.

– Ah, claro... – observei, ainda processando meu choque. – *Isso* torna tudo melhor!

Ele lançou novamente aqueles olhos tristes para mim. Esses eram os piores, faziam meu estômago parecer Hell's Kitchen.

– Não melhor. O que quero dizer é que... Isso não torna o feito menos surpreendente ou impressionante. É... uau! Você é *inteligente*, hein?

Ele deu aquele seu meio sorriso e eu poderia apostar que, se chegasse mais perto, poderia ver o rubor se espalhando pelas maçãs de seu rosto.

– Em matemática – ele disse.

– Bem, você deve estar no paraíso agora, nesse seu trabalho. Cercado de pessoas da matemática!

O meio sorriso desapareceu, seu rosto se fechou novamente. *T-E-N-S-O.*

– Gente do dinheiro. É diferente.

Por um segundo, ele pareceu tão abatido e vazio que tudo em que consegui pensar foi em tentar fazê-lo se sentir melhor. *Será que haveria algum comprimido para tirar aquele olhar de seu rosto?*

Então percebi talvez eu *até* tivesse algo no bolso da minha jaqueta metafórica! Sentada ali naquele parque, ao lado de Reid, descobrindo mais sobre ele, colocando para fora alguns dos meus sentimentos mais profundos, nem precisei fingir me sentir alegre e leve. Eu *estava*, de verdade, alegre e leve.

Minha boca se curvou em um sorriso e cutuquei Reid gentilmente com o pé, provocando-o. Tentei ignorar o fato de que tocá-lo, mesmo daquela maneira completamente platônica, não parecia um simples gracejo para mim.

– Você diria que... que o dinheiro é... o *denominador comum* para seus colegas?

Por um segundo, ele não disse absolutamente nada, e pensei: *Bom trabalho, Meg. Não era hora de ser leve e alegre. Não com uma piada de matemática!*

Mas, de repente, ele olhou para mim, piscou uma vez e... riu. Uma risada real e completa. Uma risada só dele.

E era a mais linda combinação de sons, os mesmos sons que eu o ouvi fazer quando, na outra noite, falando-nos pelo celular, andamos juntos: aquele mesmo gemido, reagindo divertido à minha péssima piada. Uma risada quente e contida, um pouco mais alta dessa vez, depois se aquietando e dando lugar a um suspiro, uma pequena exalação de ar. Um suspiro de *alívio*.

Foi o melhor som que já tinha ouvido. Tanto que jamais consegui colocá-lo em letras. Alegremente, ignorei outro aperto de advertência em meu coração.

– Graças a Deus, você riu! Esse é um dos dez termos de matemática que conheço. Quer ouvir os outros?

Ele sorriu, soltando apenas a risadinha abafada agora.

Vamos caminhar por quarteirões e quarteirões, pensei. *Deixe-me fazer piadas ruins de matemática para você o dia todo. Espere até ouvir aquela sobre cálculo estocástico, que basicamente sou eu tentando pronunciar isso.*

– Você está melhor? – ele perguntou.

– Estou. – Olhei para os letreiros que nos fizeram companhia durante aquele tempo de nosso novo não jogo. – De qualquer forma, eles não têm as cores de que precisamos.

Joguei as pernas para fora do banco, levantando-me, e alisei a camisa antes de pegar minha bolsa, dizendo a ele, com meu corpo, que estava pronta para prosseguir.

– Meg – Reid chamou. Virei-me e ele ainda estava sentado, seu corpo curvado para a frente. O rosto estava virado para mim e seus olhos, sérios, dançavam com as sombras esvoaçantes do dossel de árvores acima.

– Sim?

– Sua amiga... Não acredito que ela não queira mais ser sua amiga. Acho que ela deve... – Ele parou, levantou a mão e a passou pelos cabelos, algo que nunca o havia visto fazer. – Deve ter algo se passando com ela, digo, com ela mesma, não com você. Tenho certeza de que ela voltará atrás.

Ah, não. Houve um grande balanço do pêndulo para o outro lado. Provavelmente estávamos a um segundo de chorar. O voto de confiança de Reid – mesmo não conhecendo Sibby, dando-me todo o benefício da dúvida, sua admissão de que ele mesmo não tinha muita experiência com amizades – me trouxe muito conforto. Nem sei se concordava, de verdade, mas... Nossa, como ajudou ouvir isso...

– Espero que sim.

De repente, ele se levantou, e o movimento nos aproximou. Nós dois parecemos inspirar rapidamente ao mesmo tempo, e suas mãos subiram para segurar meus cotovelos, como que para me apoiar, o que acho que foi bom, porque *uau! Ambos* os meus cotovelos ao mesmo tempo. Senti aquele toque como uma explosão de estrelas sob minha pele, entre minhas pernas.

Meus olhos subiram procurando os dele. Sua cabeça estava inclinada para baixo, o cabelo, que ele alisou para trás, enrolando sobre a testa novamente. Quando ele expirou, senti os fios finos de cabelo ao redor do meu rosto se agitarem.

Senti tantas coisas. Tantas mais do que sentia pela manhã.

– O que quero dizer é que... – Ele pausou, aqueles olhos azuis fixos nos meus. – O que quero dizer é que acho que qualquer um gostaria de ser seu amigo.

Amigo.

A maneira como Reid disse aquela palavra – tive vontade de desenhá-la e redesenhá-la, capturando a forma como ela soou vinda de seus lábios. Quis pedir a ele para dizê-la novamente, para que eu pudesse assistir, para que eu pudesse saber se estava vendo coisas demais naquelas letras.

Certamente estava!

Amigo não significa explosão de estrelas em seus cotovelos. *Amigo* não significa uma vontade urgente de pressionar o rosto contra o outro. *Amigo* não significa ficar pensando em como seria o gosto daqueles lábios tão frequentemente severos e, às vezes, risonhos.

Algo no meu corpo deve ter mudado, enrijecido, porque Reid afastou as mãos dos meus cotovelos, embora eu continuasse sentindo aquelas explosões estelares. "Faça isso de novo", eu quis dizer, mas dei meio passo para trás e o encarei com o que esperava parecer um sorriso normal.

– Até você? – consegui dizer. E mesmo sabendo que Reid teria falado isso mais diretamente, esperava que ele entendesse que eu estava realmente fazendo uma pergunta. Esperava que ele soubesse que eu estava perguntando se ele havia me perdoado por aquelas quatro letras escondidas.

Ele colocou as mãos nos bolsos da jaqueta e me olhou por um longo tempo.

– Até eu – ele respondeu, finalmente. E acrescentou, baixinho, o fragmento mais perfeito, especial, que eu sabia que iria desenhar por dias e dias: – *Especialmente* eu.

Capítulo 10

– Uau! – Lark exclamou, olhando para a pilha de esboços à sua frente. – É bastante coisa.

Ela não disse "bastante" como se estivesse feliz com aquilo e, dado o que eu sabia sobre suas habilidades de tomar decisões, era justo. Talvez eu devesse ter feito menos tratamentos ou reduzido suas opções. Mas eu não estava arrependida.

Porque tudo o que estava exposto ali na nossa frente: as composições ousadas e coloridas, as diferentes interações das letras que Lark escolheu, as combinações e harmonizações de estilos, as formas que criei com diferentes arranjos das letras; tudo aquilo significava que eu estava finalmente – *finalmente* – desbloqueada.

Eu devia quase todas as ideias contidas naquelas páginas ao tempo que Reid e eu tínhamos passado juntos no sábado anterior, depois do momento no parque.

Com minhas cólicas diminuídas e uma nova leveza instaurada entre nós, enquanto caminhávamos e tirávamos fotos, meu pêndulo balançou fortemente na direção de "preciso de tacos", e já que eu praticamente tinha abandonado qualquer decoro relacionado aos meus sentimentos menstruais, comuniquei isso a Reid imediatamente.

– Acho que tem um lugar por aqui que você curtiria – ele disse. Infelizmente, ele não tocou meu cotovelo novamente enquanto mostrava o caminho.

Felizmente, porém, "curtir" foi um eufemismo. O restaurante era uma cidade de inspiração – letreiros pintados nas paredes por todos os lados que eu olhava, ousados e brilhantes, anunciando *Cervezas* e *Micheladas* no balcão, *Tortillas* e *Salsas* e *Tostadas* na parte principal. Até mesmo alguns dos espelhos nas paredes tinham sido pintados, um deles com uma linda cursiva de aparência *vintage* que esbocei imediatamente atrás da meia folha de papel que nos deram para marcar os itens do nosso pedido.

Sentamo-nos à mesa com tampo grudento, o balcão barulhento às nossas costas, e compartilhamos tudo o que pedimos. Comemos uma comida tão maravilhosa e deliciosa quanto as tabuletas ao nosso redor. Abacate maduro, verde-claro. Milho perfeitamente torrado, amarelo-ouro. Tigelas de salsa vermelha. Feijão preto escuro e picante. O roxo translúcido das cebolas picadas.

Entre os bocados de comida, íamos conversando. Estava claro que o assunto de que Reid menos gostava era o seu trabalho, mas ele me contou mais sobre sua família, e até consegui que ele me falasse sobre o cheiro de piscina: ele nadava na academia todas as manhãs, das cinco às seis. Depois da natação, tomava o mesmo café da manhã todos os dias: três ovos, um tomate fatiado, uma banana, uma xícara de – "Deixe-me adivinhar!", interrompi, "Chá". E ele me ouviu com interesse contar tudo sobre meus primeiros meses em Nova York – bem, deixando de fora as partes do choro – explorando a cidade com Sibby.

Foi fácil, honesto e divertido, e senti o "especialmente eu" de Reid faiscando como eletricidade em meus dedos o tempo todo.

Desenhei durante toda a viagem de trem para casa e continuei desenhando desde então. Em cafés, entre reuniões com meus clientes. Na loja, às vezes sentada, conversando com Lachelle ou Cecelia, sem nenhuma das duas perguntar por que eu estava aparecendo mais ultimamente. No apartamento, no meu quarto, às vezes, com a interrupção ocasional de uma troca de mensagens com Reid – outras fotos, outros pequenos jogos. Trabalhei o suficiente para completar um tratamento para o projeto da Make It Happyn, algo com o qual fiquei muito feliz, e ainda consegui arranjar tempo para trabalhar na encomenda de Lark.

Afastei-me, possibilitando a Lark uma visão melhor, e ofereci um sorriso de desculpas.

– Talvez eu tenha exagerado.

Ela sorriu de volta – um sorriso empático, compreensivo, que me fez pensar que Lark e eu possivelmente poderíamos ser amigas.

– Mas lembre-se, o que estamos procurando aqui está relacionado à composição, um conjunto de formas que chamem sua atenção. Tente ignorar as cores, por enquanto.

Com essa instrução, Lark eliminou algumas alternativas. Mesmo tendo dito a ela para ignorar as cores, prestei atenção, para referências futuras, em quais ela pareceu se demorar mais. A certa altura, ela colocou a ponta do dedo indicador sobre uma justaposição de rosa-claro e verde-claro, inspirada nas bebidas que eu insisti em pedir no restaurante do taco: um refrigerante de limão e um de melancia. Provei os dois primeiro e passei o de limão para Reid.

– Esse não é tão doce – eu disse. – Mas o meu tem gosto de cárie. – Tomei um grande gole só para vê-lo balançar a cabeça em encantadora desaprovação.

Olhei para onde Lark mantinha o dedo. Sem contar a memória das bebidas que Reid e eu compartilhamos, aquele tratamento não era realmente do meu gosto – parecia que eu tinha desenhado aquilo para o catálogo da loja de roupas femininas Lilly Pulitzer, cuja maior característica são as estampas florais. Mas talvez Lark – apesar do *jeans* preto *skinny* e da camiseta desbotada dos Ramones, que era grande demais para ela – desejasse secretamente usar vestidos de verão com estampas florais e suéteres amarrados sobre os ombros.

– Se você gosta de tons pastéis – arrisquei –, essa é uma boa opção para a parede de giz.

Ela empurrou a folha com relutância.

– Não, eu gosto... você sabe. De preto. – Ela apontou para sua roupa. Parecia que ela tinha pesquisado no Google: "Como se vestir como uma nova-iorquina".

– Claro, podemos ficar nos tons neutros. Mas até mesmo um realce...

Fui interrompida, primeiro pelo som da porta da frente se abrindo e se fechando, depois pelo som alto dos bipes de advertência disparados pelo sistema de alarme. A princípio, imaginei que fosse Jade, que havia saído para resolver algumas coisas para Lark quando cheguei, mas então ouvi uma voz grave reclamar:

– Droga! Como faço para desligar essa porra?

Lark ficou dura em cima do banco, obviamente surpresa. Quando marcamos aquela reunião, ela disse que a tarde de sexta-feira funcionava para ela porque Cameron estaria fora até tarde procurando locais para uma nova filmagem em que ele estava trabalhando.

– Cameron – ela disse, início usual de quase sessenta por cento de suas frases –prefere que eu cuide de tudo relacionado à casa. – Como se ter que se envolver em pequenas decisões sobre algo que iria saudar seus olhos todas as manhãs na parede de seu próprio quarto fosse um fardo grande demais para sua sensibilidade artística.

Ouvimos, em seguida, outro praguejar abafado vindo da entrada.

Lark me dirigiu uma careta envergonhada.

– Desculpe – ela disse, e então gritou: – Querido, lembra? Tem que colocar a senha!

Silêncio. Lark pareceu contar até dez silenciosamente.

– Nosso primeiro encontro? – ela disse.

Mais contagem silenciosa; então, ela deslizou para fora do banco.

– Volto já.

Os bipes ficam mais altos, mais próximos uns dos outros. Em uma situação como aquela, eu ficaria nervosa ao conhecer a outra metade envolvida no trabalho, ainda mais quando se tratava daquela que parecia estar atrapalhando o processo de tomada de decisão, mas, naquele momento, eu estava muito ocupada cogitando se ele estaria usando aquele gorro e os braceletes de couro.

Quando Lark e Cameron entraram na cozinha, eles tinham aqueles olhares tensos, mas educados, que os casais às vezes exibem e todo mundo percebe que chegaram à festa depois de uma briga enorme no carro sobre quem tinha que ter esvaziado a lava-louça. Meus pais costumavam ser excelentes nesse tipo de olhar, sempre mais educados do que tensos. Lark e Cameron claramente precisavam de um pouco mais de treino, ainda assim, senti um tremor de reconhecimento, uma familiaridade desconfortável dentro de mim.

– Oi! – cumprimentei Cameron alegremente, do mesmo jeito que costumava lidar com meus pais. É como se meu cérebro tivesse enviado uma mensagem à minha boca: *protocolo padrão.* Levantei-me, estendendo a mão para ele. – Sou Meg Mac...

– Olha ela! – Cameron disse, apertando minha mão. Não gostei desse "olha ela!", como se eu fosse uma criança dando os primeiros passos. – A Calígrafa de Park Slope, certo? Temos muita sorte em conseguir trazê-la para este lado do Brooklyn.

– Sim, três quilômetros inteiros! – A ironia passou despercebida na minha voz superanimada, e Cameron abriu seu sorriso branco e brilhante. Nada de gorro, mas com os braceletes sim, e eles pareciam ainda mais ridículos que nas fotos. Tive a sensação de que foi ele quem escolheu o *look* de Lark, porque estava vestindo a mesma versão – botas pretas, *jeans* escuros, camiseta preta *vintage*.

Ele era bonito – não nível Reid Sutherland, embora essa fosse uma comparação injusta para qualquer um, dada a minha preferência pessoal pelo rosto de Reid –, mas havia algo desagradável em sua boa aparência... É como se o tempo todo ele estivesse dizendo: "Você não se sente lisonjeada com a minha atenção?".

– Quero dizer, não me entenda mal – ele disse. – O *Slope* é ótimo para famílias.

O Slope? Eu sabia pela página de Cameron na internet que ele era de Malibu, e aquela tentativa patética de parecer um nativo de Nova York me irritou ainda mais. Se Lachelle estivesse ali, ela encarnaria o *emoji* de desprezo, então apenas balancei a cabeça assentindo. Ao mesmo tempo, senti um forte cheiro de vergonha alheia emanando de Lark. Sorte a dela! Quem sabe assim conseguia ignorar o cheiro extraforte da colônia de Cameron.

– Adoro a *vibe* deste bairro, saca? É tão... – Como eu já adivinhava o que veio em seguida, me preparei para a força do desdém que experimentaria. – Raiz – Cameron terminou.

– Ã-hã. – Larguei sua mão, pensando: *Então, tem uma IKEA, loja bem "Nutella", não muito longe daqui. Parece que Red Hook não é tão "raiz" assim, não é mesmo?* –Bem, é um prazer conhecê-lo. Vocês têm uma bela casa – observei. *Que foi construída no ano passado*, pensei.

– Ainda estamos em processo de organização, obviamente. – Ele colocou um braço ao redor de Lark. – Mas minha princesa aqui é a responsável pela tarefa.

Cem por cento das frases na minha cabeça começaram com o nome dele. *Cameron é o pior. Cameron nunca traria um sanduíche para Lark. Cameron provavelmente não sabe o que é um poema. Cameron: eca!*

Acenei e sorri.

Lark se desvencilhou de seu abraço e voltou para o banco.

– Meg e eu estamos no meio de uma reunião – disse, sua voz era fria.

Tive a sensação de que ela estava tentando dizer a ele para ir procurar o que fazer, quem sabe ir procurar um pouco de vaselina para hidratar o couro dos seus braceletes, mas em vez disso, ele se postou do outro lado da ilha e se debruçou sobre os esboços. Voltei para o meu lugar, ao lado de Lark, lançando para ela um sorriso encorajador.

– Isto é para um quarto de criança? – Cameron perguntou, olhando para a arte em rosa e verde. Com o movimento que fez para a frente, mais um de seus adereços ficou à vista. Da gola de sua camiseta emergiu um dente de tubarão preso por uma fina tira de couro. Reid teria um *infarto*.

– Cam – Lark sussurrou bruscamente.

Dei uma risada leve e displicente, embora estivesse cogitando se seria possível utilizar aquela tira de couro como arma.

– Ah, não é nada definitivo! Estava explicando a Lark que essas amostras podem ajudar a decidir o estilo de letra que será usado na citação que vocês escolherem para...

– Ah sim, a citação. Tenho um milhão de ideias.

– Excelente!

Péssimo, na verdade. Tive a sensação de que a afirmação de Lark de que Cameron preferia que ela lidasse com as coisas da casa não era totalmente verdadeira. Ele provavelmente tinha toneladas de opiniões (péssimas), mas queria que ela as colocasse em prática. "Responsável pela tarefa", ele disse, como se ela fosse sua empregada.

Ao meu lado, os olhos de Lark disparavam raios *lasers* em Cameron.

– Estamos trabalhando na composição hoje, não na citação – Lark informou. – Acho que eu...

Mas Cameron a interrompeu:

– Você conhece Nietzche?

– Pessoalmente, não! – Ele nem se deu conta do insulto. Viu por que sou a rainha do atendimento ao cliente? Peguei o lápis novamente e o apertei fortemente contra minha palma úmida e pegajosa.

– Ele é um filósofo.

– Cam – Lark disse. – Tenho certeza de que ela sabe disso.

– Então, você já deve ter ouvido a citação "Deus está morto".

Lark correu dois dedos pela sua linha de cabelo.

– Você quer a frase "Deus está morto" pintada na parede do seu quarto? – perguntei.

– Quero algo autêntico, entende?

Que tal VOCÊ É UM BABACA?, pensei. Não havia letras suficientes em *DEUS ESTÁ MORTO* para esconder isso, mas eu poderia pensar em algo.

Lark replicou:

– Não vamos pintar isso na parede.

Cameron olhou para mim com ar de cumplicidade, revirou os olhos e disse:

– Não liga, não, essa daí é meio cabecinha oca.

Que cara desagradável! O tipo de comentário cruel disfarçado de brincadeira e que tinha dez camadas de ressentimento escondido. O tipo de coisa que vi a vida inteira no convívio dos meus pais. Minha mãe podia falar à mesa de jantar: "Você conhece seu pai, ele é *louco* pelo trabalho", ao que meu pai contra-atacava "brincando" com os funcionários naquelas festas chatas de fim de ano: "O passatempo favorito da minha mulher é estragar a diversão".

Por um segundo, a sala ficou silenciosa como um túmulo. O corpo de Lark se transformou em uma lápide imóvel ao meu lado. Surpreendi-me de não ter partido minha Staedtler ao meio com a força da minha raiva silenciosa e reprimida.

Cameron riu como se nada tivesse acontecido e virou-se para a geladeira. Pisquei às suas costas, desejando atravessá-lo com raios *lasers* lançados por meus olhos raivosos, mas não suportei o silêncio. Não suportei ver Lark sentada ali, certamente se sentindo humilhada.

– Sabe de uma coisa? – falei para ela, e somente para ela, como se nunca tivéssemos sido interrompidas, indicando a amostra que ela segurava antes de Cameron chegar com aquela palhaçada de "Deus está morto": – Essa é a minha preferida também.

O rosto de Lark corou, mas ela sorriu para mim com gratidão.

– Fizemos algum progresso hoje, né?

Claramente ela queria encerrar a reunião e me ver fora dali antes que Cameron fizesse ou dissesse mais alguma coisa grosseira ou arrogante.

Eu conhecia bem aquele sentimento, pois sabia como é fingir não ouvir todas as implicações contidas na frase "ele é louco pelo trabalho" ou rir desconfortavelmente diante da piada cruel sobre "estragar a diversão", então apressei-me em recolher as minhas coisas, dizendo a ela que trabalharia mais naquela composição, experimentando cores diferentes. Encorajei-a – nitidamente, apenas ela – a me enviar algumas ideias de citações por e-mail, apertei a mão de Cameron novamente, contando uma mentira descarada, porque conhecê-lo, na verdade, foi um desprazer, e coloquei o material na bolsa, soltando algumas piadas autodepreciativas sobre minha desorganização, a fim de quebrar a tensão pairando no ar.

Mas, quando Lark me conduziu ao *hall* de entrada, a cena de Cameron soltando os cachorros em cima de um minúsculo aparelho de alarme, que provavelmente tinha mais intuição humana do que ele, me voltou à cabeça e, tendo em vista minha natureza, não consegui manter a encenação. "Por que você está com esse cara?", tive vontade de perguntar. Mas não quis deixá-la desconfortável, nem jogar um holofote em uma cena que ela claramente não queria que eu tivesse presenciado.

– Ele tem passado por muito estresse ultimamente – ela disse, antes que eu pudesse falar.

O *protocolo padrão* estava me dizendo para acenar e sorrir novamente. Mas, de repente, todo e qualquer tipo de bloqueio desapareceu e a prudência foi junto, porque ignorei completamente meu modo padrão e deixei escapar:

– O que ele disse foi foda.

Por um segundo, me perguntei se ele podia me ouvir, mas, para ser sincera, nem sei se me importaria com isso.

Já o enrijecimento de Lark diante da minha fala me importou. Ela levantou o queixo, apertou os lábios e se virou para digitar a senha, abrindo a fechadura digital. Meu rosto queimou como se o tivesse encostado na porta de um forno quente.

– Vou enviar-lhe algumas citações – ela disse bruscamente e já imaginei que "Deus está morto" estaria na lista depois disso. O lado bom, acho, é que ela não me demitiu, mas tive uma sensação de pavor tão forte que meu estômago revirou. *Por que você foi abrir a boca? Por que não deixou pra lá?*

– Claro – respondi. – Ouça, desculpe-me se...

– Ele é um cara legal – ela retrucou, incisivamente. – Eu o conheço.

Então eu me dei conta de que Lark poderia ser bastante decidida quando queria. Por exemplo, naquele momento, ela decididamente queria que eu desse o fora de sua casa. Além de me lembrar que eu estava lá para lhe prestar um serviço, não para ser sua amiga.

Modo acenar e sorrir? Ativado. Eu me senti *ridícula.*

– Ah, sim – falei, dando um passo em direção à porta aberta. – Eu estava sendo... – *honesta*, meu cérebro completou, mas claro que não disse isso. Apenas acenei com a mão com indiferença como quem diz "estava sendo boba".

– Ligo para você semana que vem – ela se despediu, enquanto eu saía pela porta em direção à luz de fim de tarde. Sua promessa não soou muito convincente.

– Claro – respondi, balançando a cabeça e sorrindo antes de ir embora.

Quando me mudei para Nova York, uma das coisas mais difíceis de me acostumar foi com não ter um carro.

Não que fosse um item necessário – em Nova York, a gente se depara com táxis, ônibus e metrôs por todos os cantos; além de poder usar os pés, obviamente. Ademais, é impossível achar lugar para estacionar, a menos que você seja bilionário ou alguém que não se importe de receber várias multas por estacionar em local proibido. Eu também não tinha aquela paixão tipicamente americana por pegar estrada embarcando em longas viagens de carro, porque tenho bexiga pequena e um curto limiar de atenção, para não mencionar a probabilidade zero de eu ser capaz de trocar um pneu sozinha.

Mas tirar carteira de motorista foi uma rota de fuga para mim, oferecendo-me um escape quando a tensão entre meus pais aumentava – o que ocorria cada vez com mais frequência à medida que eu crescia, embora eu ignorasse o porquê. Dizia a eles que tinha alguma tarefa, um evento extracurricular na escola, algum plano com Sibby, pegava as chaves do meu pequeno Toyota usado e caía na estrada.

Às vezes, Sibby ia comigo, outras, eu ia sozinha. De qualquer forma, eu abria completamente as janelas do carro, não importando a temperatura lá fora, era como uma válvula liberando a pressão causada por toda aquela tensão, toda a frustração que eu sentia – em relação a eles, por serem tão horríveis um com o outro, e em relação a mim mesma, por nunca falar nada e ser tão passiva. Colocava uma *playlist* de *hits pops* para tocar, algo com batidas rápidas e letras fáceis de memorizar, e cantava junto, expulsando da minha mente as farpas trocadas entre meus pais ou as coisas que brotavam na minha própria cabeça clamando para serem ditas em voz alta. Dirigiria por todo o perímetro urbano, pelo tempo que fosse necessário, para me acalmar.

Caminhar pela cidade acabou se tornando um substituto para esse passeio de carro, embora houvesse momentos, especialmente logo que fui para Nova York, em que ainda era obrigada a ter conversas tensas com meus pais (por exemplo: o que fazer com o velho Toyota quando contei que não voltaria para casa), em que tudo o que eu queria era ter uma hora – ou até mesmo trinta minutos – atrás do volante, e sair dirigindo em alta velocidade, sentindo o vento nos meus cabelos abafando os outros sons.

E, depois de sair da casa de Lark, tudo o que eu queria era um carro.

Estava me sentindo completamente abalada e, pelo resto da tarde, fiquei remoendo aqueles últimos minutos com ela, censurando-me por falar demais. Tentei trabalhar, mas não tinha a menor condição, letras – eloquentes e imprevisíveis – eram a última coisa que eu queria ver na minha frente.

Queria mesmo um ar fresco e uma pausa das palavras que não deveria ter dito, e o tipo de alívio que apenas uma pessoa estava me fazendo sentir naquelas últimas semanas.

Liguei para Reid.

– Acho que não pensei no fato de quase não ter letreiros por aqui – eu disse a ele enquanto caminhávamos pela minha parte favorita de Prospect Park, um caminho curvo ao redor de Long Meadow. Dali, era possível contemplar a vasta extensão de verde, ver o limite espesso de árvores e esquecer completamente que ainda estávamos em uma cidade, porém, por mais que eu mesma ansiasse por ar fresco, na verdade, escolhi aquele lugar específico pensando em Reid. Achei que ele iria gostar.

– Não tem problema. – Embora seu tom não fosse exatamente brusco, também não foi lá muito caloroso. Não soou como "estou adorando este passeio pela natureza e este chá quente que você me trouxe". Ao meu lado, ele parecia rígido, no melhor estilo filme de época: seu paletó azul-escuro (de novo, dobrado cuidadosamente sobre o braço, sua camisa branca de corte justo) uma perfeita propaganda para a prática de natação. Mas ele mantinha as mangas abaixadas, abotoadas nos pulsos, ainda sem fazer concessão ao ar quente.

Talvez ligar para ele tenha sido um erro, ainda que ele tivesse, em seguida, mandado uma mensagem de volta dizendo que viria. Mesmo ele tendo me feito rir com sua resposta, rejeitando minha oferta de tomar um *smoothie*, dizendo que preferia frutas em "formato natural". E, independentemente do meio sorriso que me dirigiu enquanto saía da estação de metrô, como se tivesse esperado a semana toda para ver meu rosto. O que quer que o tenha feito concordar em ir, não foi o suficiente para afugentar o que percebi ser um mau humor daqueles.

– Mas daí não temos jogo – respondi, minha voz soando falsa até aos meus próprios ouvidos, quase maníaca em seu esforço para se manter leve, para fazer as vezes da válvula de escape de pressão, permitindo-me liberar a frustração daquele dia cheio de tensão. – Talvez possamos jogar...

– Meg – ele me interrompeu. – Você está bem?

Para enrolar, enfiei o canudo de *smoothie* na boca, sugando a mistura de manga e banana, a fim de absorver mais da sua doçura. Assim que engoli, sorri e... *Ah não!*, acenei positivamente com a cabeça.

– Claro! – acrescentei.

– Você parece... – Ele parou e pigarreou. – Diferente. Ansiosa.

Minhas bochechas esquentaram, apesar da bebida gelada. Ao mesmo tempo, repassei o fluxo de conversa que mantivemos naquela última meia hora – a noite agradável, o cara que passou por nós várias vezes em um monociclo, minha curiosidade geral sobre as pessoas que jogam *frisbee*. Eu já deveria saber que não conseguiria esconder nada de Reid, não mesmo. O que ele via, ouvia, ele perguntava.

Dei de ombros.

– Um péssimo dia no trabalho, só isso.

– Seus esboços não ficaram bons? – O fato de ele perguntar, de se interessar sobre isso, foi um lembrete do quanto nos aproximamos naquela última semana, do quanto estávamos em contato.

– Eles ficaram bons. É só... um cliente difícil. Nada demais.

– Difícil como?

Eu me senti encurralada. Não queria dizer nada sobre Lark, nada que violasse a privacidade que ela tanto prezava. Então coloquei a culpa em quem realmente merece.

– Ele é grosseiro – respondi, mantendo os olhos à frente, em toda a placidez sem letras ou sinais.

Reid estancou.

– Grosseiro como?

Parado ali, Reid não pareceu tão diferente daquele homem que entrou na loja todas aquelas semanas atrás. Frio, determinado, impaciente. Procurando por respostas. E o que eu podia dizer? Que fui à casa de uma cliente e me dei o direito de julgar o casamento dela? Que achava que ela estava cometendo – ou melhor, vivendo – um erro pior do que aquele sobre o qual eu, tão imprudente e secretamente, o alertei? Seria uma ótima lembrança para ele, só que não.

Aquela conversa estava pior do que ser encurralada. Era como estar em um campo minado, o perigo iminente em cada passo que eu dava.

– Bem, em primeiro lugar – expliquei, tentando fazer uma piada –, ele usa uns braceletes.

Reid piscou.

– Como?

Suspirei.

– Deixa pra lá. É difícil explicar.

– Meg. – Ele conseguia fazer meu pequeno apelido soar ainda mais curto. – Apenas... – Ele parou e balançou a cabeça parecendo exasperado, e é óbvio que não era com ele mesmo. – Ele foi grosseiro com você?

Ãh?

Ele estava sendo... protetor? Definitivamente, eu não queria que Reid fosse até Red Hook para dar um soco na cara de Cameron, mas também não deixei de adicionar isso à minha crescente biblioteca de fantasias específicas com Reid. Ai de mim, *cravats*, pistolas ao amanhecer...

– Ele foi grosseiro com a esposa na minha frente. Detesto presenciar esse tipo de situação.

Deveria pedir a Lachelle para fazer um certificado à mão para mim, pelo Eufemismo do Ano. Teria valido a pena, se Reid deixasse isso pra lá.

A princípio, achei que ele faria isso, já que inclinou a cabeça de um jeito que interpretei como uma deixa para eu continuar andando. Mas, então, ele perguntou:

– E o que você fez?

– Nada – menti. - Fingi que não era comigo e dei o fora de lá. Ele é horrível, e tenho certeza de que ela sabe disso, mas não é da minha conta.

– Bem... – Reid disse, e mesmo com essa única sílaba foi possível notar certa crueldade em sua voz. – Você sempre pode esconder sua opinião em suas letras.

Tudo – Reid, o parque, meu coração – tudo congelou. Talvez o *smoothie* no meu estômago não, mas eu teria adorado se isso acontecesse. Lá estava, enfim havia chegado o momento do confronto que eu temia. Aquele que, estupidamente, eu havia me convencido de que não precisaríamos ter desde o seu perfeito e calmo "Especialmente eu".

Reid levantou a mão e passou-a pelos cabelos.

– Esqueça o que eu disse.

Por alguns segundos, tudo o que consegui fazer foi olhar para ele. Eu me sentia atordoada, chocada, magoada.

E, de repente – de repente senti *tanta* raiva. *Eu* era o campo minado, aquele projetado há muito tempo, mas ainda explosivo e, definitivamente – definitivamente –, haviam pisado em uma bomba enterrada. *Por que você não podia ter deixado isso para lá?*, pensei pela segunda vez naquele dia, e acabei direcionando toda a minha frustração para a pessoa que estava parada à minha frente. A pessoa que nunca me deixava manter as coisas leve. A pessoa que tirou um a um todos os meus bloqueios, minhas amarras, causando-me, assim, problemas como os daquela manhã.

– Esquecer que você *disse* isso?

– Sim – ele respondeu. Como se fosse um pedido perfeitamente razoável.

– É isso que estamos fazendo aqui? É assim que você é meu... meu amigo? Esperando a oportunidade perfeita para trazer isso à tona novamente?

– Não, não estou. Não me ressinto de você por conta disso. Eu... ouça, não tive um bom dia.

– E o que isso tem a ver comigo?

– Nada. – Ele respirou. – É só que... tem dias que me parece que ninguém diz o que realmente quer dizer aqui. Que tem sempre alguma coisa por trás.

– Aqui?

– Aqui – ele repetiu, gesticulando para o ar ao nosso redor, com seu copo para viagem. – Nesta cidade.

Pisquei diante de uma nova onda de dor. Minhas letras escondidas, seu ódio por aquela cidade. E pensei, isso, *é tudo isso que eu deveria ter deixado para lá todas aquelas semanas atrás. Não deveria ter tomado aquele cartão como um sinal. Todas aquelas caminhadas que tínhamos feito juntos não havia mudado nada*, nada, *nada entre nós.*

– Não é a cidade – retruquei, minha voz soando dura, áspera, irreconhecível até para mim.

Ele abriu a boca para falar, mas eu o interrompi.

– Você acha que conhece este lugar? Este lugar sendo todo o seu *networking* de gente de *Wall Street*? – Coloquei todo o meu desdém nesse final. – As pessoas do seu trabalho importante do qual você nunca fala?

Ele me encarou com a mandíbula cerrada.

– Não é a cidade – eu disse novamente. – É assim que as pessoas *são.* Nem todo mundo diz exatamente o que pensa o tempo todo, da maneira mais direta possível. As pessoas têm que ser legais com algum idiota no trabalho para não serem demitidas. Ou sorrir e suportar quando um membro da família é desagradável, para não piorar as coisas. Ou aturar um traço de personalidade irritante de um amigo, porque não é a pior coisa do mundo no grande esquema das coisas. As pessoas estão apenas tentando... tentando se *proteger.*

Fechei a boca, meu rosto ficou corado. *Além da conta, novamente.* Eu estava completamente sem bloqueios, agora mais do que nunca; e aquela sensação de estômago revirando estava de volta.

– Meg – Reid disse suavemente, e sua simpatia fez com que eu me sentisse ainda mais humilhada. Tudo o que eu queria era que ele esquecesse aquilo.

– Você acha que não é fácil entender *este lugar* – continuei, alto o suficiente para algumas cabeças se virarem para nós. – Mas isso não é culpa das outras pessoas. *É sua.*

Assim que as palavras saíram da minha boca, percebi. Na verdade, eu sabia, com toda a certeza, que era um golpe direto, a pior coisa que poderia dizer a ele. Lembrei de Cameron dizendo a Lark exatamente o que mais parecia machucá-la. Lembrei dos meus pais. Lembrei de *mim mesma.*

Nenhum de nós disse nada por alguns segundos. Parecia que ambos tínhamos que ficar imóveis para absorver o choque.

– Talvez devêssemos desistir do resto desta caminhada – ele disse, finalmente.

– Reid, deixe-me... isso que falei não saiu do jeito certo.

– Você está certa. – Essas três palavras foram tão sem serifa que me cortaram ao meio.

Ele levantou a cabeça, examinando rapidamente os arredores. O parque estava cheio, o sol ainda não havia se posto.

– Você consegue voltar numa boa para casa, sozinha?

Acenei que sim, ainda chocada. Não conseguiria sorrir, mesmo se quisesse.

Mas, quando ele começou a se virar, fiz meu segundo – ou terceiro, ou quarto, não saberia dizer àquela altura do campeonato – movimento impulsivo do dia. Estendi a mão para detê-lo, e não sei o que aconteceu – não sei se, surpresa comigo, fiz um movimento brusco para trás, ou se ele se assustou, ou se surgiu uma corrente elétrica entre nós – mas, de repente, o copo de Reid virou espalhando chá até a dobra de seu cotovelo. Por toda a extensão branca de sua camisa perfeita.

O copo ainda não havia terminado de rolar no chão e Reid já estava abrindo os botões da manga da camisa, seu rosto mostrando uma expressão de dor. Eu estava perto o suficiente para sentir o calor do líquido que encharcava sua pele.

– Ai, meu Deus! Desculpe!

Coloquei o *smoothie* no chão e peguei o paletó antes que escorregasse de seu braço. Ele puxou a manga até o cotovelo, afastando o tecido quente da pele.

– Reid! – exclamei, sobressaltada, falhando em esconder o alarme em minha voz. – O que aconteceu?

Porque o que vi não podia ser uma queimadura causada pelo chá. Ao longo da lateral daquele antebraço que eu tanto desejava ver, havia uma mancha vermelha brilhante que ia do meio do pulso até a curva do cotovelo. A área estava molhada de chá e dava para perceber que já estava ressecada antes – aquilo devia coçar e incomodar, além de doer muito.

Olhei para cima. O rosto de Reid estava vazio, severo. Ele estendeu a mão para pegar o paletó.

– Nada.

– Como não é nada? Você foi a um...

– Não é nada. É apenas psoríase. Estou acostumado. – Ele vestiu o paletó, seus movimentos estavam rígidos. Não tinha como ser confortável enfiar aquela manga molhada dentro das linhas de alfaiataria do paletó.

Eu estava observando de perto o suficiente para vê-lo se encolher, conforme a manga aderia à sua pele.

– Reid.

– Não – ele retrucou. Vi a palavra na minha cabeça, as letras semelhantes a uma porta se fechando: **N-Ã-O**. Uma pequena fresta estreitando-se até fechar completamente.

Ele se abaixou, pegou seu copo vazio e me deu um breve aceno de despedida.

Antes que eu pudesse pensar em qualquer palavra para detê-lo, ele se foi.

Capítulo 11

– É o cara, não é?

Lachelle basicamente gritava para mim do outro lado da pequena mesa em que estávamos amontoadas, no restaurante do bairro favorito de Cecelia. Um lugar vegano que servia coquetéis totalmente orgânicos e oferecia um *menu* abundante em couve e derivados. Era sexta à noite e o local estava lotado, sendo muitos dos frequentadores os convidados que haviam ido para um *happy hour* celebrar o aniversário de casamento de Cecelia e Shuhei. Quando entrei naquele espaço um tanto deteriorado e pequeno demais, determinada a ficar, no máximo, por uma hora, antes de voltar ao meu compromisso muito importante de encarar páginas em branco e me lamentar, dei de cara com uma multidão de pessoas, muito barulho de conversa e o chiar da grelha na parte de trás, de onde vinham cheiros deliciosos e picantes de comida.

Colei um sorriso no rosto e senti uma pontada de saudade de Reid.

Reid, que me ignorou a semana inteira.

– Que cara? – perguntei, e Lachelle jogou um *chips* de couve em mim.

Cerca de meia hora antes, depois de entregar meu presente para Cecelia e Shuhei, sorrir e passar pelos grupinhos que jogavam conversa fora, comecei a me mover lentamente em direção à saída, para a segurança silenciosa do meu apartamento. Sibby estava na casa de Elijah, provavelmente fazendo um calendário dos "dias até eu me mudar para longe de Meg", e eu precisava urgentemente organizar meu quarto que, naquele momento, era uma prova conclusiva (e bagunçada) do meu recém-readquirido bloqueio. Papéis amassados pelo chão, esboços pela metade espalhados pela mesa, canetas em todos os cantos em vez de estarem em seus respectivos potes, separadas por cor.

Mas, Lachelle acabou me vendo – por que fui colocar aquele vestido estampado com carinhas da Hello Kitty na cor dourada? – e apontou para a cadeira vazia à sua mesa.

– Você vai ficar, Meg – ela disse. – Não vou embora daqui até ter certeza de que as crianças já estão na cama, e você é a única pessoa, além de Cecy, que conheço bem o suficiente para conversar por mais uma hora.

Ok, apesar do exílio autoimposto em que eu estava há dias, sentei-me e, uma vez instalada, me senti grata por Lachelle conduzir a conversa, iniciando uma história bastante longa sobre sua irmã muito passivo-agressiva. Durante meu segundo coquetel, já pensei: *Bem, melhor do que ficar me lamentando sozinha.*

Agora havia um pedaço de *chips* de couve grudado em uma das minhas carinhas de Hello Kitty, e Lachelle me olhava como se eu soubesse exatamente de que "cara" ela estava falando. Meu plano de ir para casa me lamentar, abandonado, ria da minha cara.

– O cara com quem você saiu no mês passado.

Peguei o *chips* de couve.

– Eu não estava *saindo* com ele.

– Ok. Mas é por causa desse cara que você anda estranha, não é? – Ela sorriu, satisfeita consigo mesma. – Sabia que havia algo errado com você esta semana quando foi à loja comprar material.

Suspirei resignada. Então abri a boca, pensando em dizer: "Somos apenas amigos", mas a fechei sem dizer nada. A expressão não pareceu certa para o que Reid e eu éramos.

– Acho que não vai dar certo – respondi. Essa parecia a resposta... de fato precisa. Nada poderia dar certo entre nós, seja lá o que "nós" significava. O silêncio dos últimos sete dias provava isso.

– Ele mora na cidade – acrescentei, achando que essa explicação fosse suficiente, já que Lachelle achava que as pessoas *de* Manhattan deveriam tirar um passaporte para entrar no Brooklyn.

Porém minha estratégia não deu certo.

– Ah, claro, esse é um grande obstáculo com todas as opções de transporte público disponíveis. Qual é o verdadeiro problema? Desempregado? Mora com os pais? Ah, ele faz parte de uma banda?

A última opção me fez sorrir imaginando Reid em uma banda.

– Não, nenhuma das opções. Ele trabalha em Wall Street.

Os olhos de Lachelle se arregalaram comicamente.

– Espero que você só tenha se encontrado com ele em lugares públicos – ela disse, claramente se lembrando do dia em que fui encontrá-lo em Brooklyn Heights. – Seria horrível ter sua morte pelas mãos de um investidor financeiro pesando na minha consciência. Uma amiga minha saiu com um que queria que ela se vestisse como aquela mulher azul, daqueles filmes baseados em quadrinhos. Ele queria pagar para ela se pintar inteira, com escamas e tudo mais.

– Ele não é um investidor financeiro, é um analista quantitativo.

– Não tenho a menor ideia do que seja isso, mas certamente tem algo errado nele. – Ela tomou um gole de seu drinque. Lachelle estava vestindo uma capa preta transparente e um par de brincos de argola com miçangas e, de repente, me senti como se eu estivesse em uma excursão da escola e ela fosse a supervisora.

– Não. Ele é um cara legal. Muito legal.

Um cara legal com um rosto lindo, ombros maravilhosos e uma maneira completamente aberta de lidar com cólicas menstruais. Um cara legal cujos sentimentos eu tinha machucado.

Um cara legal que tinha machucado os meus sentimentos.

– Ah, é? – Pude ver o ponto de interrogação se expandir, como um grande balão de festa metálico pairando sobre nossas cabeças.

Tomei outro gole do meu drinque. Minhas articulações estalaram, algo que só acontece quando bebo. Depositei o copo sobre a mesa e o empurrei para longe. Eu sabia quando já tinha bebido o suficiente, e a última coisa de que precisava naquele momento era chegar em casa completamente bêbada para dar início a uma sessão alcoolizada de lamúrias. Ainda assim, pude sentir como o álcool havia afrouxado minha língua e minhas inibições.

– Tivemos uma briga.

Lachelle me encarou.

– Como assim, vocês tiveram uma briga?

– Graças a Deus – Cecelia disse, aproximando-se da mesa e se inclinando para pegar uma das castanhas d'água enroladas em bacon vegano do prato de Lachelle.

Ela gemeu de satisfação.

– Esqueço de comer – comentou.

– Meg estava me contando sobre uma briga que teve com um cara com quem ela está namorando.

O olhar de Cecelia me constrangeu a ponto de eu nem me incomodar em corrigir Lachelle novamente. Quer dizer, tudo bem, eu não tinha saído com muitos caras desde que comecei a criação dos *planners*, mas Cecelia me olhou como se eu tivesse arrancado um hábito de freira.

Mas, então, ela perguntou, e quase exatamente no mesmo tom de Lachelle:

– Você teve uma briga?

Acenei que sim, sentindo-me completamente miserável, repassando mentalmente os piores momentos da discussão com Reid. Aquela coisa horrível que disse a ele, a expressão em seus olhos, o chá quente derramado em seu braço... As únicas letras que vieram facilmente à minha cabeça aquela semana foram *d, e, s, c, u, l, p, e*. Esperava, sinceramente, que meus clientes não enxergassem pedidos de desculpas escondidos em seus *planners*, com os quais eles não tinham nada a ver.

– Uau! – Lachelle exclamou. – Nunca vi você ficar irritada, nem mesmo daquela vez em que sua cliente estrela de cinema a obrigou a ficar sentada na sala dos fundos por dez mil horas para decidir uma única arte.

– Não foram dez mil – murmurei, mas meu rosto se aqueceu com a menção a Lark, que não estava me ignorando completamente, mas havia enviado dois *e-mails* dizendo que ainda não tinha tido tempo para marcar nossa próxima reunião. Perguntei-me se ela estava pedindo a Cameron algumas citações para usar no meu destrato.

– Fico irritada às vezes, sim – acrescentei, pensando em Cameron e suas terríveis citações.

Lachelle riu.

– É claro que você fica, só nunca demonstra.

– É uma qualidade maravilhosa – Cecelia observou. – Você continua sendo a melhor pessoa que já tive trabalhando no atendimento aos clientes.

– Ei! – Lachelle reclamou.

– Mas concordo – Cecelia acrescentou. – Você brigar é algo... inesperado.

Sob seus olhares, me transformei na máquina defeituosa que me senti durante toda aquela semana. Uma Meg robô normalmente alegre que finalmente entrou em curto-circuito em um acesso de fúria. Os pequenos parafusos da tampa do meu painel de controle foram removidos. Elas me encararam, avaliando os danos.

– Qual foi o motivo da briga? – Lachelle indagou. – Foi a taxa marginal de imposto? Esses caras odeiam isso.

– Não, ele... – Ele me desafiou. Falou "a real". Pressionou, pressionou, até não conseguirmos mais manter as coisas leves. – Me irrita – terminei, apática.

– Dá um fora nele – Lachelle aconselhou. – Já existe um monte de homens por aí com quem se irritar, e isso só na internet.

– Shuhei me irrita o tempo todo. No nosso primeiro encontro, ele me disse que eu estava usando o garfo errado para comer a salada.

Lachelle olhou para Cecelia como se ela tivesse revelado que Shuhei tinha um rabo.

– Para qual hospital você o levou depois?

Cecelia sorriu.

– Nós irritamos um ao outro da maneira certa. Eu provavelmente não teria falado mais do que três palavras se ele não tivesse dito aquela coisa estúpida sobre o garfo... era tão tímida quando me mudei para cá. – Ela lançou um olhar sonhador pela sala em direção a Shuhei. Ele pareceu sentir, e olhou de volta para ela, sorrindo.

– Esse é um bom ponto – Lachelle disse. – Enchi o saco do Sean para ir à ioga comigo e agora ele eliminou metade de suas dores nas costas.

– Então, ele a irrita da maneira certa? – Cecelia perguntou, erguendo as sobrancelhas. Do balcão, alguém a chamou, ela soltou um pequeno gemido e disse: – Tenho que ir interagir. Passe na loja semana que vem, ok? Quero saber que fim isso teve.

Acenei e aceitei seu abraço, perguntando-me se não era a hora de apertar meus parafusos e dar o fora. Mas, quando ela sumiu novamente no meio das pessoas, Lachelle assumiu a função de levantar as sobrancelhas inquisitivamente.

– E então?

Pensei nas perguntas curiosas que ele fez, no chá caindo sobre seu braço, em suas opiniões muito decepcionantes sobre sobremesas... Pensei em tudo isso, e quis dizer "Sim, ele me irrita do jeito certo".

Em vez disso, balancei negativamente a cabeça.

– Não pode ser um bom sinal o fato de ele me deixar com tanta raiva. Quer dizer, eu *gritei*. Em pleno Prospect Park!

Lachelle riu.

– Acredite em mim. Você não é a primeira pessoa a gritar lá.

Ela nem terminou de falar e, talvez impulsionada pela agitação ou pelo bloqueio ou pela total exaustão de ter remoído aquilo a semana inteira, continuei:

– Disse coisas a ele das quais eu me arrependo. Eu o magoei. – Engoli em seco e voltei a envolver o copo com as mãos, apenas para ter algo para segurar.

– Meg, vá com calma. Todo mundo perde a calma às vezes.

Olhei para ela e vi um sorriso suave e sem julgamento, juntamente com uma sobrancelha ligeiramente franzida de preocupação.

– Sabe aquilo que você disse antes sobre nunca me ver ficar irritada? – perguntei.

– Claro, mas...

– Não, você está certa. Faço isso de propósito. – Limpei a garganta. – Quando era criança, meus pais brigavam muito. Brigas barulhentas, brigas silenciosas, tudo o que você imaginar. Nada físico, e eles eram bons para mim, mas eram horríveis um com o outro na maior parte do tempo. Eles mal podiam esperar para se separar, acredite. Assim, passei toda a minha vida tentando fugir, de algum modo, das brigas deles.

– Deve ter sido péssimo.

Dei de ombros.

– Muitas pessoas têm pais que não se dão bem. Mas, quando fiquei mais velha... – Então parei, atingindo o limite do que estava disposta a compartilhar. Contar tudo aquilo a ela já tinha sido muito impressionante. Talvez tivesse algum um soro da verdade no meu drinque. – Quando eu briguei com eles – continuei, ajustando o conteúdo. – Acho... Fiquei me sentindo tão fora de controle. Nós três dissemos coisas que não tem como voltar atrás, e nada nunca mais foi igual. Então, realmente tento... manter a paz com as pessoas. Não gosto da maneira como me sinto em uma briga.

Lachelle se inclinou para trás, olhando para mim com uma mistura de simpatia e surpresa, provavelmente porque passei a maior parte do tempo de nossa amizade conversando com ela sobre canetas e vitrines, novas lojas no bairro, liquidações em lugares que ambas frequentávamos. E sobre aquele velho, neutro e batido tema – o tempo.

– Claro que não. Ninguém nunca ensinou você a lidar melhor com isso.

Eu ri, tentando, sem sucesso, parecer sarcástica.

– Aprendi, sim. Desde criança. E com os mestres!

– Não, você não aprendeu. Não sou casada há tanto tempo quanto o casal feliz ali – ela disse, apontando para Cecelia e Shuhei –, mas estou com Sean há quinze anos e tive que aprender a brigar com ele, bem como com minha irmã e com minha colega de quarto na faculdade. Até com Cecy, às vezes.

Meu rosto deve ter mostrado surpresa com a última que ela citou, e ela encolheu os ombros.

– Ela poderia ter vencido aquela competição da vitrine, né? Mas o que queria dizer é... nem sempre a gente briga para ir embora. Às vezes, a gente briga para poder ficar. É preciso muito treino para acertar, e é doloroso, mas se você quer ficar com as pessoas, não tem outro caminho.

Algo faiscou na minha placa de circuito, algum fio fazendo uma nova conexão. Eu não brigava com ninguém há muitos e muitos anos, reprimi até mesmo o menor dos impulsos. Afastei-me de namorados por uma coisa ou outra – um que mentiu para mim sobre fumar, outro que nunca me deixava terminar as frases, completando-as ele mesmo, e outro ainda, de quem sempre suspeitei que estava saindo com outra pessoa ao mesmo tempo. Não foram grandes perdas, mas nem cogitei discutir o assunto. Pior foi pensar nos amigos que eu tinha espalhados por Nova Yorque – incluindo Lachelle e Cecelia – a quem sempre impus uma distância segura. Afinal, eu tinha Sibby. Sibby, que já sabia de tudo que era difícil para mim. Sibby, com quem nunca tive que brigar.

Porém agora terei que fazer isso, pensei, endireitando-me na cadeira, de repente, me sentindo totalmente – chocantemente – sóbria. Teria que começar uma briga com Sibby se quisesse que continuássemos amigas depois que ela fosse embora. Precisava continuar a briga com Lark se quisesse que nos tornássemos amigas.

E tinha que terminar aquela briga com Reid – e precisava fazer direito dessa vez – se quisesse que nós...

Se quisesse que fossemos mais do que amigos.

Foi uma revelação, mas não foi fácil. Só de pensar nisso – mais confronto, mais possibilidades de fazer tudo errado – minhas palmas ficaram úmidas, meus dedos, fracos. Pensei por um segundo em minha mesa em casa, nas deprimentes tentativas e fracassos da última semana: segurar um lápis estava sendo como levantar mil quilos.

– Treinar – repeti, e pude ouvir a incredulidade, a suspeita em minha própria voz.

– Ouça, Meg – Lachelle disse, lendo meu tom. – Você não veio para esta cidade, aprendeu sozinha seu ofício e começou seu próprio negócio sendo fraca. Nem se dá bem com seus clientes e faz com que confiem em você, como confiam, sendo fraca. Você praticou como se dar bem com as pessoas. Certamente pode treinar como discutir com elas também.

Aquilo soou parte como elogio, parte como tarefa de casa, e Lachelle atribuiu essa tarefa com a confiança despreocupada de uma pessoa que tem muita prática em estar certa sobre tudo, desde sua dor nas costas até sua vitrine e seu dano emocional profundo. Ela olhou rapidamente para o relógio e seus olhos se arregalaram.

– Merda! – exclamou. – Preciso ir.

Eu me senti grata pelas pequenas distrações de final de encontro: pagamento da conta do restaurante, o ritual de despedida de Cecelia e Shuhei... Aquilo me deu alguns minutos para processar o que Lachelle disse, para considerar o que eu precisava fazer, para me permitir sentir uma frágil esperança.

Quando saímos, Lachelle mandou uma rápida mensagem para Sean avisando que estava a caminho. Então, ela olhou para mim novamente e disse:

– Acho que você deveria ligar para ele.

Então a frágil esperança se dissipou. Eu não havia passado os últimos sete dias planejando praticar minhas habilidades de combate com Reid, mas *fiz* um esforço para me desculpar.

– Eu tentei – admiti. – Foi para a caixa postal. Três vezes.

Lachelle fez uma careta como se estivesse imaginando a mesma cena que eu – Reid olhando para o celular, vendo meu nome na tela e pressionando o botão RECUSAR. Em fonte Helvética Neue. Fria como gelo.

– O que você disse nas mensagens?

Pisquei para ela.

– Nada, já que tenho menos de cinquenta anos e estamos no século XXI. Quem deixa mensagens na caixa postal?

Ela riu.

– Justo. Mas acho que você deveria tentar de novo. – Ela levantou a mão, sinalizando para o Uber que havia chamado e que estava parando junto ao meio-fio. – Talvez o que tenha de errado com ele é que ele gosta de mensagens de voz.

Quando ela foi embora, fiquei alguns segundos embaixo do toldo do restaurante com o celular na mão me perguntando se nove e meia da noite de uma sexta-feira era tarde demais para começar a praticar. Eu não tinha dúvidas de que seria enviada para a caixa postal novamente, mas aí teria que ouvir toda a mensagem curta e direta, esperar pelo bipe e...

Meu celular tocou.

Por um segundo, encarei o aparelho como se ele tivesse poderes mágico. Como não reconheci o número, imaginei que seria um operador de *telemarketing*, mas quando lembrei de todas as cenas cruéis que imaginei de Reid apertando o botão "recusar" resolvi não fazer o mesmo.

– Alô?

O barulho infernal do outro lado da linha quase furou meus tímpanos e tive que afastar o celular do ouvido.

– Meg? – A voz de uma mulher gritava em meio a uma algazarra. – Meg Mackworth?

– Oi, sim, aqui é Meg. – Falei, meio que berrando para me sobrepor ao ruído do lugar em que ela estava. Parecia ser uma convenção de gritos.

– Oi, aqui é Gretchen. Trabalho no Bar Swine, conhece?

– Hmmm... – Eu não estava tendo muita vida noturna ultimamente e, ainda que tivesse, um lugar chamado Swine não estaria na lista dos lugares a visitar.

– Brooklyn! – ela gritou. E pegou uma extensão em algum outro lugar onde o ruído era um pouco menor.

– Certo.

– Você conhece um cara chamado Reid?

– Sim! – respondi pressionando um dedo no outro ouvido, desesperada para ouvir melhor, uma pontada aguda de ansiedade acertando meu estômago. – Ele está bem?

Ela riu.

– Sim, o dândi aqui está bem. Não acho que ele gostaria de saber que eu liguei para você, mas talvez ele tenha perdido o celular.

– Ah – respondi, confusa com as várias perguntas que se agitavam em minha cabeça. Quem descreveria Reid como "dândi"? Por que ele estava em um bar chamado Swine? E, não pude deixar de cogitar, motivada pelo mais absoluto egoísmo: *será que ele perdeu o celular antes ou depois de minhas tentativas de contatá-lo?*

– Não... Não sei se entendi o motivo da ligação.

– Bem, querida – Gretchen disse, rindo acima do barulho alto de gelo sendo colocado em um copo. – Ele acabou de tentar pagar a conta com seu cartão de visita.

♥ ♥ ♥

Não era onde eu gostaria de começar a praticar minhas brigas.

Imaginei que o Swine era o tipo de bar que devia agradar turistas. Possivelmente, constava nos guias de viagem por conta de sua modernidade e avidez de atrair multidões. Curiosamente, o exterior era algo que Reid e eu provavelmente teríamos fotografado em uma de nossas caminhadas - parede de tijolos brancos com letras pretas, blocadas e em *bold*, um grande sombreado com gradação diagonal, um esboço rudimentar, mas inteligente, de um porco, suas várias partes próprias para consumo em letras blocadas e rotuladas com uma serifa fina. Sobre uma abertura em arco na parede, havia uma cursiva curva indicando um *Biergarten*, um pátio de onde nuvens de fumaça vinda de lenha queimada se elevavam no céu noturno.

Mas, fora as letras bem pensadas, tudo o mais naquele lugar me dizia que Reid - e eu - teríamos passado reto. Tive a impressão de que havia cerca de dez milhões de pessoas naquele *Biergarten*, e todos os homens que eu avistava estavam usando uma ou outra versão da mesma roupa: sapatênis sem meias e calças *cropped* na cor cáqui ou *shorts* justos e camisas em cores pasteis. Quase verifiquei meu celular para ver se havia me teletransportado do Brooklyn para uma cidade universitária na semana da calourada.

Era tão incoerente imaginar Reid ali que não me permiti perder muito tempo chocada com os arredores. Empurrei as pesadas portas da frente, entrando na parte fechada daquele espetáculo cômico, e fui atingida por uma onda ensurdecedora de barulho. A galera ali era diferente, mais *jeans skinny* e barbas, até mesmo alguns braceletes de couro.

Portanto, foi muito fácil encontrar o homem que me fez ir até lá.

Ele estava na outra ponta do longo balcão de madeira escura, vestindo sua jaqueta, sua camiseta e seus *jeans* de fim de semana. Para qualquer outra pessoa, imaginei, sua postura pareceria fora de lugar: ereta, excessivamente formal. Mas percebi que eu já conhecia o corpo de Reid tão bem que reparei em como seus ombros largos se curvavam, muito levemente, sobre o copo que segurava em uma das mãos, contendo um líquido âmbar.

Tem alguma coisa errada, pensei, ridiculamente. *Ele deveria estar segurando uma xícara de chá.*

Foi essa incongruência final que me impulsionou para a frente, sem pensar se aquilo terminaria em um confronto. Eu só queria tirá-lo daquele lugar ao qual ele não pertencia. Sentei-me no banco vazio ao seu lado e, imediatamente, ele virou a cabeça na minha direção, seus olhos se arregalando brevemente, aqueles ombros ligeiramente curvados endireitando-se na mesma hora.

– Meg. Olá!

Ele parecia ainda mais bêbado tentando fingir que estava sóbrio. Sua voz mais profunda, mais severa, e eu não deveria me sentir atraída, já que ele provavelmente estava fazendo aquilo para disfarçar uma voz mais pastosa, arrastada. Mas não tinha como evitar: ele estava *maravilhoso.*

– Oi, Reid. – Procurei pela bartender e fiz um aceno, como quem diz: "Cheguei". Ela sorriu e fez um gesto discreto para o caixa, eu concordei com a cabeça, indicando que cuidaria da conta.

– Você está coberta de gatos – Reid disse.

Olhei para baixo, lembrando-me dos rostos dourados da Hello Kitty no meu vestido. Gostaria muito de estar vestindo algo menos absurdo, mas, quando olhei novamente para Reid, sua testa não estava formando a ruga de perplexidade que eu esperava. Em vez disso, ele apresentava uma versão descuidada daquele meio sorriso dele, como se estivesse totalmente encantado.

Como se não tivéssemos tido nenhuma briga.

Admito – fiquei tentada a fazer o mesmo. *Isso*, parte de mim pensou, *preste atenção no meu vestido besta e esqueça o Prospect Park. Termine sua bebida e vamos caminhar, ver alguns letreiros juntos, dissipar os efeitos do álcool e esquecer que aquilo aconteceu. Nunca mais falaremos sobre o assunto.*

Em vez disso, fiz a pergunta mais direta que consegui pensar no momento.

– Você perdeu seu celular?

Seus olhos encontraram os meus, o sorriso torto desaparecendo.

– Não, deixei em casa. Precisava de uma folga.

Engoli em seco, sentindo a indireta. *Três chamadas não é tanto assim, vai!*, pensei. Mas permaneci no lugar.

Escolhi *ficar*.

– Do trabalho, quero dizer – ele esclareceu, parecendo ler minha mente. E fez aquele um quarto de volta com o copo, mas não fez menção de beber. – Estou de atestado hoje.

Estudei seu rosto e percebi que ele parecia mais abatido, os planos já normalmente definidos ao longo de suas bochechas ainda mais nítidos do que quando o tinha visto pela última vez. Tal como com sua postura, seu rosto provavelmente pareceria perfeito para o olho destreinado, mas eu conseguia perceber a diferença. Perguntei-me se lá do outro lado do rio ele havia passado a semana toda com um bloqueio em relação a seus números, como eu com minhas letras, fazendo somas sem sentido. Assim como eu, ele acabou em um bar com uma bebida na mão, mas no caso dele, ninguém ali – com exceção de Gretchen – parecia nem metade tão *cool* quanto Lachelle.

– Você está bem? – perguntei.

Ele pareceu ignorar a pergunta.

– Nunca fiz isso antes, pegar atestado médico. Tenho certeza de que vai causar... – Ele parou, balançou a cabeça e recomeçou: – O que você viu no parque. As manchas aparecem quando estou estressado.

– Reid – interrompi-o rapidamente, de maneira quase brusca. Estava curiosa, muito, muito curiosa, mas de repente percebi muito claramente como aquela noite deveria prosseguir. Com Reid daquele jeito, um tanto fora de si, não era uma boa hora para treinar, porque não seria uma briga justa. Meus planos eram pagar a conta, pedir um táxi para ele e insistir para que ele me ligasse no dia seguinte –, podemos falar sobre isso mais tarde.

Ele começou a falar novamente, mas Gretchen chegou em meu auxílio trazendo a conta. Eu estava pegando a carteira quando Reid estendeu um cartão de crédito para ela.

– Achei que tinha pagado – ele disse, não em um tom acusatório, mas confuso.

Ela devolveu meu cartão de visitas a ele e, por uns bons cinco segundos nós três congelamos em uma estranha formação – eu com minha carteira enorme, algum recibo aleatório preso no zíper; Gretchen com as mãos nos quadris, seus olhos fortemente delineados movendo-se entre os dois cartões de crédito oferecidos; a cabeça de Reid inclinada para baixo, seu olhar congelado no cartão de visita.

Como se aquilo fosse um sinal.

– Ah! – ele exclamou finalmente, e foi quase como se eu pudesse senti-lo ficando sóbrio. Entendendo como sua mais ou menos amiga Meg apareceu no mesmo bar que ele em uma noite aleatória de sexta-feira.

– Desculpe, cara – Gretchen disse, dando de ombros. Ela sorriu enquanto tirava o cartão de seus dedos. – Achei que você precisava de ajuda.

Reid a observou ir e vi o tom rosado se espalhar por suas bochechas.

– Está tudo bem! – eu disse, colocando a carteira de volta na bolsa. – Eu já estava na rua mesmo.

– Meg – ele disse baixinho, baixinho demais para a maré crescente de barulho ao nosso redor –, sinto muito.

Acenei com a mão. Era ridículo que estivesse tão constrangida, mas eu estava. Corri até ali como se ele precisasse ser resgatado, morrendo de vontade de vê-lo novamente.

– Como eu disse, já estava...

– Não – ele disse, inclinando-se para que eu pudesse ouvi-lo. Ele havia nadado; dava para perceber. Deixei meus olhos se fecharem por um segundo a mais do que uma piscada, saboreando aquele cheiro, agora familiar, mas quando ele falou novamente, eu os abri. – Lamento não ter ligado. Não ter atendido às suas ligações.

Enviei um pedido de ajuda silencioso e irritado – para Lachelle, para Gretchen, para o destino – por me dar o problema mais complexo para a minha primeira tentativa de briga com Reid. Deveria deixá-lo continuar? Deveria interromper para dizer a ele que era eu que sentia muito, que foi minha culpa, que nunca quis magoá-lo? Deveria dizer a ele, novamente, que não era a hora certa para aquela conversa, que ele estava sob o efeito da bebida e que aquele lugar era barulhento e insuportável? Ou isso só pioraria, fazendo-me parecer rude, desdenhosa e distante?

– Pensei em ligar – ele disse, aproveitando-se da minha muda e ansiosa indecisão. Então, passou a mão pelo cabelo descuidadamente, deixando o lado direito meio espetado. – Todos os dias eu pensava nisso. Mas desistia quando me lembrava do que você disse sobre as pessoas estarem tentando se proteger.

– Eu estava errada – deixei escapar, mesmo sabendo que não adiantaria explicar a ele, naquele momento, o que eu havia acabado de aprender com Lachelle; sobre mim, sobre os outros.

Mas ele continuou a falar. Gretchen levou de volta o cartão e o recibo, mas ele nem pareceu notar, mantendo seus olhos azuis completamente voltados para mim. Quando houve uma nova rodada de gritos vinda de algum lugar nos fundos daquele bar cheio de suínos, ele se aproximou ainda mais.

– Não tento me proteger. Eu sou... – Ele engoliu em seco. – Honesto demais, passo do ponto. Em detrimento de mim mesmo e das pessoas que me cercam. Isso é o que Avery costumava dizer.

Fiquei tensa com a menção a Avery, pois trazia à tona o passado entre mim e Reid, além de uma crítica que, aparentemente, nós duas fizemos a ele. Senti uma nova pontada de culpa, um desejo desesperado de fugir daquela dor que causei a ele.

Mas fiquei.

– Hoje saí andando por aí – ele contou. – Atravessei a ponte. Andei por todo o Brooklyn. E me dei conta de uma coisa.

"Espere!", tive vontade de dizer. "Espere, eu também me dei conta de uma coisa!" Mas, *por Deus*, aquele lugar estava muito barulhento, e Reid estava tão perto, sua voz, tão gostosa...

– Percebi que nem sempre sou honesto com você.

Inclinei-me para trás para poder olhar em seus olhos. "Nem sempre sou honesto com você", aquela frase cheirava a problema. Mas do modo como ele falava, as letras assumiam um novo significado. Como se, caso fossem desenhadas, seria possível encontrar algum código guardado ali. Um que você gostaria muito de decifrar.

– Mas você... – falei, minha voz baixa demais em meio ao burburinho, e Reid abaixou a cabeça, aproximando o ouvido dos meus lábios para poder me escutar. – Você sempre diz o que pensa.

Ele se inclinou para trás novamente, seus olhos passeando pelo meu rosto – meus olhos, meu nariz, minha boca. *Por favor, esqueça que meu vestido é coberto de caras da Hello Kitty*, pensei.

– Não é verdade. Porque se fizesse isso...

Em algum lugar no bar, um copo se quebrou e alguém gritou um palavrão ininteligível, mas nós não nos movemos. Olhei fixamente para a boca de Reid, no caso de ter que ler os lábios para entender o que ele diria em seguida.

– Se fizesse isso, diria que na semana passada assisti a todos os vídeos no seu canal, para poder ouvir o som de sua voz novamente. Diria que eu estava ao lado de uma mulher no metrô que devia estar usando o mesmo xampu que você, e eu mal consegui respirar de tanto que senti sua falta. Diria que andei o dia todo com uma sombra em forma de Meg ao meu lado, e que só entrei neste lugar por causa dos letreiros do lado de fora, e para não ceder à tentação de ligar para você às nove da noite de uma sexta-feira e implorar que falasse comigo de novo... sobre *frisbee*, sobre o clima, sobre o nome de uma parte daquela letra que você me mostrou...

– Espora – sussurrei, porque *puta merda* aquela era a melhor briga da minha *vida* inteira!

Ele balançou a cabeça, seu rosto tão sério.

– Espora – repetiu.

Ele baixou os olhos para o balcão, para o meu cartão de visitas, e acrescentou:

– Eu diria que gosto tanto de você, Meg.

Então – bem nessa hora, a verdadeira briga começou.

Capítulo 12

– Alguns pontos darão um jeito nisso.

A médica, inclinando-se para dar uma última olhada na sobrancelha de Reid, tinha o comportamento eficiente e um pouco impaciente de uma mulher que já viu coisas muito piores e que, provavelmente, tinha coisas bem mais preocupantes esperando por ela no saguão daquele pronto-socorro. Ela estendeu a mão enluvada, tocando o caroço que havia se formado ao redor do corte na testa de Reid e vi a mandíbula dele se apertar diante da pressão que os dedos profissionais exerceram.

– Desculpe, amigão – ela disse, abaixando a mão e se inclinando para trás enquanto tirava as luvas. – A boa notícia é que não acho que você tenha sofrido uma concussão.

– Foi o que eu disse – Reid falou, um tanto mal-humorado.

– Sim, sua opinião médica especializada foi muito útil. – Ela olhou para mim e revirou os olhos.

Amei aquela médica.

Ela foi até o *tablet* apoiado sobre o balcão laminado verde-claro, digitou algumas notas sobre seu exame clínico, e me dei conta de que era a primeira vez, em pelo menos algumas horas, que eu conseguia respirar aliviada. Durante toda a viagem de táxi até o pronto-socorro, fui puxando da minha bolsa enorme um fluxo constante de lenços e entregando a Reid para pressionar contra o corte que sangrava profusamente. Meu corpo e meu cérebro pareciam eletrizados, todos os meus pensamentos e ações em função de um novo e aprimorado Meg robô mecânico.

Barulho, multidão, empurrão, soco.

Sangue, porta, lado de fora, táxi, médico.

Reid. Briga. Briga de *bar*.

O Swine, como se viu, tinha feito jus ao nome, ou pelo menos alguns dos frequentadores fizeram, interrompendo grosseiramente o confronto mais romântico da minha vida ao começarem uma briga por causa de um jogo de hóquei de mesa. A confusão teve início em algum lugar misterioso nos fundos: os caras de camisa pastel e os de barba aparentemente entraram em um impasse por causa de um jogo de mesa e provavelmente estavam competindo também para ver quem havia alcançado mais sucesso no capitalismo tardio. Talvez, se meus globos oculares não estivessem se transformando em corações vermelhos gigantes, eu tivesse notado como aquela onda crescente de barulho combinava-se a uma multidão se amontoando na parte da frente do bar.

No entanto, só percebi o que estava acontecendo quando um dos caras de camisa pastel, cortesia de um dos barbudos, caiu como um projétil na parte de trás do banco de Reid.

E foi aí que eu aprendi que Reid Sutherland – apesar de seu estoicismo, sua civilidade e leve embriaguez – sabia brigar.

Seus reflexos tinham sido rápidos, nível super-herói, cem por cento sóbrio. Ele se levantou, toda a sua altura me bloqueando da multidão invasora e, por um breve e insensato segundo, fiz algo que queria fazer há semanas: pressionei meu corpo contra o dele.

Nos segundos que se seguiram – deve ter sido apenas alguns segundos, embora tenha parecido muito mais tempo – instaurou-se um completo caos. Caos que, de alguma forma, foi vivenciado por mim como uma experiência tanto dentro quanto fora do corpo. Senti quando um respingo de cerveja fria caiu na parte de trás do meu vestido, e ouvi meu próprio grito curto de surpresa, enquanto pulava para longe do corpo de Reid em estado de choque. De repente, ele foi empurrado para a frente, seu corpo batendo contra o meu, e um cotovelo perdido bateu com força em seu supercílio – razão pela qual estávamos no hospital – e ouvi seu gemido de dor.

Em seguida, vi algo mudar na linha de suas costas – alargando-se, enrijecendo-se.

Uma preparação.

Será que senti mesmo quando ele se virou e me agarrou pelo pulso? Quando me puxou para perto dele e colocou um braço em volta dos meus ombros, começando a abrir caminho entre a multidão de clientes irritados e descuidados? Realmente vi uma dessas pessoas dar um soco mal direcionado que acabou vindo em nossa direção? Será que realmente ouvi Reid – o Reid do *avançado das horas*! – murmurar um "porra", baixinho e frustrado, com os dentes cerrados, antes de me tirar do caminho? Ele se esquivando daquele soco, puxando o braço para trás e fechando a mão em um punho, quando o cara veio para cima de novo, aquilo tinha sido real?

De fato, aquele sujeito bêbado caiu com força no chão, aos meus pés?

– E a mão dele? – perguntei, com a voz firme e sensata que parecia ter adquirido desde que tínhamos entrado ali, e a verdade é que eu mesma fiquei surpresa ao ouvi-la. Uma briga *literal*, e eu me senti mais forte do que nunca. No saguão, minha mão estava totalmente firme enquanto preenchia a papelada de admissão de Reid no pronto-socorro. Com a voz baixa e rápida, fiz-lhe as perguntas contidas nas fichas, as quais ele respondeu rigidamente, sua voz abafada pela compressa fresca e gelada que a enfermeira lhe deu na triagem.

– Estou bem, Meg – Reid disse, sua voz baixa e tranquilizadora. Por uma fração de segundo, minhas forças recém-descobertas vacilaram. "Gosto tanto de você, Meg", ele disse, mas, desde então, tinha estado quieto e, se eu olhasse para ele naquele momento – se visse aquela sobrancelha machucada e ensanguentada que ganhou por minha causa – podia não ser capaz de manter o foco na coisa mais importante, que era ter certeza de que ele estava bem.

Mantive meus olhos na médica, esperando por uma resposta.

– Neste caso, o paciente e eu concordamos. Sua mão parece bem. – Ela dirigiu seu próximo comentário para ele. – Alguém deve ter-lhe ensinado a fechar o punho do jeito certo.

Reid deu de ombros de um jeito *blasé*, digno de um dos caras de camisa pastel. Aquele leve ar de mau humor era o único sintoma persistente de sua embriaguez de horas antes. Desde o momento em que o homem aterrissou em suas costas no bar, ele pareceu completamente sóbrio, embora a barra de cereais que o forcei a comer (outra pérola vinda da minha bolsa) e os dez copinhos de água que o fiz beber no saguão provavelmente tenham ajudado.

– Vou chamar uma enfermeira que tem uma mão mais firme que a minha para dar os pontos, ok? – a médica disse e se virou para mim novamente, falando como se Reid não estivesse lá. – Fique de olho nele esta noite. Se ele parecer desorientado, se tiver sensibilidade à luz ou reclamar de náusea, ligue para a gente.

– Ela não é... – Reid começou, mas o interrompi. Reid podia ter socado um cara (o que agora eu sabia que era ainda melhor do que pistolas ao amanhecer) antes que eu pudesse ser atingida por um punho errante, mas terminaríamos aquela noite comigo sendo a socorrista-chefe. Eu o levei ao hospital e era eu quem o acordaria a cada hora para jogar um facho de luz em seus globos oculares, embora talvez não fosse bem isso o que a médica tenha querido dizer sobre verificar a sensibilidade à luz.

– Pode deixar – respondi. – Ele ficará na minha casa.

Com o canto dos olhos, vi Reid virar a cabeça bruscamente para mim.

– Ótimo – a médica disse, fechando a capa do *tablet*. – Tenham uma boa-noite e tentem ficar longe de confusão. – A porta se fechou atrás dela com um clique resoluto.

E, então, Reid e eu estávamos sozinhos – verdadeiramente sozinhos – pela primeira vez em uma semana.

– Meg, não precisa...

Dessa vez, fui eu quem me virei bruscamente e finalmente me permiti absorver por completo seu rosto machucado. Meu coração se apertou, mas não amoleci. De alguma forma, eu sabia – como se estivesse praticando confrontos com Reid por muito mais tempo do que imaginava – que, se demonstrasse pena dele naquele momento, ele insistiria com muito mais determinação.

– Você vai ficar comigo. Você não está nem mesmo com o celular.

– Tenho o bilhete de metrô. E meus pés.

– Você está prestes a levar *pontos.* – Cruzei os braços sobre o peito e registrei a estranheza do ato. Acho que nunca bati o pé daquele jeito em toda a minha vida. Foi estranhamente satisfatório. – *Onde* você aprendeu a dar um soco desses, afinal?

Perguntei mais para tentar distraí-lo do que por me importar com aquilo, o objetivo era impedi-lo de discutir comigo sobre ficar em minha casa aquela noite.

Ele olhou para a mão.

– Meus irmãos mais velhos, para me ajudar na escola... – Fez uma pausa e olhou para mim com uma expressão tão envergonhada que imediatamente descruzei os braços. – Por favor, não pense que faço isso com frequência – disse.

– Não pensei isso – respondi, rapidamente, sentindo um pouco do meu ímpeto combativo se dissipar. – Claro que não.

– Ou... que eu beba assim sempre. Raramente faço isso, e não tinha comido durante o dia todo. Eu só...

– Reid, está tudo bem.

E lá estavam os olhos tristes novamente. Definitivamente eu nunca iria ganhar aquela discussão. Talvez eu pudesse pagar uma das enfermeiras para ficar com ele aquela noite, se a ideia de ficar comigo lhe parecesse tão horrível.

– Você... – Ele se mexeu na maca, o papel que cobria o vinil começou a se enrugar embaixo dele. – Você mal olhou para mim desde que saímos de lá. Se eu a assustei, ou se as coisas que eu disse...

De repente, meus reflexos assumiram o controle, e uma espécie de instinto protetor que eu tinha por Reid emergiu. Atravessei o pequeno espaço, colocando-me bem na frente dele, esperei até que ele levantasse os olhos para mim novamente, estendi a mão – que agora estava trêmula – e a coloquei em cima da dele.

Vi seu peito se expandir quando ele inspirou profundamente.

– Você não me assustou. Nada disso me assustou.

Não era totalmente verdade, é claro. *Foi* assustador, mas não do jeito que ele pensava. Foi assustador vê-lo novamente, confrontá-lo novamente. Foi assustador relembrar partes de nossa briga e sentir as mágoas que ainda existiam entre nós. Mas eu fiquei, e se conseguisse fazê-lo ficar aquela noite...

– Nada disso? – ele perguntou, olhando para as nossas mãos.

Entendi o que ele estava perguntando. "Eu gosto tanto de você, Meg."

– Nada disso.

Ele se moveu, virando o pulso para que nossos dedos se entrelaçassem. Engoli em seco reflexivamente. Ali, *de mãos dadas com Reid*, caminhadas pela cidade se desenrolavam na minha cabeça como um mapa em uma mesa. *E se eu nunca mais quisesse andar de outra maneira?*, pensei.

– Mas acho que devemos deixar para conversar sobre isso amanhã – comentei. – Quando você estiver se sentindo melhor.

Pela primeira vez, não me senti evitando algo. Pensava só que Reid voltaria para casa comigo aquela noite, para dormir no meu sofá, e ficaria irritado com meus cuidados noturnos. Então, acordaríamos no dia seguinte e, à luz clara do dia, estando completamente sóbrios, eu praticaria os confrontos.

– Ela já se mudou? – ele perguntou baixinho.

Senti minhas sobrancelhas se franzirem em confusão.

– Sibby?

Ele fez um pequeno aceno com a cabeça.

– Não, mas geralmente às sextas-feiras ela fica com...

Mal terminei e seus ombros relaxaram de alívio, a cabeça pendeu ainda mais para a frente. Com ele sentado na maca e eu ali, em pé, o topo de sua cabeça inclinada estava bem na altura do meu queixo.

Percebi com o que ele estava preocupado.

– Mas, de qualquer maneira, ela não se importaria. Moramos juntas há muito tempo. Ambas já tivemos... hmmm, convidados que passaram a noite lá.

Reid apertou a minha mão suavemente. Ele a segurava como se eu pertencesse a ele. Como se pertencêssemos um ao outro.

– Mais algumas semanas – eu disse e, pela primeira vez desde a ligação sobre Reid, pensei na mudança iminente de Sibby, em outra briga que me esperava. Respirei fundo. – Acho que a data oficial é...

– Fiquei preocupado – ele disse me interrompendo. Então levantou nossas mãos unidas, segurou-as no espaço entre nossos corpos, e *ah*. Sua respiração fez cócegas nas costas da minha mão. Minha mão tão, tão sensível. De onde vinha todo o meu talento e meus pensamentos mais secretos. Era como remover curativos grudentos e limitantes.

– Preocupado?

– Fiquei pensando – ele explicou, sua voz mais baixa agora talvez por causa da nossa proximidade ou da fadiga que finalmente tomava conta dele. Dei um passo à frente e virei nossas mãos, improvisando um travesseiro pequeno e não muito confortável para que ele descansasse a cabeça. Ele entendeu a dica e deixou o lado ileso de sua testa descansar, quente e pesado, contra meus dedos.

Qual seria o título daquele quadro? Um cavaleiro se curvando a serviço de sua dama. Pude ver meu nome iluminado em estilo manuscrito medieval.

– Fiquei pensando – ele retomou – que a partida dela seria difícil para você. E se eu perdesse esse momento?

– Não foi o caso. – Minha voz já não tinha toda aquela firmeza, mas isso já não me incomodava mais. Ergui a mão que não estava unida à dele, que pareceu ter vontade própria, e deslizei os dedos entre a massa espessa de cabelos loiro-avermelhados. Tive a impressão de que todo o seu corpo estremeceu. Acho que o meu também.

– Sinto muito por não ter ligado.

Reid, o Contrito.

– Está tudo bem – respondi, acariciando seus cabelos novamente. – Amanhã, ok?

– Amanhã – ele concordou, como se fosse para selar a promessa, Reid levantou um pouco a cabeça e pressionou seus lábios contra as costas da minha mão.

Foi assim que Reid e eu descansamos depois da briga, esperando para sermos costurados novamente.

Voltar ao parque foi uma jogada ousada.

Não planejamos, simplesmente seguimos nessa direção, um dos muitos acordos mútuos e tácitos a que chegamos ao longo da noite anterior e daquela manhã. A promessa que fizemos um ao outro naquela pequena enfermaria – "Amanhã" – pairou entre nós durante cada uma de nossas interações, algo que ambos parecemos guardar de forma reverente para a plena luz do dia, para a total sobriedade, para a total garantia de nenhum novo ferimento na cabeça. À luz baixa e à atmosfera tranquila e silenciosa do meu apartamento, Reid foi educado, cuidadoso, prestativo, um hóspede não muito certo de que era bem-vindo: “Sua casa é tão legal”; “Não quero manchar seu sofá de sangue”; “Posso colocar os lençóis eu mesmo”.

Em resposta, eu tentei ser agradável e parecer despreocupada, quase profissional em meus cuidados de prevenção de ressaca, verificação de concussão, claro, ele era bem-vindo ali. Um analgésico e um copo cheio de água para minimizar futuras dores de cabeça. Silenciosas visitas noturnas, de hora em hora, na ponta dos pés, para checar seu corpo ainda vestido esparramado no meu sofá, meio coberto com a manta que eu costumava manter ao pé da minha cama, sua respiração suave e uniforme.

Uma toalha e uma escova de dentes extras no banheiro, um sabonete novo em nosso minúsculo chuveiro, uma camiseta tamanho G que eu havia ganhado de brinde no Northside Festival do ano anterior dobrada cuidadosamente no balcão.

Tudo isso nos ajudou a atravessar aqueles momentos desajeitados, às vezes carregados, no início da manhã, quando acordamos ao mesmo tempo e nos revezamos tomando banho e nos vestindo na privacidade parcial do espaço pequeno. Quando saí do quarto, cabelo ainda úmido caindo sobre os ombros do meu vestido simples de algodão cinza, Reid me fitou do sofá onde me esperava, o corte costurado dividindo sua testa, o maxilar apertado e coberto por uma sombra de barba por fazer, os ombros alguns centímetros largos demais para aquela camiseta emprestada.

Achei que, se deixasse ele me olhar daquele jeito por muito tempo, nossa promessa de *amanhã* não envolveria tanta conversa, mas sim aquele sofá, a barba por fazer de Reid, o cheiro do meu xampu, nossas bocas e mãos e também, sendo uma manhã de sábado, Sibby chegando em um momento, quem sabe, um pouco inconveniente.

Peguei minha jaqueta, Reid se levantou para pegar a sua, e saímos para a manhã fresca e clara, as costas da minha mão ainda formigando com a sensação de seus lábios na minha pele.

– Está um dia agradável hoje – Reid comentou, deslocando seu peso no banco em que nos sentamos para terminar nosso café da manhã: *bagels* da minha padaria favorita, café para mim, chá para ele, nossos copos para viagem colocados cuidadosamente aos nossos pés, como se fossem armas. Ainda era cedo o suficiente para que o parque estivesse quieto, ninguém nos bancos ao nosso redor, e as pessoas que estavam por lá eram, em sua maioria, transeuntes andando de bicicleta, correndo ou fazendo aquele tipo de caminhada determinada, acompanhada de fones de ouvido, sem prestar atenção aos arredores.

– Essa fala é minha – eu disse, e ele sorriu suavemente.

– Meg, escute, eu...

– Não, espere – interrompi, porque entre aquelas caminhadas na ponta dos pés para ver como ele estava na noite anterior, pensei muito sobre aquela manhã, sobre como terminar aquela briga. Refleti sobre tudo o que Lachelle me disse, ponderei sobre as coisas que eu tinha a dizer para que tanto eu quanto Reid tentássemos "ficar". Eu *pratiquei*. – Deixa eu falar primeiro.

Ele assentiu, mas notei como estava apertando a mandíbula, uma barricada contra o que acreditei ser um constrangimento remanescente. Respirei fundo.

– Sinto muito pela semana passada, pela briga que tivemos e por ter ficado tão brava. O que eu disse foi muito injusto.

– Não foi injusto. É como lhe falei ontem à noite. – Ele pigarreou, baixando os olhos. – Estou bem ciente dos meus defeitos, especialmente aquele que você mencionou.

– Não é sua culpa – retruquei rapidamente. Ele, então, me lançou um olhar que eu nunca tinha visto em seu rosto antes, uma inclinação de cabeça que parecia muito com sarcasmo. Um olhar que, de alguma forma, telegrafava todos os pequenos momentos em que a franqueza de Reid levou a melhor sobre ele: Chamando-me de mercadora. Repreendendo-me por não ter um guarda-chuva. Perguntando-me sobre meu plano de saúde.

"Você sabe que é", o olhar dizia.

– Ou, pelo menos, não é um defeito pior do que o meu, que é... bem, acho que você já sabe.

Reid aguardou e, por alguns segundos, também me calei. Pensei em meus pais e em Sibby, em como minha briga com Reid me forçou a encarar tudo o que me machucava antes de eu ir para Nova York, bem como tudo o que me machucava naquele momento.

– Escondo coisas. Meus sentimentos, eu os escondo. Sentimentos relacionados a situações que vivi ou a situações que pessoas com quem me importo viveram. Escondo-os em minhas letras, você sabe. E também quando falo sobre o clima, sobre *frisbee* ou sobre qualquer outra coisa sem importância com que tento preencher os vazios.

– Gosto de tudo o que você fala.

"Você sabe que não é verdade", disse meu olhar de volta para ele e, então, suspirei antes de recomeçar.

– Na semana passada, eu estava realmente... estava tentando, com todas as forças, esconder meus sentimentos. Estava chateada com algo que aconteceu no trabalho e que me fez lembrar de algumas coisas do meu passado, mas, em vez de lhe dizer isso, tentei distraí-lo falando sobre outras coisas. – Engoli em seco. – Isso é algo que venho percebendo que faço excessivamente, para me...

– Nunca tive a intenção de fazer você se sentir desprotegida – Reid disse, seus olhos cheios de arrependimento. – Eu nunca iria querer fazê-la se sentir assim.

– Você deu um soco na cara de um homem por mim ontem à noite – respondi, minha boca se curvando em um sorriso provocante. – Sinto-me bem protegida.

Reid abaixou a cabeça, seu cabelo caiu para a frente, deslizando sobre a sobrancelha costurada.

– Só queria que você...

– Fosse sincera – terminei por ele. – Falasse o que penso.

Ele fechou a boca e pressionou os lábios, o que entendi como concordância.

– Quero tentar... – continuei – tentar ser sincera. Falar sobre as coisas que são difíceis. Quando as escondo, de todo modo, elas parecem vir à tona de outras maneiras.

Ele se moveu e se virou para mim, ficamos mais de frente um para o outro. Ele observou minhas mãos brincando com a alça da bolsa no espaço entre nós.

Então Reid pegou uma das minhas mãos, pressionou a palma da mão dele contra a minha e entrelaçou nossos dedos como na noite anterior. A sensação que aquilo me provocou me fez fechar os olhos.

Ele vai protegê-la, pensei.

– Ok – ele disse.

– Tenho três pontos para discutir – eu disse, e fiz uma careta diante de como aquilo soou naquela primeira tentativa de dizer o que se passava pela minha cabeça. Um pouco alto e ligeiramente tenso, como se eu estivesse prestes a iniciar uma apresentação de slides intitulada "Fatores Difíceis Que Precisam Ser Abordados Em Relacionamentos". Praticar isso no espelho não teria sido uma má ideia se aquele um metro e oitenta de homem com quem eu estava tentando falar não tivesse dormido no meu sofá a noite toda.

Reid deu um sorriso torto.

– Três, hein?

Sorri de volta.

– Três. Este é um jogo de números, Sutherland.

– Ah – ele disse suavemente, ainda com aquele meio sorriso no rosto –, minha especialidade.

Naquele dia, era a *minha* especialidade. Pensei e repensei sobre meus três pontos, como se fossem letras em uma página: a ordem em que falaria.

Como poderia torná-los fortes o suficiente, especiais o suficiente, diretos o suficiente para Reid.

– Um – comecei, sabendo que seu sorriso estava prestes a desaparecer. – O que você disse ontem à noite, sobre sua pele...

Ele tentou se antecipar.

– Não tenho vergonha. Tenho isso há muito tempo. Obviamente, preferiria não ter e, certamente, preferiria que você não achasse...

– Não acho nada além de que essa é uma parte de você. É o item número um porque você disse que piora quando está estressado, e seu trabalho, bem, seu trabalho parece que é o tempo todo estressante para você. Vejo como você fica sempre que surge o assunto. E se isso é parte do motivo pelo qual as coisas acabaram tão mal entre nós na semana passada, então gostaria de saber a respeito dele.

O olhar de Reid passou das nossas mãos unidas para a vasta extensão do parque verde enquanto ele respondeu.

– Meu trabalho é... bastante tenso. Especialmente nos últimos tempos. Quando nos encontramos na semana passada, tinha tido um dia particularmente horrível. Mais tarde, depois... percebi que deveria ter recusado seu convite e ido direto para casa. – Ele olhou de volta para mim, esfregando o polegar nas costas da minha mão de uma forma que fez com que eu me contorcesse no banco, um pulsar inconveniente entre minhas pernas. – Mas queria estar perto de você. Você é a única pessoa aqui que não me trata como se eu fosse uma calculadora. Quando estou perto de você, não penso em números. É um alívio.

– E aqui estou eu, propondo um jogo de números – brinquei e acariciei sua mão de volta, triste pelo estresse pelo qual ele passava no trabalho. Honrada por eu ser um alívio para ele tanto quanto ele estava sendo para mim.

Ele sorriu olhando para as nossas mãos.

– Não me importo com este. Qual é o item dois?

O dois é difícil, pensei engolindo em seco.

– Dois é... Avery. Você, Avery e o programa de casamento. – Observei o rosto dele procurando alguma careta ou tristeza, algo que me desse uma indicação de como aquele assunto se desenrolaria. – Se você ainda se ressente de mim por isso, Reid... não importa o quanto você goste de mim agora... Não importa o quanto gostamos um do outro... Se você não me perdoa por aquelas letras escondidas e se ainda sente algo por ela...

– Não. Quer dizer, não tenho nenhum ressentimento por conta da palavra escondida. E não, não tenho sentimentos por ela. Por favor, deixe-me esclarecer isso para você.

– Ok – concordei, porque apenas uma negativa não seria suficiente. Lembrei-me da expressão que ele exibia vez ou outra quando o nome dela surgia. Lembrei-me da maneira como ele disse que ela era linda e poderosa. – Deixe claro.

Ele pigarreou.

– O pai de Avery organizou um encontro entre nós depois que ela passou por um momento difícil. O rompimento com uma pessoa com quem ela se relacionava desde a faculdade, e que teve alguns problemas com... substâncias.

– Ah.

– Acho que ele pensou que eu seria um bom partido. Estável. Entediante, provavelmente. – Reid levantou um ombro. – Já eu pensei que estar com ela me ajudaria a me encontrar nesta cidade. E acredito que ela pensou que estar comigo seria mais fácil. Descomplicado e... tranquilo. Mas éramos um par terrível, ambos sabíamos, disso e há muito mais tempo do que qualquer um de nós estava disposto a admitir.

– Mas você comprou aquele anel para ela – eu disse, o que me pareceu *ridículo*. Mas foi a primeira vez, desde que ele retornou à loja, que tivemos uma conversa significativa sobre ele e Avery, sobre o que aconteceu entre eles. Minhas lembranças dela, deles juntos, eram emolduradas por aquele anel, pelo que ele representava.

– Aquele não foi o anel que eu comprei para ela, na verdade.

– Como assim?

– Uma semana depois de ficarmos noivos, ela veio a um jantar que havíamos planejado com um novo anel. Um presente do pai dela para nós dois. Um *upgrade*.

– Essa doeu – brinquei, fazendo uma careta, e ele riu baixinho.

– Ela é uma boa pessoa. Importo-me com ela, como amiga. Mas pertence a outro mundo. Pensei por um tempo que poderia tentar me encaixar, mas não fomos feitos um para o outro. Você percebeu isso tão bem quanto nós. – Ele fez uma pausa, acariciou minha mão e suspirou. – Quanto às letras escondidas... bem. Por um lado, fico feliz em saber que você está reconsiderando as coisas que, às vezes, esconde, mas minha frustração na semana passada não era com você. Era com...

– Nova York – terminei por ele. – Esse é o terceiro item.

Ele olhou novamente para as nossas mãos unidas.

– Nova York – repetiu.

Pela primeira vez naquele jogo de números, Reid pareceu completamente inseguro. "Estou indo embora de Nova York", ele disse uma vez, e pensei que nem todos os jogos do mundo o fariam ficar.

– Esta cidade é um lar para mim. Foi aqui que construí uma vida. E você vai embora.

Houve uma longa pausa, e eu estaria mentindo se dissesse que não estava prendendo a respiração. Estaria mentindo se dissesse que meu coração não se decepcionou com o que ele disse depois:

– Estou aqui agora.

Foi uma resposta incompleta, uma coisa que não ficou totalmente resolvida entre nós. Ele podia estar ali agora, mas estava dizendo que iria embora mais para a frente.

– Não quero parar de ver você – acrescentou. – Aceito encontrá-la do jeito que preferir. Só as caminhadas, se é tudo o que posso ter.

Isso não é tudo que você pode ter. O pensamento foi imediato, mas não disse nada, ainda não. Afinal, eu já sabia que ia doer. Dei-me a todo aquele trabalho para que ambos ficássemos – na noite anterior, naquela manhã, ou em qualquer outro momento dali para a frente – mas, no final, ele ainda iria embora.

– Provavelmente nunca dará certo – eu disse baixinho, mas também queria desesperadamente, desesperadamente, que ele me convencesse do contrário. – Somos totalmente opostos.

A mão que não estava segurando a minha se estendeu, e Reid colocou um dedo gentil em um dos botões da minha jaqueta.

– Letras, números... – ele disse, uma batida familiar para as palavras, como se estivesse dizendo "Eduardo e Mônica". – Não são tão diferentes.

Levantei os olhos para ele e não tive certeza de em que momento havíamos chegado tão perto um do outro. Tão perto que eu podia ver a sombra da barba ruiva ao longo de sua mandíbula, que podia sentir o cheiro do meu sabonete em sua pele.

– Ambos são códigos – ele acrescentou. Em seguida, moveu o dedo, colocando-o sob o botão e puxando-o suavemente. O movimento não exerceu pressão, mas ainda assim me inclinei para mais perto dele.

– Isso é verdade – sussurrei. Eu podia ver a chama em seus olhos. Eu queria aquela chama, e a queria naquele momento, não importando se eu iria sofrer em um futuro próximo ou se aquela seria a briga da minha vida.

– Poderíamos contar até três e, então, fazer isso – eu disse, e ele sorriu, à queima-roupa e perfeito, e tão, tão *sexy*.

– Você que manda neste jogo. – Ele se inclinou, mas não me beijou. Colocou a boca contra a minha têmpora. – Imagine – disse e, de alguma forma, eu sabia exatamente o que ele queria dizer. Um código entre nós, a maneira como nos falamos pela primeira vez, mesmo antes de nos conhecermos. Minhas letras e sua capacidade de lê-las. – Um – ele disse.

E vi, *u-m*, o formato do *u* naquele espaço de pele entre a linha do meu cabelo e a borda externa da minha sobrancelha, um caracol ascendente conectando-o com o *m*, que eu imaginava sobre o arco da minha sobrancelha, que foi para onde o toque leve dos lábios de Reid se moveu.

Minha respiração estremeceu entre meus lábios entreabertos.

- Dois.

Ele se moveu, deixando os lábios descansarem suavemente contra a minha bochecha e, em vez de pressioná-los, ele os esfregou para a frente e para trás uma vez, tão leve quanto um fio de meu próprio cabelo ao vento, e vi essa palavra também, desenhada no mesmo rosa do meu *blush* natural, o rosa que se expandia sobre minhas bochechas quando eu estava quente, envergonhada ou excitada. O *d*, o *o*, o *i*, o *s*, todos em itálico fortemente inclinado. Todos a caminho de algum lugar.

- Reid - sussurrei, e ele moveu a cabeça para trás, os olhos passeando pelos lugares que beijou, antes de mergulhar nos meus.

- Você me permite? - ele sussurrou de volta, e deixei meus olhos se fecharem diante da perfeição educada, magnética, tipo filme de época da frase.

Concordei com a cabeça.

- Três - ele disse, mas não consegui ver nenhuma letra. Apenas senti a pressão dos lábios perfeitos de Reid contra os meus e, nesse momento, eu soube. Soube que poderia reconhecer seu beijo de olhos fechados, porque ele resumia tudo o que eu gostava em Reid: firme e direto, com uma doçura que você precisa conhecer para ser capaz de identificar. Ele colocou uma de suas mãos grandes e quentes na lateral do meu pescoço, sua palma pressionando contra a rede de veias onde o sangue foi atraído para a superfície por aquela mão magnética e, com o polegar, ele acariciou levemente a linha do meu maxilar. Seus lábios nos meus me diziam que ele queria mais do que um beijo casto, de boca fechada, mas ele esperou até que minha língua deslizasse sobre seu lábio inferior para me dar a sua e, quando o fez, ele emitiu aquele gemido suave que eu o ouvi fazer antes, mas aquela, *aquela* era a versão perfeita do gemido, a que eu ouviria em meus sonhos por dias e dias.

Deslizei em sua direção, movendo-me para envolver seu pescoço com os braços, e mal me dei conta – mal me dei conta de que estávamos no parque, em *público*, que a qualquer segundo algum corredor descontente poderia gritar um bem-merecido "Vai pro motel!". Beijei-o mais e mais, meu corpo ficando desesperado para chegar mais perto dele.

– Este é o melhor jogo – suspirei entre os beijos, meu peito subindo e descendo rapidamente. Eu estava praticamente ofegando, mas não me importei. Queria manter seus lábios nos meus, nossas línguas entrelaçadas. Queria pressionar todo o meu ser contra ele e, ao contrário da noite anterior, realmente sentir seu corpo.

– Meg – ele disse, sua testa descansando contra a minha, sua própria respiração mais rápida. – Tenho um quarto item.

Enrijeci de medo de termos que parar, preocupada de termos esquecido algo.

Mas Reid me manteve perto e me beijou mais uma vez antes de falar novamente.

– Venha para casa comigo.

Capítulo 13

Nenhum nova-iorquino que se preze dá demonstrações públicas de afeto no metrô, e Reid e eu conseguimos – por pouco – manter a dignidade.

Mas assim que subimos os degraus da estação Herald Square, Reid me tocou novamente, segurando minha mão e mantendo-me perto enquanto percorríamos as calçadas ainda não lotadas até seu prédio, um edifício de tijolos inexpressivo em Murray Hill, um pouco desgastado do lado de fora, mas com um neutro *lobby* moderno. Em qualquer outra manhã, em qualquer outro dia, eu faria mais de vinte perguntas: "Como você escolheu este lugar?"; "Conhece seus vizinhos?"; "Quanto tempo leva para chegar ao trabalho?"; "Onde fica sua lavanderia?". Porém minha cabeça estava cheia daquele beijo, minha mão tomada pela dele e tudo o que eu queria era terminar o que começamos.

Antes mesmo que a porta de seu apartamento acabasse de se fechar atrás de nós, eu já estava demonstrando isso, virando-me para encará-lo e inclinando minha cabeça para outro beijo. Sua resposta não deixou dúvidas de que ele queria a mesma coisa, de que ele, assim como eu, tinha sentido cada toque acidental entre nós no metrô como uma corrente elétrica e mal podia esperar para retomarmos de onde havíamos parado.

Ele se inclinou, as mãos no meu cabelo liberando todo o cheiro de xampu ainda fresco, do qual ele disse ter sentido tanta falta, e o ruído que veio de seu peito enquanto me beijava foi gutural, impaciente.

Quente.

– Você quer um *tour* pelo apartamento? – ele perguntou quando descolou os lábios dos meus para respirar, o queixo abaixando imediatamente para colocar os lábios em algum lugar novo, na pele macia do meu pescoço.

– Mais tarde. – Ofeguei com o jeito como ele estava me provando, sua língua contornando em uma longa curva. – Vou fazer um milhão de perguntas – adverti-o.

– O lugar é, decerto, sem graça – ele disse, beijando o canto da minha boca antes de me dar seus lábios, sua língua.

– Deus, diga isso de novo – pedi em um gemido e, então, percebi que não queria parar para explicar sobre "o avançado da hora toda" e afins. Não quando podia ocupar minha boca de outras maneiras. – Esqueça – murmurei, apressadamente. – Nada sobre você é sem graça.

Ele me pressionou contra a parede da porta da frente, suas mãos na minha cintura e sua boca faminta na minha. Ficamos assim por um longo tempo, tão longo que tirei sua jaqueta, tão longo que ele fez o mesmo comigo, tão longo que ambos tiramos os sapatos, chutando-os descuidadamente para fora do caminho.

– Meg. – Sua voz soou rouca e, de repente, percebi que agarrei seus antebraços, apertando-os ali para me equilibrar enquanto nos devorávamos e, pela primeira vez, me dei conta da textura áspera sob uma das minhas mãos.

– Ah! – exclamei, puxando a mão. – Desculpe-me.

– Não. – Ele pegou minhas mãos nas dele e as apertou suavemente. – Toque-me. Onde você quiser.

– Dói?

Ele balançou a cabeça.

– Agora, não. – Então inclinou-se, respirando contra a pele do meu pescoço. – Nada dói agora. Eu ia perguntar se você queria ir...

– Sim, para a cama. É para lá que quero ir.

Ele se inclinou para trás olhando para mim e, dessa vez, quando deu aquele meio sorriso, levantei a mão na direção do seu rosto e coloquei meu polegar naquela linha curva em sua bochecha, aquela que tive *certeza* de que conseguiria desenhar mais tarde.

– Estou tentando fazer do seu jeito... – Respirei, movendo meu polegar para poder me inclinar e pressionar a boca naquela curva, para que pudesse imitá-la com meu corpo, moldando-me a ele. – Direto.

– Gosto disso. – Ele se moveu, puxando-me para longe da parede; então, envolveu minha cintura, levantando-me do chão e me carregando para o seu quarto, sem nunca tirar sua boca da minha.

E no começo – ah, no começo, eu também estava gostando. Gostando tanto que estava meio frenética. Não absorvi nenhum detalhe do cômodo para o qual ele me levou, porque meus olhos se ocupavam com as partes de seu corpo que foi se revelando à medida que eu tirava suas roupas – a barriga plana e musculosa, uma escada magnífica e organizada de força chegando ao céu de seu peito largo e liso, ainda mais largo pela forma como os músculos das suas costas de nadador se expandiam. Coloquei minhas mãos sobre seus ombros, senti a textura de sua pele com uma espécie de eletricidade zumbindo nas pontas dos meus dedos. Ouvi a forma como a respiração de Reid ficava presa e acelerava quando me inclinava para provar a pele cheirosa de seu pescoço. Estava sendo tão direta que mal podia esperar, puxando-o para mim enquanto íamos para a cama, eu andando de costas, mal parando para deixá-lo levantar a bainha do meu vestido, impacientes porque tivemos que parar com os beijos enquanto ele puxava o vestido pela minha cabeça, sendo o único consolo o modo como suas mãos estavam sentindo as partes da minha pele que foram se revelando – minha cintura, meu colo, meus ombros. Levei as mãos às costas e abri o sutiã, deliciando-me com o ruído de prazer que veio de Reid , a maneira reverente e desesperada como ele sussurrou "Meu Deus!" quando me deitei em sua cama.

Mas então – com nossos corpos quase inteiramente nus e ele em cima de mim, meus quadris subindo em pequenos pulsos rítmicos contra o membro duro entre suas pernas – senti uma onda indesejável de nervosismo, um retrocesso na minha franqueza recém-descoberta, que fez o ritmo se quebrar desajeitadamente, um vacilo que esperava ele não percebesse. Eu nunca tinha sentido aquilo com qualquer outra pessoa, seu calor e o modo como me beijava suavemente, mas mantendo-me apertada contra ele.

Estávamos começando bem, e então eu...

– Meg – Reid sussurrou suavemente de encontro à concha do meu ouvido. – Quer parar?

– Não! – exclamei, alto demais no cômodo silencioso, minhas mãos segurando seus quadris involuntariamente, meus olhos se fechando com a ameaça de um possível confronto. – Quero continuar – eu disse, mais suavemente, acariciando sua mandíbula com a ponta do meu nariz, e ele fez um ruído baixo contra minha pele, o som de um metrônomo para aquela batida que pulei, e impulsionei meus quadris em sua direção novamente.

Mas ele se apoiou nos braços, afastando seu membro duro e olhando para mim.

– Podemos ir mais devagar.

Eu quis protestar sem seu calor, mas antes que eu emitisse algum som, ele moveu uma mão que estava pressionada contra o colchão ao lado da minha cabeça e acariciou a linha entre meus seios com cuidado, vagarosamente, apenas as pontas dos dedos, onde meu coração palpitava sob a pele.

– Você parece nervosa.

Pisquei para ele, então fechei os olhos novamente e balancei a cabeça, sentindo aqueles dedos roçando, paciente e calmante, contra mim. Claro que ele percebeu. Claro que ele foi capaz de ler cada código, cada sinal que meu corpo lhe enviava.

– Não estou.

– Não se esconda de mim – ele disse. Abri os olhos, fitando aquele rosto de se olhar três vezes e expressando paciente determinação.

Ele vai protegê-la, pensei novamente. Aquela era uma oportunidade de *praticar*. Aquilo era ficar.

– Não é muito fácil para mim – eu disse, envolvendo sua cintura com os braços, meus dedos trilhando aqueles músculos em leque, uma grande tela em branco para os espirais nervosos e sem direção que fui desenhando ali. – Quero dizer... nem sempre é fácil para mim chegar ao orgasmo.

Eu tinha criado coragem para contar isso a dois homens antes. A primeira foi depois da terceira vez que transei com meu namorado do ensino médio, uma conversa excruciante que incluiu, principalmente, perguntas impacientes para as quais eu não tinha as respostas, todas elas uma versão de "O que devo fazer de diferente?", como se eu pudesse produzir um diagrama anotado sobre minha anatomia quando mal tinha tido experiências sexuais suficientes para saber o básico. Então, frustrada com meu próprio vocabulário limitado e com suas respostas mal-humoradas e desinteressadas, simplesmente parei de esperar gozar – com ele e com o monte de caras que namorei depois dele.

O segundo foi um cara com quem havia saído dois anos antes de Reid, alguém doce, gentil e atencioso em todos os nossos encontros até aquele, quando contei a ele, e sua resposta, com um sorriso pretencioso de imerecida confiança, foi: "É porque você ainda não dormiu comigo, gata".

Mandei mensagem para Sibby com nosso sinal de encontro ruim e, três minutos depois, ela me ligou fingindo uma emergência, de forma que não tive alternativa a não ser ir "ajudá-la".

Nunca mais o vi.

Reid não disse nada a princípio. Ele apenas colocou a mão de volta no colchão e inclinou a cabeça para me beijar novamente, seu cabelo caindo para a frente, fazendo cócegas na minha testa – outro toque suave e delicado.

– Ok – ele disse simplesmente, entre os beijos que pressionava contra a minha boca. Por um tempo nos perdemos de novo, e voltei para o meu corpo. Não pensei em nada além de como sua pele quente era gostosa ali de encontro à minha, em como seus ombros me faziam sentir como se estivesse sob o abrigo mais resistente do mundo.

– Você gosta do que estamos fazendo agora? – ele murmurou afinal, movendo-se para beijar o canto da minha boca, a linha do meu maxilar, a pele abaixo da minha orelha.

Fiz um barulho, algo parecido com *Mmmmhmmm.*

– Me diga do que você gosta. – *Direto, direto, direto.*

– Gosto de você acima de mim, do jeito como me beija, da maneira como cria uma antecipação, assim como fez no parque. – E ele fez de novo, aquele padrão de *um*, *dois*, *três* no meu rosto, e estremeci, sussurrando novamente quando ele afastou os lábios. – Gosto do jeito que me faz esperar. É assim que sou, em todo o meu corpo, acho. Gosto da expectativa.

– Bom – ele disse, com os lábios contra a minha pele.

E, *ah*, a maneira como ele disse "Bom". Um som que me elogiou ao mesmo tempo que disse que estava satisfeito com a resposta.

– Mais – ele exigiu afastando a boca, olhando para mim com uma chama em seus olhos. De alguma forma, entendi o que ele estava me pedindo para fazer com aquele olhar, e mal pude acreditar que eu queria fazer aquilo.

É algo tão íntimo, tão próximo, tão honesto.

O tipo de coisa que se faz com alguém em quem você realmente confia.

E tive certeza de que confiava em Reid.

Tirei as mãos de seu corpo e as coloquei no meu.

❤ ❤ ❤

Levei um minuto, longos segundos, durante os quais minhas palmas descansaram em segurança na pele macia do meu abdome, sentindo-me inspirar e expirar, reunindo coragem, pensando em todas as partes ocultas de mim que queria mostrar a Reid. Estávamos em plena luz do dia, a janela de Reid coberta com um uma elegante persiana cinza-claro oferecendo privacidade, mas não escuridão, de maneira que ele poderia assistir a tudo.

Pensei que talvez aquele fosse o jeito certo. Talvez fosse exatamente o jeito certo para mim e Reid.

– Sou sensível aqui – sussurrei finalmente, deixando uma mão deslizar para cima, meus dedos demorando-se na parte inferior do meu seio, uma curva de pele que sempre fazia meus mamilos endurecerem em resposta quando tocada. Meu rosto estava quente, meu peito orvalhado de suor. Eu me senti tímida, exposta, mas ainda assim, incrivelmente excitada. Tudo o que queria era que ele me dissesse "Bom" novamente; queria que ele dissesse isso com suas mãos, e lábios, e dentes, e língua, e, então, mostraria tudo a ele.

Passei um único dedo sobre meu mamilo, afagando-o do jeito que eu gostaria que ele fizesse. Ele observou, a língua correndo para lamber o canto de sua boca, seus olhos quentes e focados, e sabia que ele estava me vendo, me lendo, decifrando aquele código que eu estava deixando, letras naquela página que estava escrevendo apenas para ele e, de repente, surgiu uma nova e poderosa onda de sentimentos, um tipo diferente de paixão: odiei todos os homens que me fizeram sentir que não deveria dizer o que era bom para mim. Odiei o modo como não tentaram entender. Odiei terem me feito sentir que estava sendo exigente e difícil por pedir-lhes para fazer algo que não descobriram por conta própria. Odiei a maneira como eles ficaram frustrados, impacientes e magoados.

Minhas mãos ficaram mais impetuosas, mais firmes, e Reid disse "Bom" de novo, nesse momento, esqueci todos os outros caras para sempre.

– Onde mais? – ele perguntou, os músculos de seus braços contraindo-se mais, e eu não era por fadiga.

Queria recompensá-lo pela maneira como estava curtindo e, ao mesmo tempo, se segurando. Por não dizer algo como "Pode deixar que eu cuido daqui para a frente".

Levantei meus quadris da cama.

– Você tira isso para mim?

Ele não hesitou. Afastou-se, puxando minha calcinha para baixo em seguida, e assim que o triângulo de pelos entre minhas pernas ficou exposto, sua mandíbula se apertou, seu corpo um exemplo de autocontrole. Linhas suaves e duras, totalmente verticais soletraram E-S-P-E-R-E.

– Mostre-me – ele disse e, se aquele tom era impaciência, era exatamente o tipo certo dela. Não me prometeu nada além de seu desejo, de seu prazer com tudo aquilo, para onde quer que aquilo seguisse.

Minha mão deslizou por meu abdome, demorando-se no espaço macio e curvo entre meu umbigo e meu púbis. Acariciei levemente, uma letra cursiva minúscula e suave, da mesma forma que faria em casa, na minha própria cama, tarde da noite.

– Gosto disso para começar – eu disse. E já sabia que gostaria ainda mais se fossem as mãos de Reid, as pontas de seus dedos.

Ele emitiu um som, colocou um joelho de volta na cama, mas manteve distância. Meus dedos escorregaram para baixo, e eu sabia que estava mais sensível do que normalmente estaria – um toque de relance da ponta macia do meu dedo indicador e minhas costas arquearam-se. Reid colocou uma mão no topo do meu joelho levantado, observando-me com uma concentração quente. *Deus, aquela sobrancelha costurada, aquele machucado.* Eu me sentia quente, líquida e desesperada.

– Você gosta de ser beijada aí também? – ele perguntou depois de alguns segundos.

– Às vezes. – Se fosse ávido e sem reservas, quando parecia menos uma técnica para me impressionar do que uma necessidade urgente e desesperada para ele. – Quando acho... quando acho que o cara curte.

– Eu curto – ele respondeu rapidamente, e não pude deixar de sorrir, esperando que fosse um sorriso do tipo sensual, mas provavelmente era mais do tipo alegria irreprimível. Fechei os olhos imaginando a cabeça de Reid entre as minhas pernas, aqueles ombros largos me separando enquanto ele lambia e chupava, e meus dedos se movendo sobre aquela protuberância firme em um ritmo mais rápido e insistente.

Reid apertou meu joelho, e abri os olhos novamente, imobilizando meus dedos.

– Desculpe – eu disse. – Estou tão excitada.

– Não se desculpe. Não... se tudo o que quiser for me mostrar o que é bom para você...

Sua fala me fez perceber o quão completamente aquilo *não* era tudo o que queria. Fazer – dizer, mostrar a ele – tudo aquilo me libertou da preocupação em relação a gozar. Mas eu queria que Reid me tocasse, queria-o *dentro* de mim, e não me importava se isso me faria chegar lá. Se não fosse o caso, ficaria feliz em ver esse mesmo olhar que apareceu em seus olhos enquanto observava eu me tocar. Ficaria feliz em deixá-lo praticar de novo, e de novo, e de novo.

– Isso não é tudo que quero. – Removi as mãos do meu corpo e me apoiei nos cotovelos para me aproximar dele. Por baixo de sua cueca cinza pude vê-lo, longo e duro, esticando o material apertado, e percebi que tive um novo impulso de pressionar o rosto quando se tratava de Reid (ou das partes do corpo de Reid), mas isso ia ter que esperar até mais tarde, porque eu me sentia latejante e vazia entre as pernas, molhada, excitada e *pronta*.

– Quero você. Você e eu, juntos.

Ele se inclinou para me beijar, sua língua deslizando contra a minha, seu braço descendo até a parte inferior das minhas costas enquanto ele me deslocava, movendo-me mais para cima na cama. Quando ele estava em cima de mim novamente, meus quadris subiram para encontrar os dele imediatamente e, sem o material da calcinha me cobrindo, sem aquele traço de ansiedade, o contato entre nós me fez arfar de prazer. Ele inclinou a cabeça, sua língua traçando aquela curva que mostrei no meu peito, a pressão exata antes de lamber meu mamilo, seus dentes me roçando e, quando alguns deliciosos minutos depois, ele moveu a mão entre nós, posso dizer, desde o primeiro toque, que ele prestou *muita*, *muita* atenção, e praticamente pulei da cama de prazer.

– Podemos... – arfei. – Podemos praticar isso mais tarde? É muito bom, mas preciso... – Calei-me, pressionando o corpo contra ele.

– Diga, Meg.

Meu Deus, o jeito como ele fazia aquilo enquanto estávamos unidos.

A forma como ele era direto do jeito certo. A maneira como ele tornava seguro para mim ser direta também.

– Quero você dentro de mim.

Ele me recompensou novamente, porque nós dois sabíamos que agora a espera, a expectativa, havia acabado. Então, Reid estendeu o braço e pegou um preservativo em sua mesa de cabeceira. Colocou-o em segundos, movimentos feitos com a mesma intensidade faminta que ele dirigiu a mim.

E quando ele se acomodou entre as minhas pernas e avançou – tão lento, tão perfeito, tão focado –, foi muito bom desde o primeiro segundo. Pude, então, perceber o que estava acontecendo dentro de mim, em minha mente, havia um lindo e perigoso *A* tomando forma, mergulhando em meu coração feliz e galopante, dando voltas atrás e ao redor dele, pegando-o desprevenido, segurando-o com força e firmeza.

Em uma espécie de pânico desesperado e surpreso, enlacei Reid com as pernas, puxando-o para mais perto de mim, aliviada quando o prazer que me tomou ao sentir todo o seu comprimento dentro de mim dispersou o resto daquelas letras que surgiram cedo demais, como se elas fossem casquinhas de lápis que soprei de uma página. Naquele momento, tudo em que conseguia pensar era na próxima investida de seus quadris, no próximo movimento dos meus, no modo como juntos encontramos um ritmo tão fácil e perfeito, como andar em sincronia, como ler os sinais que compartilhamos um com o outro – um toque aqui, uma sugada ali, um arquejo, um gemido, um suspiro.

Desmentindo-me, minha onda de prazer cresceu rápida e insistente.

– Reid – arfei. – Estou perto.

Ele – aquele homem lindo, inteligente, sempre atento – abaixou a cabeça, pressionando a testa na massa, agora emaranhada, dos meus cabelos, respirando com dificuldade enquanto mantinha *exatamente* o mesmo ritmo, que me balançou para um gozo tão intenso como nunca havia experimentado antes.

– Bom – ele disse de novo, e fiquei tão excitada pela forma como sua respiração saiu em arfadas, pelo modo como sua voz saiu tensa, quase por entre os dentes, mantendo-se firme em seu controle.

– Venha comigo – implorei. – Por favor, por favor, por favor.

E não sei como ele fez aquilo, Reid com seus números misteriosos e mágicos, mas ele fez, como se cada uma das minhas súplicas fosse uma conta para ele, e assim ele trabalhou suas investidas perfeitas e rijas...

um

dois

três

... então desmoronei, gritando meu alívio e minha liberação, sentindo-o tenso e depois estremecendo com o seu próprio gozo e, quando nós dois voltamos dessa pequena morte, respiração pesada, corpos suados, membros emaranhados, eu me senti saciada, orgulhosa e exausta. Tão aliviada por estar de volta com ele, que acho que nenhum de nós percebeu o jeito como passeei meus dedos por suas costas, traçando e retraçando aquele @ que envolvia meu coração, o começo de algo especial, raro e lindo.

Algo ainda cedo demais para saber se conseguiríamos terminar.

♥ ♥ ♥

Ainda era dia quando acordei.

Sozinha.

No silêncio frio do quarto de Reid, encontrei-me enrolada em seus lençóis brancos cheirando a sabonete e piscina, sua colcha azul-marinho escuro pesando leve e agradavelmente sobre meu corpo ainda nu. Seria melhor tê-lo ao meu lado – tendo o peso do seu braço em volta da minha cintura, esticando meus músculos doloridos contra a força rija de seu corpo comprido.

Mas também foi bom acordar sozinha, porque daí não precisei me preocupar com o rubor que subiu à minha face enquanto me lembrava de tudo o que havia acontecido entre nós: quente, duro e honesto. Sozinha, pude pressionar as mãos contra o rosto, sentir um sorriso lânguido se espalhar por minhas bochechas. Sozinha, pude fazer um movimento pateta, sacudindo meu corpo inteiro, celebrando o que fizemos na primeira vez, e também nas duas posteriores (uma delas tendo provado que Reid *definitivamente* "curtia" o negócio), e antecipando todas as coisas que ainda faríamos.

Respirei fundo, acalmando meu corpo e observando meu entorno pela primeira vez. O cômodo era absolutamente austero, um lembrete do que Reid me disse sobre aquele apartamento, naqueles momentos de fala mansa antes de eu adormecer.

– Mudei-me para cá depois – ele disse, deixando o nome de Avery de fora. – Nunca pensei neste lugar como um lar. – Além de uma cômoda estreita no canto, a cama e sua mesa de cabeceira solitária ocupavam a maior parte do espaço.

Além das minhas roupas – agora dobradas cuidadosamente em cima daquela cômoda – não havia muito mais no entorno. Na mesinha de cabeceira – de madeira escura, quase preta e com linhas simples – havia uma elegante luminária em aço escovado, além de um livro de capa dura e brilhante com um visor de plástico transparente mostrando a etiqueta da biblioteca. Inclinei-me para ver o título – *A Ilha no Centro do Mundo* –, abri o livro e o fino marcador de páginas cinza (é claro que ele usa um marcador de páginas) me disse que Reid estava na metade da história da Manhattan holandesa durante o século XVII. Fechei o livro e enterrei o rosto no travesseiro, perguntando-me se poderia ter outro orgasmo vendo aquilo, imaginando Reid naquela cama grande à noite, apoiado exatamente naquele travesseiro, lendo um livro da biblioteca, tentando entender uma cidade em que nada - nada além de mim, talvez - fazia sentido para ele.

Mas depois de alguns segundos, aquele silêncio - combinado com toda a austeridade - começou a me deixar inquieta, como se eu fosse uma intrusão temporária e indesejada naquele espaço.

Olhei para as minhas roupas em cima da cômoda, esforçando-me mais para ouvir o movimento do lado de fora. Pensei que talvez ele pudesse ter saído e eu devesse aproveitar essa oportunidade para ir embora antes que as coisas ficassem estranhas, aquele tipo de estranheza pós-sexo. Podia escrever-lhe um bilhete, dizer para me ligar se quisesse...

"Não", disse a mim mesma, preenchendo a cabeça com as imagens e sensações das últimas horas. Sentei-me rapidamente e saí da cama de forma deselegante, alisando uma massa de cabelos, certamente cheios de *frizz*, e alcançando a pilha de roupas. Então, ignorei todas as peças em favor da camiseta que havia emprestado a Reid, vesti-a e fui até a sala de estar, a pele das minhas pernas arrepiaram-se quando as solas dos meus pés encontraram a suavidade fria do piso de tacos.

Ele estava sentado no sofá, uma coisa cinza-escura, de cantos estreitos, que parecia absolutamente terrível para cochilos ou para dormir depois de uma noite de bebedeira e briga. Suas roupas pareciam confortáveis - calça esportiva cinza-claro e uma camiseta branca, mas ele estava sentado rígido, com o celular na mão, o polegar que tinha acalmado tão suavemente as costas das minhas mãos apenas algumas horas atrás, movendo-se impaciente e irritadamente sobre o tela.

- Oi - cumprimentei.

Imediatamente sua cabeça se levantou, o polegar se imobilizando. O alívio suave em seus olhos e o meio sorriso que dirigiu para mim me ajudaram muito a tranquilizar minha mente que estava incerta se ele ainda me queria ali.

– Você deveria ter me acordado – eu disse, gostando do jeito como ele me observava caminhar em sua direção, do jeito que ele estendeu a mão para a minha e me puxou para perto dele. O sofá que, com certeza, não foi feito pensando em conforto, só ficou melhor porque Reid me puxou para muito perto, as minhas pernas se engancharam sobre uma das pernas dele, absorvendo seu calor, e seu braço pousou ao meu redor.

– Dormi mais do que você ontem à noite – ele disse, inclinando-se para pressionar um beijo contra minha têmpora, respirando profundamente, e aquele adorável aperto em forma de R em volta do meu coração apareceu novamente. Foi um momento tão bom, tão natural e tão simples.

Mas, então, o celular que ele ainda estava segurando apitou, e sua cabeça caiu para trás, seus olhos se fecharam de frustração.

– Você perdeu muita coisa ontem? – perguntei, e ele mal acenou com a cabeça, as linhas de seu rosto tão duras e sombrias que eu não pude deixar de esticar a mão e acompanhar com a ponta do dedo sua linha do cabelo, indo até a testa, passando sobre a forte inclinação de seu nariz e a suave ascensão de seus lábios. *Esse rosto*, pensei, maravilhando-me com ele novamente.

Ele acenou mais uma vez, sua mandíbula estava apertada.

– Acho que foi uma má ideia ficar inacessível – ele respondeu.

Coloquei a palma da mão em seu peito e o acariciei suavemente, sentindo pena de vê-lo daquele jeito. Foi difícil presenciar toda aquela tensão de perto. Com a camiseta que ele estava, as manchas em sua pele estavam à mostra. Se por um lado não tentar escondê-las de mim foi um gesto que denotou nossa nova proximidade, por outro, vê-las também foi um lembrete do que ele havia me dito: que sua pele ficava daquele jeito quando ele estava estressado, e que seu trabalho era o principal motivo.

– Seu trabalho é... – observei, fazendo uma pausa para limpar a garganta, descendo os olhos para o lugar onde minha mão descansava, bem sobre o batimento constante de seu coração. – Seu trabalho é o motivo de você estar saindo de Nova York?

Vi, pelo canto dos olhos, a forma como sua mão apertava o celular.

– Sim – ele respondeu simplesmente. Sombriamente. E, depois de uma longa pausa, acrescentou: – Concordei em finalizar algo. Mas depois disso...

– Depois disso, você vai embora.

Não era uma pergunta, e ele não respondeu. De fato, não havia nada a dizer, a fazer, a não ser ficar quieta por um momento, sentindo os batimentos do seu coração contra a minha mão e me forçando a imaginar como afrouxar aqueles laços sorrateiros e inesperados ao redor do meu.

– Posso ir embora – falei depois de alguns segundos em silêncio, durante os quais o celular de Reid apitou mais duas vezes. – Se precisa colocar o trabalho em dia.

Não disse aquilo para ser uma mártir ou porque estivesse sentindo pena de mim mesma. Disse porque Reid realmente parecia ter trabalho a fazer, e não o culpava por isso. De qualquer forma, eu tinha meu próprio trabalho a colocar em dia – esboços para os quais voltar, uma nova agitação em minha mente e minhas mãos, além da meta que havia colocado em relação a Sibby e a Lark. Seria sensato da minha parte lembrar-me de tudo aquilo – lembrar-me de que Reid era um acessório temporário, e sempre foi, não importando o que tinha acontecido entre nós.

Reid se moveu e apertou um botão na lateral de seu celular antes de colocá-lo no braço quadrado do sofá. Com a mão agora livre, ele alcançou minha coxa e puxou-a suavemente, manobrando-me até que eu estivesse montada em seu colo, a camiseta enrolada em volta da minha cintura.

Meu cabelo caiu para a frente, bagunçado ao redor do meu rosto, e Reid estendeu a mão, empurrando-o para trás dos meus ombros, acariciando-o levemente de forma que fez meu couro cabeludo formigar de prazer.

– Isso pode esperar – ele disse. E eu sorri para ele, secretamente satisfeita porque ainda não tínhamos encerrado o dia.

– Mesmo?

– Mesmo – ele repetiu, mas, dessa vez, não soou inexpressivo ou sombrio. Ele escorregou as mãos do meu cabelo para as minhas costas, pressionando-as, movendo-me para mais perto dele. – Fique aqui esta noite.

Respondi inclinando-me e beijando-o. Quando finalmente paramos, longos minutos depois, ele manteve o menor espaço possível entre nossos lábios.

– Você é a melhor parte desta cidade – ele sussurrou. Fechei os olhos e o beijei novamente, mentindo para mim mesma o tempo todo, dizendo que podia facilmente transformar aquele *A* em um *G*, e ficar no território do *g-o-s-t-a-r*, convencendo-me de que aquela letra rebelde não cortaria meu coração quando Reid partisse.

Capítulo 14

– Ah, gostei desses, Meg.

Na parte de trás da loja, Lachelle olhava meus últimos esboços para a Make It Happyn, sua expressão estava séria, focada. Agora eu estava empolgada com o trabalho para a Make It Happyn, que exigiu que uma das artes fosse um *planner* anual com temática botânica e, há muito tempo, esse vinha sendo um dos meus principais bloqueios. No início daquela primavera, mergulhada na miséria de março e abril, cada tentativa com motivos florais que fiz parecia banal, familiar, muito semelhante aos trabalhos que estava fazendo para meus clientes.

Mas em uma manhã de domingo... Especificamente, aquela após o primeiro dia e a primeira noite perfeitos que passei na cama de Reid – acordei com uma nova ideia. Meu *planner* botânico não seria floral; seria arbóreo. Doze meses inspirados nas árvores do Prospect Park – quase duzentas espécies, segundo o site do parque, e passei dias estudando fotos, reimaginando seus troncos, galhos e folhas, para criar alfabetos totalmente novos que eu pudesse desenhar para as páginas mensais. Ainda não havia chegado exatamente ao ponto que eu queria, mas podia sentir que estava no caminho certo.

– Ninguém mais vai pensar em fazer árvores – Lachelle comentou, e esse era o tipo de resposta que eu esperava dela desde que finalmente, na semana anterior, eu havia contado a ela e a Cecelia sobre a Make It Happyn.

Cecelia havia me parabenizado toda emocionada e contente; e Lachelle também, por cerca de quinze segundos. Depois, sua veia competitiva assumiu o controle e, desde então, ela vinha se dedicando a falar de estratégia, a olhar cada um dos meus esboços e a julgar sua qualidade. Um dia ela me mandou uma mensagem com o nome de outro calígrafo de São Francisco que ela achava que estava à altura do trabalho. "*Ele é bom, ACHO*", ela mandou na mensagem, "*mas as suas coisas são melhores*".

– Sim – ela disse, balançando a cabeça. – Gosto bastante.

– Mas não *ama* – completei, e ela deslizou os olhos na minha direção, como se desconfiasse da minha ênfase.

E a verdade é que ela devia mesmo desconfiar. ***G-O-S-T-A-R***, afinal, era uma palavra que estava revirando muito na minha cabeça nas últimas duas semanas, eu estava tentando absorvê-la em meu ser, tentando evitar que se tornasse algo a mais.

Apenas *gosto* de estar com Reid, eu dizia a mim mesma. Apenas *gostava* do tempo que passávamos juntos andando, conversando, comendo, fazendo am... Apenas *gostava* do jeito suave como ele me tocava – segurando minha mão na sua enquanto caminhávamos ou pressionando a sua mão nas minhas costas enquanto esperávamos na fila de algum restaurante ou passando os dedos pelo meu cabelo à noite antes de adormecermos. Apenas *gostava* quando ele me tocava também de maneira ávida – agarrando meu cabelo ou meus quadris quando estava dentro de mim, puxando meu corpo para perto do dele quando acordava sonolento, descobrindo que havíamos nos afastado durante a noite. Apenas *gostava* dos segredos e sons que seu corpo me contava quando estávamos juntos – um suspiro quando eu o acariciava. Um pequeno gemido e estremecimento de prazer na primeira investida dentro de mim. O jeito áspero e levemente censurador com que ele dizia "Meg", quando eu apertava meus músculos internos ao redor dele, empurrando-o para um limite que ele ainda não queria ultrapassar.

E apenas *gostava* dos hábitos engraçados e detalhes doces que aprendi sobre ele: que era monstruosamente resoluto quando se tratava do horário de acordar durante a semana, nunca apertando o botão soneca nem *uma vez*, mas sempre puxando as cobertas sobre mim cuidadosamente e dando um beijo nos meus cabelos antes de sair. Que ele tinha uma marca de chá favorita. Que ele nunca havia tomado uma única multa na biblioteca. Que ele sempre ligava quando tinha que trabalhar até tarde e que sempre pareceria frustrado e desapontado quando não poderíamos nos ver por causa disso.

Gostar, gostar, gostar, eu dizia a mim mesma, especialmente quando surgia algum pequeno lembrete de sua impermanência na cidade. Uma carta pregada em sua geladeira lembrando-o de que não havia renovado o aluguel do apartamento, lembrando-me que sempre foi algo temporário para ele, de qualquer maneira. Um silêncio constrangedor em uma caminhada quando passávamos por um cartaz interessante de uma estreia *off-Broadway* marcada para setembro. A resposta curta que o ouvi dar em uma ligação de trabalho. No início daquela semana, ele havia recebido várias dessas ligações, mas nunca quis falar sobre nenhuma delas, só disse: "Não vai ser problema meu, porque não estarei lá".

– Amar, mas por acaso vou me casar com isso? – Lachelle disse, interrompendo meus pensamentos incisivamente. Ela deu de ombros e completou: – Acho que você precisa usar mais as cores. *Daí*, provavelmente vou amar.

– Feito – respondi, inclinando-me para escrever um lembrete para mim mesma no caderno. Quando me endireitei novamente, dei a ela um sorriso agradecido antes de começar a juntar as páginas. Cecelia e Lachelle iriam dar uma aula de caligrafia para iniciantes em cerca de uma hora, então eu precisava sair.

Quando eu estava guardando a última pilha de papéis, Lachelle me deu uma leve cutucada e disse:

– Você fez tanto progresso, e ainda falta quase um mês!

– Sim – respondi alegremente, detectando uma ligeira falsidade em meu tom que esperava que Lachelle não percebesse. O progresso que fiz no trabalho foi enorme, com certeza, especialmente em comparação com as semanas e semanas que passei completamente bloqueada, e eu estava definitivamente orgulhosa disso. Eu sabia que ainda não havia chegado lá; Lachelle estava certa, eu *precisava* trabalhar mais com as cores; mas, ainda assim, nos meus momentos de maior confiança, perguntei-me se conseguiria produzir mais de três artes completas para poder escolher entre elas quando chegasse a hora da apresentação. Pela primeira vez desde aqueles primeiros dias depois de receber a ligação, eu me permiti imaginar como seria ser escolhida, ter uma linha com aqueles esboços nas lojas em todos os lugares.

Mas, com exceção de tudo o que aconteceu com Reid, não houve muito progresso com o *outro* trabalho que Lachelle me encorajou a fazer, porque minhas oportunidades de praticar a arte da briga – com Lark, com Sibby – tinham sido inexistentes ou mínimas. Eu tinha quase certeza de que Lark estava tentando encontrar uma maneira gentil de me demitir, porque ela havia me mandado um e-mail perguntando se poderíamos "fazer uma pausa" no projeto enquanto ela "tomava algumas outras decisões sobre a casa".

Minha resposta – perguntando se poderíamos nos encontrar para uma reunião de todo modo – ficou sem resposta.

Já os desencontros com Sibby eram mais minha responsabilidade, uma vez que fiquei com Reid em uma noite que tinha quase certeza de que ela estaria no apartamento e em outra que, por ter me acovardado, não iniciei a conversa quando ela voltou para casa com Elijah a reboque em vez de sozinha, como eu esperava. Mas incidentalmente, na mesma noite em que vi aquela carta de renovação de aluguel na geladeira de Reid, tive uma sensação de urgência em resolver minha situação com Sibby, censurando-me por ter deixado a bola cair. Afinal, ela também partiria em breve. Claro, estaríamos na mesma cidade, mas do jeito que as coisas estavam, seria o mesmo que ela estar a estados inteiros, países inteiros de distância.

O que eu estava fazendo, afinal de contas? Estava deixando um romance de verão com um homem que estava indo embora, de quem eu apenas *gostava* – sim, apenas gostava, que fique claro –, atrapalhar a resolução daquele enorme problema com minha melhor amiga?

Liguei para ela imediatamente, aquela carta de aluguel pairando em algum lugar sobre meu ombro. Até deixei uma mensagem de voz dizendo, em tom sério: "Sib, preciso falar com você. Estarei em casa durante o dia e a noite toda amanhã, me liga para marcarmos".

Mas ela não ligou. Enviou-me uma mensagem de volta uma hora depois, naquele tom educado que costuma haver entre pessoas que apenas dividem um apartamento, tudo de acordo com o protocolo de comunicação que ela vinha seguindo comigo ultimamente: *Estou no Elijah hoje à noite e saindo supercedo amanhã para os Hamptons com os Whalens. Volto no próximo sábado. É urgente? Se não, nos falamos. Desculpe pelas caixas em casa!* Senti meus ombros caírem de decepção enquanto lia.

Peguei meu portfólio e a bolsa, observando enquanto Lachelle começava a arrumar os suprimentos para a aula.

– Estou indo para casa para trabalhar – eu disse, determinada, mais para mim do que para ela. Mas eu estava *mesmo* resoluta, porque se Sibby voltasse no dia seguinte, estaria lá para encontrá-la. Avisei Reid que provavelmente eu não estaria livre até domingo, e meu plano, naquela noite, era arrumar o apartamento enquanto eu praticava o que queria dizer a ela. Uma noite sozinha, imaginei, seria uma boa preparação e, quando ela voltasse, teríamos aquela coisa da qual ambas estávamos nos escondendo.

– Vá com calma – Lachelle aconselhou. – Descanse as mãos.

– Pode deixar – respondi, acenando para ela enquanto saía, desejando que o trabalho que eu tinha pela frente fosse tão fácil quanto o que estava fazendo com as mãos nos últimos tempos.

Cedendo a uma velha tradição de melhor amiga de levar para casa algumas das coisas favoritas de Sibby, fiz uma parada rápida na mercearia, porque achei que iria gostar disso depois de ficar fora. O lugar estava lotado daquele jeito que costumava ficar nas sextas-feiras à tarde, mas Trina, atrás do balcão, ainda encontrou tempo para me dizer que se livrou da infecção no umbigo causada pelo *piercing*, e comemorou colocando outro "em um lugar privado". Felizmente, para mim e para todos os demais na fila, ela não se ofereceu para mostrar. Quando cheguei em casa, o carteiro estava separando as correspondências dos morados do prédio, então eu me sentei nos degraus da entrada e fiquei conversando com ele, que adorava uma conversa sobre o clima, enquanto esperava ele chegar às cartas endereçadas a mim e a Sibby.

Meu celular apitou quando o carteiro já estava terminando sua tarefa. Enquanto me despedia dele, bati o olho na tela e vi, com um sorriso, que havia recebido uma nova mensagem de Reid.

Sentirei sua falta esta noite, dizia a mensagem, porque Reid mandava mensagens diretas assim como falava de forma direta. *Espero que tudo corra bem. Ligue se precisar.*

Você apenas gosta *dele, Meg*, pensei enquanto olhava para a mensagem, aquele *A* apertando meu coração novamente.

G-O-S-T-A-R, soletrei na minha cabeça.

Mas assim que eu estava me preparando para responder, minha tela piscou com uma outra palavra, essa de quatro letras.

L-A-R-K, eu li, e aquela foi a primeira indicação que recebi de que meu fim de semana estava prestes a ser muito diferente do que eu havia planejado.

O negócio é o seguinte: não é fácil preparar sua casa para uma visita não planejada de uma princesa.

A voz de Lark ao celular tinha sido suave, amigável, talvez até envergonhada – muito diferente da maneira fria que havia falado comigo na última vez em que a vi. Ela estava na vizinhança e queria ver se podia passar na loja.

– Estou em casa agora, mas posso voltar lá rapidamente – respondi. – Porém o lugar estará cheio, há uma aula acontecendo lá agora. Que tal nos encontrarmos em um... – Mas, então, lembrei-me de sua relutância em ir a locais públicos.

– Eu poderia ir até você – Lark disse, preenchendo o silêncio constrangedor e, dois minutos depois, eu estava enviando meu endereço a ela por mensagem e repassando freneticamente uma lista mental de tudo o que estava espalhado pela casa e precisava ser guardado.

Eu não podia fazer muita coisa quanto às caixas amontoadas nos cantos, mas fiz o melhor que pude com todo o resto. Uma rápida limpeza na cozinha; aquela velha estratégia de pegar a bagunça, juntar com a correspondência que havia deixado empilhar em nossa mesa de café da manhã nos últimos dias e enfiar em outro lugar; uma tentativa afobada de arrumar a mesa de centro e o sofá que, vergonhosamente, porque Reid havia estado lá na noite anterior, envolveu enfiar um dos meus sutiãs entre as almofadas. Meu rosto aqueceu-se com a lembrança daquele interlúdio em particular, que terminou comigo de joelhos e Reid com as mãos nos meus cabelos.

Quando liguei para ela, aproveitei os últimos segundos para olhar em volta (e talvez também para abanar meu rosto quente), ciente de quão pequeno e bagunçado o apartamento ainda pareceria para ela comparado à torre do castelo à qual ela estava acostumada.

Mas quando abri a porta, me lembrei: Lark não era uma princesa de verdade, e sua casa não era uma torre. Ela era um metro e meio de pessoa normal e, naquele momento, um sorriso constrangido com – se eu não estava enganada – um olhar tímido. Assim, ao vê-la parada ali, na coisa mais próxima que eu tinha de um alpendre, suspeitei que ela estivesse se sentindo tão estranha quanto eu na última vez em que havíamos nos visto.

– Entre – eu disse, conduzindo-a para o sofá, que parecia um pouco amassado. Alegremente, fui listando todas as bebidas que eu tinha na geladeira, mesmo já sabendo que ela recusaria. Percebi que eu estava tentando voltar ao velho hábito de evitar confrontos, mesmo um que estava determinada a ter. Não era a briga para a qual eu havia me preparado naquele dia, claro, mas eu não poderia ignorar a oportunidade.

– Obrigada por me receber – ela disse quando finalmente me sentei do outro lado do sofá. Ela estava com as mãos firmemente uma contra a outra sobre o colo, e era possível ver o nó que subia e descia em sua garganta quando engoliu em seco.

Não pela primeira vez, pensei que Lark e eu provavelmente, tínhamos mais em comum do que jamais poderíamos imaginar à primeira vista.

– Desculpe não ter ligado – ela disse alegremente. – Estava superocupada trabalhando com uma nova decoradora que Jade contratou, além disso fizemos uma viagem rápida até Toronto para umas filmagens que Cam está realizando, e tem tantas compras a fazer...

– Lark – eu interrompi. Vê-la se esforçando naquela encenação, de alguma forma, me impediu de tentar fazer isso eu mesma. – Está tudo bem. Eu entendo.

Ela me olhou com um arrependimento mudo e envergonhado que me fez querer mudar de assunto por ela. Em vez disso, atirei:

– Sei que falei o que não devia em nossa última reunião.

Ela piscou para mim e abaixou a cabeça por um minuto, tirando fiapos de seu *jeans* preto.

– Não – ela respondeu finalmente, levantando o queixo. – *Ele* falou o que não devia. Fiquei tão envergonhada por ele ter agido daquela maneira na sua frente. Não apenas... você sabe, o que ele disse sobre mim. Mas também sua... – Ela se deteve, apertando os lábios.

– Sua péssima ideia de citação? – completei, enviando um sorriso em sua direção.

Ela levantou a mão para a linha do cabelo, fazendo uma careta e soltando uma risada exasperada.

– Não sei de *onde* ele tira essas coisas. Toda vez que chego perto de definir uma ideia para a casa, ele vem com algo tão... tão inapropriado.

Meu sorriso desapareceu. *Ele está fazendo isso para controlar você*, pensei. *Ele está fazendo isso para que você se sinta insegura de suas decisões.*

– Espero que você não aceite isso – eu disse e, dessa vez, minha voz não tinha nenhum traço de animação. – Espero que você não se veja como... cabeça oca.

– Não penso assim – ela afirmou, e a rapidez e a confiança de sua resposta me tranquilizaram um pouco. Então ela abaixou a cabeça novamente, olhando para suas mãos crispadas. – Mas estou bem perdida aqui. Em Nova York, quero dizer. A verdade é que eu tinha acabado de me acostumar com Los Angeles.

– É bem diferente, imagino.

Ela me olhou com um sorriso sarcástico, daqueles de boca fechada. "Você não tem ideia", dizia aquele sorriso.

– Eu tinha mais amigos lá, sabe? Nós nos mudamos para cá e eu... Ele é a *única* pessoa por perto.

Dei uma risada suave.

– Acredite em mim, eu entendo.

– Você se mudou para cá por causa de um cara?

– Não, me mudei para cá para... recomeçar. Mas, quando cheguei, só conhecia uma pessoa. – Meus olhos seguiram para as caixas que pontilhavam o espaço daquele apartamento muito amado e cheio de memórias e tentei reprimir outra sensação inconveniente de urgência. Prossegui: – A princípio, de fato, só via a cidade por meio dela. Demorei um pouco para encontrar o meu próprio caminho. – Mas não contei a ela que eu tinha cem por cento de certeza de que ver a cidade através dos olhos de Sibby era bem melhor do que através dos de Cameron. – Fica mais fácil, uma vez que você se aventure – acrescentei.

Ela acenou com a cabeça, mas sua expressão era distante. Pensei em tudo o que eu sabia sobre Lark: como ela parecia pensar que se encaixar naquela cidade significava usar preto da cabeça aos pés. Como ela achava que alguém no Brooklyn se importaria se ela entrasse em um café. Como ela, de alguma forma, achava que Cameron – um sujeito que usava um colar de dente de tubarão! – era mais qualificado para se dar bem em Nova York do que ela.

– Sabe – eu disse, mantendo a voz leve, o tipo certo de leveza próprio para confrontos. – Conheço muito bem esta cidade. Quando quiser dar uma volta, me avise.

– Sério?

– Claro.

– Isso é muito gentil da sua parte, Meg. Especialmente depois da maneira como agi. Sinto muito por isso.

– Não precisa se desculpar. – Ainda enquanto falava, já sabia que a frase estava incompleta. Sabia que aquilo não era tudo o que eu tinha a dizer. Minha fala estava fazendo Lark se sentir melhor, mas não eu.

Então respirei fundo.

– Mas acho... se você quiser que continuemos trabalhando juntas na casa... que eu preferiria receber instruções de apenas uma pessoa. Minha posição fica difícil quando há muito conflito em relação à encomenda. Porém entendo perfeitamente se isso não funcionar para você.

Houve uma longa e constrangedora pausa antes que ela falasse novamente. Era possível ouvir as partículas de poeira conversando umas com as outras, de tão profundo o silêncio enquanto eu esperava que ela me dissesse se o acordo estava cancelado. Não importava que eu tinha tido duas ótimas semanas de trabalho no projeto para a Make It Happyn: naquele momento, as caixas embaladas de Sibby pareciam gritar um lembrete do porquê era importante para mim manter aquele trabalho também. Meu corpo pareceu endireitar-se e assumir uma postura preparatória. Pensei em Reid e me perguntei se era assim que seu corpo se sentia o tempo todo. Devia ser exaustivo.

– Meus outros amigos também não gostam dele – Lark disse finalmente. – Os de Los Angeles.

"Meus outros amigos", ouvi e interpretei essa frase como um gesto recíproco à minha oferta para sairmos juntas quando ela quisesse. Lark me considerava sua *amiga*, não apenas sua prestadora de serviços. Dei de ombros.

– Bem, comigo foi apenas um encontro.

Eu não disse isso porque achava que Cameron melhorava passado um tempo de convívio; na verdade, tinha quase certeza de que não. Eu disse isso porque – como sua nova amiga – não achava que ajudaria, naquele momento, colocar ainda mais pressão. Achei que ouvir outra coisa ajudaria mais.

– Pense que você tem pelo menos duas pessoas aqui na cidade, ok?

Ela olhou para mim e me deu seu sorriso de boca fechada.

– Obrigada – ela disse suavemente. Ela engoliu em seco e seu rosto brilhou brevemente com emoção antes que ela as controlasse novamente e assumisse um ar mais neutro, indiferente. Então, ela olhou para mim e soltou uma pequena risada sarcástica. – Homens – comentou, revirando os olhos. – Não é?

Pisquei surpresa ao ver aquele lado de Lark, aquele lado mais Princesa Freddie. Mas me recuperei rapidamente. Sabia que aquele seria um passo frágil na nova e incipiente amizade que estava surgindo ali.

– Talvez essa deva ser a citação para a parede – sugeri, fazendo minha melhor imitação inexpressiva de Reid.

Ela inclinou a cabeça para trás e riu, sem cobrir a boca dessa vez, e então eu ri também, aquele tipo de risada que nos pega de surpresa, o tipo de risada que não tem a ver com o assunto inicial. Você ri por causa da risada da pessoa com quem está, porque a certa altura o *próprio riso* se torna engraçado.

Lark levantou as mãos, movendo-as como quem revela um letreiro, e disse "HOMENS" de novo, como se anunciasse um grande *show* e, de alguma forma, foi muito engraçado. Vi escrito em lâmpadas:

H-O-M-E-N-S

E ri mais ainda. Imaginei o letreiro ganhando vida em um esplendor de glória. Levantei uma mão e estalei várias vezes os dedos imaginando cada lâmpada se acendendo a cada estalo – bem, exceto talvez uma, uma lâmpada muito especial – queimando num clarão decepcionante, e o mais engraçado foi que achei que Lark entendeu, de modo que ela se inclinou para a frente rindo muito e abraçando a barriga, e nós rimos e rimos, e acho que foi por isso que não ouvi quando a porta se abriu.

Acho que foi por isso que perdi a chegada de Sibby.

Capítulo 15

– Puta merda.

Tive quase certeza de que não era o que Sibby gostaria de dizer ao conhecer um dos ídolos de nossa infância, mas só de olhar para ela ali, parada na porta, eu já percebi que ela não estava no melhor momento para pensar racionalmente. Já presenciei ela voltando da casa dos Hamptons vezes o suficiente para saber que Sibby possivelmente estava voltando de alguns dias estressantes com os Whalens, já que Tilda só gostava de piscina, as crianças só gostavam de praia, e o Sr. Whalen gostava apenas de si mesmo e de seu *notebook*. Mesmo em seu choque, pude ver que Sibby havia voltado para casa uma pilha de nervos; sua camiseta tinha pelo menos duas manchas, os óculos escuros eram a única coisa mantendo seus cachos em alguma ordem e aquela asa de delineador preta, geralmente perfeita, em sua pálpebra esquerda, já tinha visto dias melhores.

– Sib – eu disse, levantando-me do sofá. – Oi, bem-vinda de volta!

Em vez de responder à minha saudação, ela encarou Lark, boquiaberta. Por um segundo, seu olhar se moveu ao redor da sala, como que procurando por uma barraca dobrável. Foi estranho, mas entendi. Eu pelo menos tive um aviso prévio antes de conhecê-la.

– Esta é Lark Tannen-Fisher – acrescentei, ridiculamente. – Ela é...

– Princesa Freddie – Sibby completou, o que definitivamente não era o que pretendia dizer.

Lark fez uma careta.

– Quer dizer... – Sibby retomou – esse era o nosso filme favorito.

Olhei surpresa para ela. Há muito tempo não havia o "nosso" favorito. Mas tive certeza de que ela ainda estava em um espaço onde tudo o que dizia era sem querer.

– Bem... – Lark disse, já em pé, alisando sua camiseta (preta). Uma expressão de celebridade diante das câmeras assomando o seu rosto. – Fico muito contente.

– Lark, esta é Sibby, minha...

– Sibyl – Sibby me corrigiu, depositando a mala de mão com rodinhas no chão, dando um passo à frente e estendendo uma mão trêmula. Então sorriu largamente, mas Lark manteve a expressão de celebridade, parecendo prestes a dizer qual estilista estava vestindo ou afirmar que estava "feliz por ter sido indicada ao prêmio de melhor atriz".

Senti o desconforto de Lark, mas também me senti imediatamente protetora em relação a Sibby, porque sabia que, quando a surpresa passasse, ela ficaria muito chateada consigo mesma por ter chamado Lark de Princesa Freddie. Provavelmente também não ficaria feliz quando notasse aquele delineador. E definitivamente desejaria que estivesse vestindo uma camiseta limpa.

– Tenho feito alguns trabalhos para Lark – expliquei, para preencher o que pareceu ser um milênio inteiro de silêncio e aperto de mão. – Ela é nova na cidade.

– Ah. Bem, isso é maravilhoso! Nossa Meg é a melhor, não é mesmo?

"Nossa Meg"? Foram dois "nossos" em cerca de dois minutos e isso não fazia sentido em qualquer outro lugar a não ser no Reino de Sarcástica onde Sibby era a Sua Majestade, já que sarcasmo foi o que ela destilou ao fazer o elogio.

– Sim – Lark respondeu, e pareceu que ela também notou o tom, porque olhou em minha direção brevemente antes de olhar de volta para Sibby.

– Prazer em conhecê-la.

– Igualmente – Sibby respondeu, mudando sua postura para parecer completamente indiferente, quase fria. – Bem-vinda à vizinhança.

– Obrigada – Lark disse, igualmente fria, antes de se virar para mim. – Meg, eu ligo pra você, ok?

– Claro! – confirmei, contornando a bagagem abandonada de Sibby, e conduzindo Lark até a porta. Enquanto nos despedimos, pude sentir Sibby no cômodo às minhas costas e, embora aquele tenha sido o Apartamento Número Constrangimento por meses, pude sentir que não iria me virar para encarar a colega de quarto educada, distante, do tipo "está-tudo-bem".

Quando fechei a porta, Sibby estava em pé, braços cruzados sobre o peito, cabeça inclinada para o lado. Suas bochechas, muito vermelhas.

– Princesa Freddie, hein? – ela disse naquele mesmo tom sarcástico de antes.

Foi tão irritante que pensei em corrigi-la dizendo: "O nome dela é Lark", mas, em vez disso, dei de ombros.

– Sim, é um trabalho que surgiu há algum tempo.

– Não estou acreditando que você não me disse nada.

Imediatamente abri a boca para pedir perdão, dar alguma desculpa que colocasse toda a culpa em mim, ou que pelo menos a absolvesse inteiramente. "Tenho estado tão ocupada", eu poderia dizer. Ou "ela é uma pessoa bastante reservada".

Mas, em vez disso, pressionei meus lábios novamente e lembrei que aquela era a oportunidade que eu estava à procura. Claro, não foi o cenário para o qual pratiquei, mas tinha que acontecer e, talvez, precisamente naquele momento. Apesar da maneira como ela estava agindo, eu a conhecia e sabia que estava envergonhada e magoada, mas ela ainda era a minha melhor amiga.

Eu *tinha* que fazer com que as coisas entre nós melhorassem.

– Não tem havido muitas oportunidades de lhe dizer coisa alguma ultimamente – respondi.

Ela me encarou.

– Você poderia ter me mandado uma mensagem.

O discurso do Reino de Sarcástica deve ter sido contagiante, porque a primeira coisa que pensei em dizer foi: "Falar por mensagem é a sua maneira de fazer as coisas, não a minha". Em vez disso, respirei e tentei acalmar a previsível agitação em meu estômago.

– Conversar por mensagem não é o jeito como quero contar as coisas para você – retruquei.

Houve uma longa pausa, em que Sibby simplesmente me encarou, como se estivesse tentando decidir se aquela discussão valia a pena.

E meu coração quase se partiu quando ela descruzou os braços e deu de ombros, indo em direção à sua bagagem.

– Nós duas temos estado muito ocupadas.

Dei alguns passos, me colocando entre ela e a mala. Porque, para mim, nossa amizade ainda valia a pena.

– Sib. Não faça isso. Vamos finalmente conversar.

Ela parou e cruzou os braços novamente. Mas pude perceber sua surpresa.

– Ouça, sei que o fato de eu estar me mudando torna as coisas meio estranhas.

– Não é isso que está causando o estranhamento. Tem estado estranho entre nós há meses. Não quero mais fingir que não está.

Seu rosto suavizou-se, e ela baixou os olhos para o nosso piso desgastado. Eu continuei:

– Deve ser porque... você sabe como é quando você entra em um novo relacionamento. Elijah e eu...

– Não é Elijah. Isso começou antes dele. Você sabe disso.

A suavidade em seu rosto desapareceu, e ela levantou o queixo.

– Meg, você está fazendo uma tempestade em copo d'água. Eu mudei, você mudou. Isso acontece às vezes.

"Você sabe disso"? "Isso acontece às vezes"? Como se ela estivesse me *ensinando*, de alguma forma, sobre como as amizades se dão. A nossa, em particular. Uma vez, segurei o cabelo dessa mulher enquanto ela vomitava em um *cooler* no baile de formatura. Fiquei de quatro no chão da estação Union Square para ajudá-la a encontrar um de seus brincos favoritos, embora o par tivesse custado apenas quinze dólares. Guardei rancor contra qualquer um que já havia feito o menor mal a ela. Eu sabia o que era amizade!

E sabia que não estava fazendo tempestade em copo d'água.

– Isso não acontece conosco – respondi, orgulhosa de como mantive a voz calma. – Quero saber o que mudou entre *nós*, quero saber por que não quis mais passar tempo comigo e parou de me contar sobre o seu dia. Quero saber por que me evita o tempo todo.

– Vai ficar melhor quando eu estiver na casa nova, ok?

Senti minha testa franzir em confusão.

– Como será melhor? Você realmente acha que vamos passar mais tempo juntas com um rio nos separando?

Ela soltou um suspiro exasperado.

– Você não pode deixar isso pra lá?

Era uma versão de algo que eu já havia ouvido antes. Dos meus pais, principalmente naquele último ano em que eu ainda morava com eles. De mim mesma também, sempre que quis evitar algo difícil. "Deixe para lá, Meg"; e ainda havia uma parte de mim que queria fazer exatamente isso.

Mas eu estava diferente. Eu já não ficava mais só me protegendo.

Eu pressionava. Eu praticava. Eu *ficava*.

– Não, não posso.

Por longos segundos pensei que ela não iria me responder. Achei que simplesmente daria meia-volta e caminharia a curta distância até seu quarto encaixotado. Pensei que, se ela fizesse isso, eu teria que aceitar.

Não poderia forçá-la a falar comigo, a brigar comigo. Mas, pelo menos, eu saberia que tentei.

– Quero resolver isso, Sib. Não pode ser pior do que já tem sido...

– Estou com *inveja*, ok? – ela disse, interrompendo-me. Mas sua voz, em contraste com as palavras, não parecia uma confissão triste e arrependida. Vi aquele "inveja" como uma espada: o *j*, um punho curvo e elaborado, as letras ao redor, inclinadas e afiadas, estreitando-se entre si até se fecharem em uma única lâmina de ponta precisa e dolorosa.

Pisquei atordoada.

– Com inveja?

Tinha alguma coisa errada: não existia isso entre nós duas. Tirávamos sarro de garotas assim. Rejeitávamos esse tipo de coisa com celebrações elaboradas das conquistas uma da outra. Sempre. Sempre, até...

– Por causa do meu negócio? – questionei, hesitante. Voltei alguns meses atrás em minha cabeça, para quando o artigo do *Times* saiu. Na ocasião, Sibby e eu saímos para jantar em um restaurante chique, do tipo que é preciso fazer reserva. Bebemos champanhe. Brindamos à Calígrafa de Park Slope e fomos a um novo espetáculo que ela estava louca para assistir. Ela *havia* celebrado. Mas depois...

Depois ela, *de fato*, começou a se distanciar.

A princípio, tive uma sensação de alívio. Inveja entre amigos é horrível, mas nós duas poderíamos superar isso. Se eu contasse a ela como tinha sido, a pressão que eu estava sentindo, o isolamento que senti por tanto tempo. A preocupação com o bloqueio, o prazo da Make It Happyn. Se ela soubesse...

Mas, de repente, ela fez um som de escárnio e irritação, e já não senti alívio nenhum.

– Seu negócio, claro – ela disse. – Sua *vida*.

– O que tem minha vida?

Ela fechou os olhos brevemente, balançou a cabeça, e parecia estar recuando, preparando-se para interromper aquela conversa.

Mas abriu os olhos novamente e disse:

- Nova York era *meu* sonho, Meg. - Sua voz dura e tingida de tristeza. - Durante minha vida inteira planejei vir para cá. Eu amo você e fico feliz que você tenha sucesso. Mas... - Ela parou e, por um segundo miserável, vi seu queixo estremecer. Dei um passo à frente por instinto, mas ela levantou a mão. - Mas depois de todo esse tempo, ainda trabalho como babá. Passei anos fazendo aulas de dança e de canto e essas habilidades têm servido apenas para entreter duas crianças que provavelmente terão me esquecido no próximo verão, quando terão uma nova versão da senhorita Michelucci.

Essa parte não era nova. Sibby e eu passamos horas conversando sobre suas esperanças despedaçadas, sobre suas decepções e frustrações. Choramos juntas por causa de audições de merda e papéis não conquistados; reclamamos de seu trabalho como babá e das diversas coisas desagradáveis relacionadas a ele. Mas a forma como aquele ressentimento era dirigido a mim agora... Quase uma acusação - isso era novo. Novo e horrível.

- Trabalhei tanto para chegar aqui, Meg. Você sequer gostava da cidade. Você... *caiu* aqui de paraquedas.

Alguma coisa deve ter passado pelo meu rosto, algum traço da devastação que senti ao saber que era isso que Sibby pensava de mim e do meu trabalho. Ela levou a mão à testa, esfregando-a, exausta.

- Sei que você trabalha duro, ok? Eu sei. Mas você veio para cá, e dentro de *um* ano você tinha pessoas fazendo fila atrás de você. Nós nos mudamos para o Brooklyn, e logo você ficou praticamente famosa aqui e começou um negócio totalmente novo. - Ela deu uma risada ofegante e exausta, olhou para o sofá em que Lark e eu estivemos sentadas. - Você ficou amiga de uma *estrela de cinema*!

- Desculpe - eu disse, mas mesmo enquanto dizia isso, sabia que não estava certo, ou pelo menos não estava totalmente certo. Eu sentia muito pela forma como Sibby se sentia, mas não tinha certeza se devia me desculpar por ela se sentir daquele modo, pela forma como meu trabalho a fazia se sentir. Mas eu estava sem palavras. Não sabia o que dizer, por onde começar a lidar com aquilo.

– Pronto – ela disse. – Está feliz agora? Está contente de saber toda a verdade mesquinha? Melhorou as coisas ter isso tudo dito em voz alta?

– Não é mesquinho – protestei. – E é melhor. É melhor se não... se não escondermos as coisas uma da outra. Estou realmente tentando não fazer isso.

– Ótimo para você, Meg. Mas tem coisas que é melhor deixar escondidas. Não *queria* dizer tudo isso pra você. Queria trabalhar para superar esse sentimento, por conta própria, porque *sei* que não é justo com você, e sei que é mesquinho da minha parte. É *humilhante* – Sibby admitiu, sua voz falhando, seu queixo enrugando novamente. Mas imediatamente ela parou e respirou fundo. – Estou feliz com Elijah e com a possibilidade de ter novas oportunidades na cidade. É *isso* que vai ajudar. Não... *isto* que acabamos de fazer.

– Sinto muito – repeti, confusa. Pensei que estava sendo tão corajosa ao pressioná-la, mas comecei a me sentir desorientada, insegura, com medo de tê-la machucado ainda mais. – Eu não sabia. Não tinha ideia de que era isso.

Parte de mim estava me dizendo: "Pare, não a pressione". Mas outra parte dizia que eu deveria ir até o fim. Eu estava tão mergulhada nesse confronto que não sabia *como* pará-lo.

– Sib, se pudéssemos ao menos...

Mas parei de falar quando vi a expressão em seu rosto. Ela estava... *irritada*. Comigo, com aquele apartamento, com toda aquela conversa.

– Claro que é mesquinho – retrucou, como se não pudesse acreditar que eu não havia percebido. Como se *eu* fosse egoísta por não ter me dado conta.

Quase pedi desculpas novamente, porque talvez eu *tenha* sido egoísta. Poderia ter sido minha culpa. Não ter percebido, mas também não ter deixado pra lá. Quando abri a boca novamente, esperando dizer isso de forma minimamente coerente, Sibby falou primeiro, sua voz era dura e áspera.

– Nem tudo é um grande escândalo do tipo "eu não sou sua mãe de verdade", ok?

Todo o ar foi sugado para fora do apartamento. Sibby parecia absolutamente chocada com o que disse, por ter mencionado a pior coisa possível.

O segredo de família que me levou ali. O segredo que me levou a invadir seu sonho nova-iorquino.

Eu não sabia se parecia chocada. Eu nem sabia se estava chocada. Afinal, já havia passado por isso antes. E recentemente. É a isso que pressionar, brigar pode levar. Sempre soube disso.

Pode machucar. Pode machucar demais.

– Isso foi golpe baixo – eu disse, minha voz falhando.

As lágrimas que enchiam seus olhos transbordaram, deslizando cinza-escuras por suas bochechas.

– Eu sei. Sinto muito.

Eu sabia que ela sentia, e foi mais do que as lágrimas que me disseram isso. Foi a forma como seus ombros se posicionaram; a maneira como esfregava o dedo indicador com o polegar, um tique nervoso. A forma como me olhava, cheia de arrependimento.

A parte de mim que se sentou do outro lado da mesa de Lachelle e seguiu seu bom conselho, a parte de mim que fez questão de confrontar Reid antes de dormir com ele, a parte de mim que, nem meia hora antes, estabeleceu os limites relacionados ao trabalho, na conversa com Lark – essa parte de mim disse: "Fique. Fique e resolva".

Mas, essa parte de mim era muito nova ainda. Ainda lhe faltava prática suficiente para isso.

Então, fiz o que me pareceu necessário para escapar daquela dor terrível.

Fugi.

Era muito cedo.

Cedo demais para aparecer sem avisar.

Cedo demais para chorar na frente dele.

Cedo demais para dizer-lhe o motivo do choro.

Ainda assim.

Saí do apartamento com nada além de minha bolsa grande e desengonçada e meus sentimentos grandes e desengonçados, e fiz a mesma caminhada – bem, na direção oposta – que Reid havia feito há duas semanas, atravessando a imponente e espetacular Brooklyn Bridge. Em algum lugar ao longo do caminho, notei, com uma espécie de consciência distante, todas as letras rabiscadas ao longo de suas várias vigas, grafites de protesto, de identidade, de amor. *Isso deveria interessá-lo*, pensei comigo, mas, ainda assim, mantive os olhos no chão observando meus sapatos passarem com determinação, ritmicamente, sobre as tábuas de madeira gastas.

Assim que desci para a cidade, era pleno horário de pico – Lower Manhattan com suas buzinas, enxames de pessoas e um anonimato agitado que me pareceu extraordinariamente bem-vindo. Era difícil andar curvada e a esmo, sem um destino certo a me arrastar em linha reta como um imã em meio a toda aquela correria determinada de toda a gente para chegar em casa depois de uma semana de trabalho estressante e, talvez por isso, eu tenha descido os degraus do metrô próximo à prefeitura sem parar para pensar no fator *cedo demais* do que eu estava prestes a fazer.

Só quando eu já estava do lado de fora do prédio dele que finalmente caiu a ficha do que fiz. De para onde fui. Eu segurava o celular como se estivesse quente, alternando entre minhas mãos, incerta. Mandava uma mensagem para ele e diria que eu estava ali? Mandava uma mensagem para ele, mas não diria que eu estava ali? Talvez devesse deixar pra lá a ideia de mandar mensagens e ir embora. Talvez devesse fazer uma caminhada para afastar a ameaça do soluço que vinha crescendo atrás do esterno desde a conversa com Sibby.

Porém, antes que eu tivesse tempo de decidir, lá estava ele, caminhando pela rua daquele jeito perfeito e ereto: paletó escuro, dobrado e pendurado no braço. Outra camisa branca justa, o botão de cima desabotoado, as mangas abotoadas nos pulsos. Gravata azul afrouxada, puxando para a direita a alça da bolsa que cruzava seu corpo.

Que rosto, que rosto, que rosto.

E, assim que o vi, o meu rosto se enrugou completamente.

Não sei dizer como ele chegou até mim tão rápido, mas chegou, seus braços me envolvendo, seu corpo se curvando sobre o meu, sua voz baixa e tranquilizante em meu ouvido.

– Meg, querida – ele disse, e eu pensei: *Cedo demais?*, mas, ao mesmo tempo, pensei que não, não era cedo demais. Reid me chamando de *querida* me fez pensar na palavra Q-U-E-R-E-R. Ele me quer.

Aquilo foi um bálsamo.

Gostei tanto daquilo.

– O que aconteceu?

– Sibby – respondi, meu rosto contra a sua camisa perfeita... *por que* eu estava sempre sujando suas camisas elegantes? E, por alguns segundos, ele apenas me segurou mais apertado, mais perto.

– Vamos entrar – ele disse, e acenei que sim contra seu peito, provavelmente piorando a situação de maquiagem/lágrimas/manchas de choro, mas ele não pareceu se importar. Manteve o braço em volta de mim enquanto entrávamos no prédio, sua postura se endireitando quando entramos no saguão, como se estivesse desafiando alguém ao redor a olhar para mim, a me julgar por fungar alto, por esfregar as mãos no rosto sem a menor cerimônia.

Já no apartamento, ele pegou minha bolsa grande e desengonçada e me acomodou no sofá duro demais; então, foi até a cozinha e voltou com uma xícara de chá, segurando-a nas duas mãos como se fosse seu próprio coração, e isso me faz chorar ainda mais, por longos minutos, depois tudo o que ele fez foi se sentar ao meu lado, seu braço em volta dos meus ombros, forte, quente e reconfortante, a xícara de chá vaporizando conforto no ambiente todo.

E então, contei a ele sobre a briga.

Ele ouviu quieto durante quase o tempo todo, e isso era o que eu esperava – Reid sempre foi um bom ouvinte, um ouvinte determinado e, mesmo enquanto eu falava, pude sentir a forma como ele ouvia, como captava todas as pausas nas partes mais difíceis, a maneira como sentia minha respiração travar com a tensão.

Mas, quando contei sobre a pior parte – "Nem tudo é um grande escândalo do tipo 'eu não sou sua mãe de verdade'" – ele enrijeceu e se inclinou para longe de mim, levantando meu queixo em sua direção.

– O que isso quer dizer? – indagou, suas sobrancelhas franzidas de preocupação, ou talvez algo mais próximo da raiva.

Senti uma nova e inesperada pontada de tristeza, mas, estranhamente, não por causa dos meus pais, do "escândalo" a que Sibby se referiu. Mas por causa de Sibby, Sibby e Reid, pois contar aquilo poderia determinar o modo como ele a veria para sempre. Minha melhor amiga e meu...

Não, repreendi-me, *você apenas* gosta *dele, lembra?*

Mas acabei contando.

– Significa que, quando eu tinha dezenove anos, descobri que meu pai era um traidor em série. E que... bem. Que eu sou o resultado de um de seus... casos. Embora essa seja, possivelmente, uma palavra forte demais para o lance de apenas uma noite que ele teve com minha mãe biológica.

O resto, surpreendentemente, saiu fácil. Contei a Reid sobre as brigas constantes entre meus pais: como, durante longos e solitários anos da minha infância, não soube o que era viver de outra forma e achava que era assim com todas as famílias. Contei a ele como as coisas pioraram à medida que fui crescendo: a distante e sarcástica relação entre meus pais – as farpas passivo-agressivas que trocavam entre si através de um verniz de polidez.

Contei a ele sobre como tentei ser o árbitro deles e a cola que os mantinha juntos; como sempre fui boa em impedi-los de brigar; e como, apesar de toda infelicidade entre eles, eu parecia ser uma felicidade que podiam compartilhar.

Em seguida, contei a ele sobre a minha certidão de nascimento.

– Eles deveriam ter me dado a certidão para a matrícula na escola – contei. – Na verdade, eu deveria ter levado o documento antes mesmo de as aulas começarem, mas meus pais continuavam postergando, sendo evasivos. Minha mãe ligou para a escola e, de alguma forma, convenceu-os a me deixar começar as aulas sem a certidão. E meu pai disse que a havia perdido, que achava que estava em um cofre que ele mantinha no trabalho. Teríamos que solicitar uma nova, ele disse, mas toda vez que eu perguntava sobre isso, preocupada com a matrícula para o próximo semestre, ele se esquivava.

"Deixe para lá, Meg", ele dizia.

A mandíbula de Reid se apertou e ele se moveu, colocando uma mecha do meu cabelo atrás da minha orelha.

– De qualquer forma, acho que deveria ter percebido ou, sei lá, suspeitado antes. Houve alguma dificuldade quando tirei a carteira de motorista também, mas acho que não prestei muita atenção. Não sei se fiquei adulta o suficiente, curiosa o suficiente, ou o quê. Só sei que, finalmente, eu mesma solicitei um novo documento.

Ainda lembrava do momento em que vi. Quarta linha, de cima para baixo, NOME DA MÃE. *Cometeram um erro*, pensei, olhando para as letras ali, precisas e mecânicas. Quem era Darcy Hollowell?

O nome da minha mãe é Margaret, pensei. *O nome da minha mãe é igual ao meu.*

Mas, mesmo enquanto pensava, eu sabia. Sentia as peças se encaixando como em um quebra-cabeças, mil pequenas inconsistências da minha infância, de repente, dolorosamente, fazendo sentido.

Aquelas letras eram *verdadeiras*.

Essa parte da história, é claro, era a pior: a revelação e seu desenrolar. Meus pais formando uma frente unificada diante da minha indignação soluçante, a forma como foram gentilmente condescendentes ao apresentarem suas explicações. Meu pai e uma "indiscrição". Uma mulher que decidiu levar sua gravidez adiante, mas que colocaria o bebê para a adoção. Minha mãe, que queria muito um filho e tinha lutado por anos para engravidar.

Eu, a solução imperfeita.

Cada vez mais imperfeita com o passar dos anos, aparentemente: meu pai ainda cheio de suas indiscrições, e minha mãe cada vez mais cheia de ressentimentos – contra ele e, eu suspeitava, também contra mim. Eu *era* a cola deles, mas da pior maneira possível.

Eles ficaram presos um ao outro por *anos*.

– Meg – Reid sussurrou em um certo ponto, empático, e isso me deu forças para terminar de forma simples, sem mais lágrimas.

– Foi um alívio para eles, no final. Sabe aquela história de "a verdade vos libertará"? Eles me disseram, naquela mesma noite, que iriam se divorciar. Eu nunca os tinha visto interagir tão bem como quando me contaram. Eles combinavam como arroz e feijão.

Foi, em última análise, o que mais doeu. Que eu tenha sido uma espécie de desculpa para eles ficarem juntos em uma casa envenenada por suas brigas. Que eles me usaram, de certa forma, para evitar uma decisão sobre seu casamento.

Eu *gritei* com eles. A pior noite da minha vida. Fui para Nova York na semana seguinte. Seis meses depois, cheia de curiosidade, entrei em contato com Darcy Hollowell e recebi uma resposta muito curta e muito educada que terminou com o desejo de que eu me "reconciliasse" com meus pais e "tivesse uma vida feliz e saudável".

Não foi difícil entender a mensagem oculta ali, e nunca mais tivemos contato.

Quando finalmente relaxei contra o corpo dele, minha bochecha descansando em seu peito largo, notei que não havia mais vapor subindo da xícara de chá. Então, me senti culpada por não beber o chá tão reconfortante que Reid havia me oferecido, mas seu corpo tinha sido o melhor tipo de conforto, mesmo que parecesse mais rígido agora. Mesmo que ele não tenha dito nada por um longo tempo.

Cedo demais para dizer a ele, pensei.

Finalmente, ele falou novamente, sua voz suave.

– Você já os perdoou?

Fechei os olhos, pensando. Demorou anos para conseguirmos ter algum tipo de relação decente, que se resumia a eu ligar para cada um deles regularmente. Levou mais tempo com meu pai e, ainda, falávamos apenas sobre o clima e os Buckeyes e, é claro, ocasionalmente, eu cometia um deslize quando enviava uma mensagem de parabéns feita à mão. Com minha mãe, o assunto também era o clima, mas incluía ainda a feira de usados e as viagens que ela fazia com um homem chamado David e que ela chamava de "companheiro", o que, de alguma forma, me parecia um pouco nojento, mas também adorável. Eu costumava voltar para casa no Natal e alternava desajeitadamente entre suas novas casas: meu pai, Jennifer e os três *bichon frisé* de Jennifer, em uma casa tão parecida com aquela em que cresci que eu odiava dormir lá. Minha mãe e sua organizada e pequena casa com jardim, algumas coisas de David escondidas discretamente em seu armário, mais feliz do que jamais a vi quando ainda estava em casa.

– Eu os entendo – eu disse depois de um minuto. – Acho que eles me amam. Acho que eles estavam tentando me proteger.

– E a eles mesmos – Reid acrescentou.

Concordei com a cabeça e senti novas lágrimas pressionarem meus olhos. Parecia impossível que eu ainda tivesse alguma, mas o que ele tinha acabado de dizer era um lembrete do que me trouxe ali, em primeiro lugar.

– Isso é o que Sibby está tentando fazer. Proteger-se. E eu não deixei pra lá. Eu...

– Ela não deveria ter dito isso – ele disse. – Não tem desculpa.

Fechei os olhos e assenti com a cabeça, mas não tinha certeza se era porque concordava ou se era porque estava completamente exausta: aquela briga com Sibby parecia ter acontecido *dias* antes, *anos* antes, de tão distante que eu me sentia dela. Quando tentei pensar no que faria a seguir para reparar o dano, nada me veio à mente. Meu cérebro era uma lousa totalmente apagada – completamente preta e nenhum pedaço de giz à vista.

Pensei rapidamente nos meus esboços e prazos, temendo a ideia de tentar voltar a eles no estado mental em que me encontrava. Estava tão cansada que achei que poderia adormecer bem ali, com aquele homem "cedo demais", de quem eu gostava tanto, me abraçando.

Exceto por um motivo.

– Seu sofá é horrível – eu disse, me sentando e me contorcendo. – É como sentar em caixas de *pizza*.

Ele riu baixinho, claramente surpreso com a mudança de assunto.

– Veio com o lugar.

– Credo! – Levantei os braços até a minha pele não tocar mais no tecido e me perguntei se alguém naquele prédio teria uma luz negra para pegar emprestado.

Ele estendeu a mão e esfregou suavemente o polegar na minha bochecha.

– Ele era novo quando cheguei.

Ah, tá.

De repente, me veio à mente mais um daqueles lembretes inconvenientes, daqueles que eu tinha tentado levar a sério sobre a impermanência de Reid na cidade. O "cedo demais" daquela noite voltando à tona. Sempre seria cedo demais para mim e Reid, porque ele estava indo embora.

Deixei os braços caírem ao lado do corpo, esperando que o movimento abafasse meu suspiro. Subitamente, ter ido para a casa dele pareceu uma ideia tão ruim quanto ter ficado em casa. Abri a boca para dizer alguma coisa – talvez um casual "Vamos comer um sanduíche, caminhar e fingir que isso nunca aconteceu" –, mas Reid me interrompeu.

– Quer dar uma volta de carro amanhã?

Pisquei para ele.

Uma volta de *carro*?

Como ele poderia saber?

– Poderíamos sair da cidade – ele disse com um tom de cautela na voz. – Respirar um pouco de ar puro, nos distanciarmos, sabe?

– Sim, sei *muito bem*. – Só de pensar naquilo, no vento no meu cabelo, prédios e árvores passando pelas janelas, uma pausa de tudo aquilo, já me senti mais leve. Quase quiquei em seu sofá de caixa de *pizza*.

– Para onde poderíamos ir?

Reid pigarreou e se mexeu, como se também odiasse o sofá.

– Tenho pensado em ir a Maryland; bem, faz um tempo que não vou pra lá. É uma viagem curta, menos de três horas se sairmos cedo o suficiente.

– Ah. Para conhecer sua família?

– Nós poderíamos... isto é, eu poderia dizer que você é uma amiga da cidade.

Quando não respondi imediatamente, ele se levantou, pegando a xícara de chá que estava sobre a mesa.

– É cedo demais para isso, claro.

– Reid. – Segurei-o com uma mão pelo lado de fora de sua coxa, a parte mais próxima de seu corpo que consegui alcançar de onde estava sentada. Ele olhou para mim, aquele leve rubor nas maçãs do rosto. "Cedo demais", ele havia dito, sua mente um espelho da minha.

O laço em volta do meu coração se apertou como um aviso e, ao mesmo tempo, um aconchego. Cruzar outro limiar de proximidade com Reid não me parecia ser a melhor maneira de me proteger. Saindo do porto seguro da cidade, eu o veria com as pessoas que haviam feito ele ser quem ele era.

Mas, naquela noite, ele me abraçou enquanto eu chorava. Ele me ouviu falar sobre minha amizade semidestruída e minha família semidestruída. Ele sabia exatamente do que eu precisava. Ele me protegeu.

– Eu gostaria de ir – aceitei.

Seus olhos se iluminaram – o mesmo azul do céu de lindo dia de verão.

– Tem certeza?

– Ah, sim. Um passeio desses? Pense nos jogos que poderíamos jogar!

O canto de sua boca se contraiu em um ligeiro sorriso, aquela cara engraçada de concentração que ele fazia.

– Placas de carros. Placas de trânsito. *Outdoors.*

Dei de ombros descontraidamente, levantei-me e peguei a xícara de suas mãos. Tomei um gole do chá sabor terra, que agora estava frio, e estremeci dramaticamente só para ouvir Reid rir baixinho novamente.

Fiquei na ponta dos pés e dei-lhe um beijo, esticando a mão para tocar sua bochecha, sentindo a aspereza da barba que começava a despontar, e ele imediatamente me puxou para mais perto. Quando afastei minha boca da dele, sussurrei em seu ouvido:

– Parece que está bem na hora.

Capítulo 16

– Bem, acho que é hora do chá, não?

Cynthia Sutherland fez essa pergunta à mesa, exatamente cento e vinte minutos depois de termos chegado à casa da família Sutherland, um rancho pequeno e bem conservado em um subúrbio um tanto decadente do nordeste de Maryland. Normalmente, contar os minutos – ok, contar qualquer coisa, na verdade – não é meu estilo, mas, nas últimas duas horas, tinha aprendido, pouco a pouco, como manter o controle dos números pode ser importante em uma casa como aquela.

Principalmente, era uma questão para os próprios moradores. Cynthia, a mãe de Reid – uma mulher pequena e sorridente com a cabeça cheia de cachos escuros, que havia se aposentado como professora do ensino médio no ano anterior – tinha o tipo de noção de tempo e os recursos de uma mulher que havia criado sete crianças em uma casa de três quartos e dois banheiros e meio. Na cozinha, cada um de seus movimentos parecia calculado para tirar o máximo proveito do espaço; à sua mesa de jantar, cada mudança de assunto parecia calculada para trazer equilíbrio, para garantir que ninguém dominasse a conversa. Talvez isso pudesse parecer desconcertante, mecânico demais, mas de alguma forma, não era. Parecia que você estava aos cuidados de alguém capaz e gentil, alguém que queria aproveitar ao máximo o tempo com você.

Thomas Sutherland – o pai – parecia tanto uma versão mais velha de Reid, que cheguei a gaguejar em choque com seu sisudo "boa-tarde" quando fomos apresentados. Ele era mais literalmente um cara de números, um contador que trabalhava em um organizado *escritório* situado na parte posterior da casa. Era quieto, observador, direto e, três minutos depois de ouvir qual era a minha profissão, me perguntou se eu tomava cuidado com as deduções fiscais dos meus materiais. Meus lábios se curvaram em um sorriso, meus olhos procurando os de Reid do outro lado da mesa e, por um segundo pareceu que ambos nos esquecemos dos números, lembrando, em vez disso, das letras na carta que ele escreveu para mim: "eu estava nervoso".

Finalmente, à mesa estava também a irmã de Reid, Cady. Nenhum dos outros irmãos estava na casa dos pais durante aquela nossa visita espontânea. Cady tinha vinte anos, cabelos compridos em tons de rosa, azul e roxo sereia, um tingimento que custaria centenas de dólares até mesmo nos salões mais baratos de Nova York, eu soube que faltavam apenas seis meses para ela terminar seu curso de cosmetologia. A garota era inteligente e falante e, obviamente, um mistério para seus pais e irmãos mais reservados. Ela parecia se definir a partir da diferença de idade que havia entre ela e os irmãos, que eram muito mais velhos. Cady era oito anos mais nova que o mais novo, Seth; dez anos de diferença para Ryan; onze anos para Reid; treze para Owen; dezesseis para os gêmeos, Connor e Garrett. Embora eu não tivesse experiência com esse tipo de contagem, minha sensação foi a de que, em sua adolescência, Cady provavelmente se sentiu muito como uma filha única.

Disso eu conseguia entender muito bem.

– Minha mãe sempre toma chá depois das refeições – Cady me explicou. Se Cady era um mistério para seus pais, ela possivelmente sabia que eles eram um mistério para os convidados e, desde que havíamos chegado, ela se tornou uma espécie de guia para mim, esclarecendo o contexto em qualquer momento de possível confusão.

Quando Reid perguntou suavemente a Cady sobre os trabalhos da escola, ela orgulhosamente (e em voz alta) anunciou que era Reid quem pagava as mensalidades. Thomas, então, silenciosamente entregou a Reid uma seção de jornal dobrada em quatro, Cady revirou os olhos e explicou que Thomas jogava um jogo chamado Desafio, que vinha no jornal todos os dias, algo que Reid havia mostrado a ele após uma lesão nas costas.

– Agora entendi a quem ele puxou – observei, sorrindo para Reid novamente enquanto todos nos levantávamos. Observei cada Sutherland ao redor da mesa empilhar e juntar seus dois pratos do almoço e seus três talheres exatamente da mesma maneira e silenciosamente os imitei, encantada com todos os pequenos sinais que se revelavam para mim, todos os códigos que pareciam me levar direto ao coração de Reid, os hábitos cotidianos que ajudavam a compor quem ele era.

Surpreendentemente eu não me senti nervosa ou como uma intrusa ali. Mas depois da noite anterior – de todas as minhas revelações chorosas para Reid, de toda a confiança que depositei nele –, tive uma estranha sensação em relação àquela visita. Pensei que nós dois sabíamos que era cedo demais, mas pareceu que Reid me levou ali para me dar algo de volta, algum nível de exposição de intimidade comparável ao que lhe ofereci. A viagem de carro teria sido suficiente para me fazer sentir melhor, mais estável sobre o que havia acontecido entre mim e Sibby – os lanches que ele parou para pegar para mim depois de alugarmos o carro, o jeito como riu de mim cantando música *pop*, as linhas de seu rosto quando ele estava de óculos escuros, a mão que ele manteve na minha coxa enquanto acelerávamos pela estrada, encontrando sinais. Mas a adição daquela visita foi a oferta mais delicada e vulnerável que Reid poderia me dar. Ele me deu algo que eu nem sabia que precisava.

Nós nos instalamos na pequena sala de estar, meticulosa e simétrica, para o chá. Na parede em frente ao lugar em que eu estava sentada, havia uma galeria de fotos da família Sutherland mostrando o crescimento da família ao longo do tempo, expandindo-se em uma ordem de bebês pequenos e gordinhos a cada duas fotos. As mais recentes pareciam fotos de time de futebol – todos os irmãos de Reid com seus parceiros e filhos. Nenhuma delas, notei – com certo alívio – mostrava Avery.

– Thomas e eu viemos de famílias grandes – Cynthia explicou-me ao me pegar olhando para as fotos. – Sei que parece bobagem para muitas pessoas termos tantos filhos. – Ela me entregou uma xícara de chá, suas bochechas corando exatamente no mesmo lugar que as de Reid coravam.

– Não acho bobagem – respondi, embora definitivamente tivesse vontade de tomar dez doses extras de injeção anticoncepcional só de pensar naquilo. – Imagino que deva ter sido divertido.

– Divertido – Thomas repetiu, inexpressivo.

Reid deu aquele seu meio sorriso por trás da sua xícara de chá.

– Cada gravidez foi planejada – Cynthia explicou com um leve tom de reprimenda, mas de alguma forma, ainda amorosa e compreensiva na direção de Thomas.

– Quer dizer – Cady disse, rindo –, definitivamente, eu não fui planejada.

Sorri para ela e disse:

– Nem eu.

– Mas acho que o que você realmente vai querer ver é isto – Cady informou, inclinando-se para puxar um álbum de fotos da prateleira inferior da mesa de centro.

– Cady – Reid advertiu.

– Isso é revanche. Lembre-se de sua visita no fim de semana do meu baile de formatura.

O rosto de Reid ficou sério.

– Ele precisava de um lembrete – foi tudo o que ele disse, severo e protetor, e senti um pulso inconveniente de desejo.

Involuntariamente meus olhos foram para a sua testa, sem pontos agora, mas ainda dividida pela pequena linha do corte quase curado. Ele pareceu notar, levantando exatamente aquela sobrancelha para mim em uma provocação gentil, como se pudesse ler minha mente.

Voltei meu foco para o álbum de fotos, meu rosto esquentando.

– *Ainda assim* – Cady disse, conduzindo a mãe para sentar-se ao meu outro lado. Em questão de segundos, coloquei minha xícara de chá sobre a mesa (a verdade é que ainda tinha gosto de terra para mim) e o álbum estava no meu colo, Cady e Cynthia comentando as fotos. Tentei manter a mente apenas nos detalhes que elas compartilhavam alegremente, mas, na verdade, estava distraída com a onda de calor que senti por ser incluída daquela maneira, que parecia dizer: "Bem-vinda à nossa história familiar".

G-O-S-T-A-R, soletrei para mim mesma.

Mas, quando Cady virou a página do conjunto de fotos de Reid bebê, senti meu coração ser apertado pelos laços daquela outra letra, aquele *A* que é mais do que G-O-S-T-A-R e que tanto estava tentando ignorar.

– Ah! – exclamei suavemente, olhando para a foto à minha frente.

Era Reid ainda garotinho, talvez com cinco ou seis anos. Suas bochechas estavam rosadas, seu cabelo mais ruivo do que o louro-avermelhado de adulto. Não consegui ver o azul de seus olhos porque ele os mantinha bem apertados, e isso porque seu sorriso era tão, tão grande, seus dentes de leite superiores e inferiores aparecendo, muito brancos e uniformes, finos espaços entre eles. Ele parecia pequeno e alegre, cheio de um sentimento grande demais para seu corpo e, em suas mãos, segurava uma lousa em miniatura com seu nome.

Escrito em *letras bolha*.

– Fiz isso para todas as crianças no primeiro dia de aula – Cynthia explicou, apontando para ele. – Não muito hábil, se comparado ao que você faz!

– Não – falei, paralisada pela imagem –, é maravilhoso! – Mas não pude deixar de rir. – Letras bolha! Combinam com ele.

Nunca teria imaginado aquilo apenas alguns meses antes – o Reid sério, sem serifa. Mas combinava *mesmo* com ele. Na foto, ele parecia pronto para explodir de felicidade, as alças coloridas de sua mochila de menino como bandeiras de celebração.

– Ele estava tão animado para ir para a escola – Cynthia contou –, que *mal* podia esperar para começar.

Do outro lado da sala, Reid pigarreou, e olhei para cima para vê-lo dar um quarto de volta com sua xícara de chá. Lembrei-me daquele dia na cidade, aquela outra vez em que Reid ofereceu algo mais de si mesmo para me confortar. "Eu era difícil na escola", ele havia dito. Baixei os olhos de volta para a foto, sentindo uma pontada de dor pela forma como a excitação daquele garotinho foi suprimida por todos que não tentaram entendê-lo.

– Ele queria ser professor – Cady disse. – Ele contou?

Ela não disse aquilo como um teste, como se saber aquela informação fosse mostrar se eu deveria ser levada a sério como uma possível namorada para Reid. Ainda assim, me pareceu importante, um pedaço da história de Reid que eu estava perdendo.

Então olhei para ele em vez de responder a ela.

– Você queria ser professor?

Ele se mexeu na cadeira, aquele leve rubor em suas bochechas.

– Sim. – Fez uma pausa e engoliu. – Mais tarde, um... um professor universitário.

Percebi Thomas tomar um gole de seu chá sentado em uma cadeira combinando com a de Reid, antes de virar seu perfil afiado para a janela. Por um momento fugaz, senti o tempo retroceder e estava de volta ao restaurante em Nolita vendo a expressão no rosto de Reid quando ele me contou, pela primeira vez, sobre John Horton Conway e seus jogos de matemática.

– O que mudou? – perguntei.

Thomas olhou para mim, o canto de sua boca se contraindo. Na maior parte do tempo, ele foi educado, mas cauteloso comigo, um fato que, se não totalmente confortável, era pelo menos familiar. Era de se esperar que a primeira reação visivelmente positiva que eu conseguiria dele seria por fazer uma pergunta tão direta.

Ninguém nem mesmo tentou responder por Reid. Thomas girou a xícara de chá em um quarto de volta, um pequeno tilintar quebrando o silêncio.

– Minhas habilidades matemáticas são melhores do que minhas habilidades com pessoas – Reid finalmente explicou. – Não tive muito sucesso como professor assistente.

– Você não tinha... – comecei e fiz uma pausa, porque minhas habilidades de contagem não ficaram mais rápidas por estar naquela casa. – Dezenove anos quando começou a pós-graduação?

– Dezoito – Thomas informou, sua voz entrecortada.

– Terminei a faculdade em três anos – Reid esclareceu.

– Então... você provavelmente tinha a mesma idade que os alunos para os quais dava aula?

Reid deu de ombros.

– Mudei para a área de pesquisa mais tarde. Era mais adequada para mim.

Meu olhar se voltou para o álbum de fotos no meu colo, para o garotinho Reid com sua mochila grande demais e seu sorriso grande demais. Aquela lousa com letras bolha em suas mãozinhas.

– Eu achava que ele deveria ter continuado a tentar – Thomas falou. E olhei para cima novamente, notando a tensão rígida entre os dois.

– Achei que deveria ganhar dinheiro – Reid respondeu.

– Você está lá há seis anos – Thomas protestou. Percebi, então, um breve movimento de seus olhos para os braços de Reid, para a pele ali. – Já ganhou dinheiro suficiente.

Olhei de um para o outro, uma consciência distante do quanto eu estava envolvida e do quanto fiquei desconfortável com a situação, sentindo minha apreensão habitual em face daquele tipo de conflito latente. Pensei em como era estranho ver Reid ser tão resoluto sobre seu trabalho e ganhar dinheiro. Na cidade, comigo, seu desdém por ambos era sempre tão contundente, tão consistente. Era estranho que Thomas parecesse não saber nada sobre o que

Reid vinha me falando desde o primeiro dia em que nos reencontramos: que seu tempo em Nova York – *por causa* de seu desdém por essas duas coisas – estava quase acabando.

Reid pigarreou novamente, por uma fração de segundo nossos olhares se entrelaçaram, e eu tive aquela sensação novamente. "Isso é para você", seus olhos me diziam. "Isso é porque confio em você, assim como confiou em mim."

Talvez não fosse um momento para sorrisos, com toda aquela energia tensa no ar, mas dei-lhe um sorriso suave. E nem me incomodei em tentar ignorar o ℭ, ou o que ele representava.

– Isso de novo, não! – Cady exclamou, exasperada.

– Puxa, *sério*?! – Cynthia emendou, sua voz ao mesmo tempo irritada e divertida.

Thomas não disse nada, mas enviou um olhar de desculpas para Reid e assim acabou-se aquele embate, obviamente recorrente na família. Ninguém pareceu particularmente incomodado; ninguém saiu da sala ou tentou comprar outra briga. Nada de essencial entre eles pareceu abalado – a confiança que tinham uns nos outros, seu amor mútuo – e, guardei essa observação para mim mesma, algo mais que Reid e sua família haviam me dado naquele dia. Uma compreensão, uma certa esperança de que, eventualmente, Sibby e eu poderíamos falar sobre aquela coisa difícil entre nós novamente, e que isso não significasse o fim de nós, o fim de nossa amizade, o fim de nossa família escolhida.

Pisquei, olhando para álbum de fotos, recompondo-me. Talvez meus interlocutores tenham percebido, mas ninguém pareceu se importar. Cady simplesmente virou a página e Cynthia começou a me contar sobre a próxima foto, e assim, de alguma forma, tive a sensação de que agora eu era um deles.

♥ ♥ ♥

– Então, este é o seu quarto.

– Meu *antigo* quarto – Reid disse.

Estávamos no porão da casa Sutherland, um espaço enorme, mas de teto baixo, dividido em uma lavanderia, uma área de armazenamento, um lavabo e o espaço maior em que nos encontrávamos. O local claramente já tinha sido reformado desde a infância de Reid e havia se tornado aquele tipo de quarto de hóspedes neutro, composto por móveis e decoração antigos.

– Aqui havia dois conjuntos de beliches – ele explicou. – Uma escrivaninha ali. – Ele apontou para a parede oposta, na qual havia uma cômoda simples sob a única fonte de luz natural do lugar, um retângulo estreito de vidro que, àquela hora, tão tarde da noite, mais parecia um corte negro na parede, na luz bruxuleante vinda da fraca lâmpada de cabeceira parecendo estrelas pontilhando na superfície irregular.

– Aconchegante – comentei, cruzando o espaço para me sentar na cama, apoiando-me nas palmas das mãos e me impulsionando até o meio dela. Reclinei-me, me mantendo apoiada nos cotovelos, meus pés cruzados nos tornozelos, e estudei Reid, que ainda estava encostado na porta. Ele, então, me perguntou:

– Tudo bem para você ficarmos aqui?

A ideia era uma viagem de ida e volta no mesmo dia. Mas a tarde se estendeu de uma maneira tão natural que todos nós nos esquecemos de contar os minutos durante o chá e a conversa. Quando a conversa se voltou para o meu trabalho, Cady implorou para que eu considerasse a possibilidade de desenhar um cartão de visita para ela, um pedido que, eu disse a ela, atenderia com toda certeza, de maneira que, duas horas depois, já havia esboçado três artes diferentes. Aceitei seu abraço entusiasmado como forma de agradecimento, mas o verdadeiro prêmio foi a maneira como Reid – depois de ver o produto final – se curvou para dar um beijo na minha têmpora antes de sussurrar sua gratidão em meu ouvido. A essa altura, pareceu natural que Cynthia nos pedisse para ficar para o jantar, que se estendeu para a arrumação e limpeza pós-refeição e que, por sua vez, prolongou-se em um jogo de buraco, aparentemente uma tradição de longa data na casa dos Sutherland.

Assim, já era bem tarde, e Cynthia havia insistido para que ficássemos.

– Totalmente – respondi, sorrindo. – Eu me diverti bastante.

– Bom – Reid disse.

Toda vez que eu ouvia essa única palavra na voz baixa de Reid, eu me sentia transportada de volta à sua cama, para baixo dele e, apesar de seus pais e sua irmã estarem a apenas um lance de escadas e um corredor de distância de nós, não consegui evitar de me mexer inquieta, de repente, sentindo todas as maneiras afetuosas, mas castas, com que ele me tocou desde que havíamos entrado naquela casa.

Algo mudou nos olhos de Reid – aquela chama de calor que eu reconhecia – enquanto ele olhava para mim.

– Não vai entrar? – perguntei inocentemente. Mas não estava sendo nada inocente.

– Depende.

– Do quê?

– De você não tomar a péssima decisão de vestir o pijama da minha irmã – ele respondeu secamente, acenando para o conjunto de *shorts* e *top* cuidadosamente dobrados que Cady havia me dado juntamente com uma pequena sacola de produtos de higiene pessoal extras.

– Ah, é? – Estendi a mão, pegando a camiseta no topo da pilha. – Mas este *tie-dye* combinaria com meus olhos. Na verdade, com olhos de qualquer um.

Ele cruzou a soleira, fechando a porta atrás de si antes de vir até mim e tirar gentilmente a camiseta da minha mão. Então fez uma pausa, olhou para a pilha toda e, em um movimento rápido, empurrou-a para o chão, deixando a camisa cair em cima da pilha, agora bagunçada. Olhei para baixo e em seguida para ele, boquiaberta.

– Nunca tinha visto esse seu lado... – provoquei – Rebelde. *Bagunceiro*, até. Acho que você está tentando me seduzir.

Ele se inclinou sobre mim, suas mãos plantadas uma de cada lado dos meus quadris, e me deu o meu beijo favorito *um, dois, três*. Quando ele se afastou e olhou para mim, sentindo meu pulso acelerado, deu um sorriso torto, travesso. Era a sua cara de *foi dada a largada*.

Eu me contorci novamente, pressionando minhas pernas juntas.

– Deve ser porque estou quebrando uma velha regra. Nada de garotas em nossos quartos.

– Sua adolescência deve ter sido uma provação – observei, inclinando-me para beijar seu pescoço, chupando-o suavemente.

Ele forçou meu maxilar para trás, deixando meu pescoço exposto a seus beijos quentes.

– Fiz um monte de cálculos de cabeça.

Eu ri baixinho, minhas mãos segurando-o pela cintura e, por longos e deliciosos minutos, nos beijamos, a boca faminta de Reid na minha, suas mãos ficando inquietas, impacientes. Mas, quando ele se abaixou mais em cima de mim, quando nossos quadris se moveram para se encontrar no ritmo que havíamos aperfeiçoado juntos, a cama protestou, fez um guincho tão alto que, com certeza, poderia ter acordado os mortos.

Enrijeci imediatamente. Como se eu fosse a morta.

Fim de jogo.

Reid gemeu novamente, dessa vez bem contra a pele do meu pescoço, seu corpo rígido de frustração, e dei uma risada silenciosa, esfregando suas costas com as mãos, tentando desesperadamente ignorar – não me esfregar contra – a protuberância em sua calça *jeans*, entre as pernas que ainda descansavam contra um lugar *muito* sensível entre as minhas próprias. Concentrei-me em desacelerar minha respiração ofegante e meu batimento cardíaco rápido e excitado, quando ele falou novamente, sua voz baixa, rouca e desesperada.

– Meu Deus, como queria que estivéssemos em casa.

Antes que eu pudesse me impedir, enrijeci novamente, minhas mãos nas costas de Reid pausando por um segundo de surpresa antes de movê-las novamente, tentando suavizar a emoção que suas palavras despertaram em mim.

Queria que estivéssemos em casa.

Na cidade.

Algo no corpo de Reid também mudou, e percebi que ele registrou o choque do que disse. O erro que cometeu, chamando Nova York de *casa.* Depois de um segundo, ele se afastou, rolando de costas para que ficássemos lado a lado na cama. O pequeno espaço entre nós parecia quilômetros, como a distância que havíamos viajado naquela manhã, ou como a distância que Reid viajaria – para onde quer que ele fosse – quando aquele verão acabasse.

Então ele pegou minha mão, unindo nossos dedos.

Permanecemos assim por muito tempo.

– O que meu pai disse – ele falou, finalmente, e virei o rosto para ele, fitando seu perfil. – Que eu deveria ter continuado a tentar.

– Reid – comecei, mantendo minha voz baixa, em harmonia com a dele –, você era tão jovem.

– Agora não sou mais. Penso nisso às vezes. Se deveria tentar novamente. Quando tudo isso, quando terminar com as coisas com que me comprometi no trabalho. Tenho dinheiro guardado, poderia me dar ao luxo de... tentar.

– Ser professor? – perguntei.

Ele fez que sim com a cabeça.

– Acho que você seria um ótimo professor. Você tem as melhores ideias. Você...

– Em Nova York – ele me interrompeu, e acho que minha mão, grudada na dele, deu um puxão, um aperto involuntário. Reid nunca, *nunca* tinha dito nada nem próximo daquilo. Nova York nunca tinha sido uma opção, para ele além daquele verão. De alguma forma, o fato de ele estar mencionando isso ali, naquele momento, em uma casa de que eu sabia que ele sentia falta, fez com que parecesse muito mais significativo.

Engoli em seco.

– Você odeia Nova York – eu disse.

– Estou começando a gostar de lá.

Não foi a afirmação mais entusiasmada, e ele manteve os olhos no teto, o rosto concentrado, como se estivesse tentando resolver o problema mais difícil do mundo. Como se estivesse cheio de números lá em cima, e ele procurasse uma solução impossível.

Virei também meu rosto para aquele espaço em vazio. Pensei nas caminhadas com Reid pela cidade. Elas o fizeram relaxar, com certeza. Também tinha a comida, que ele adorava, e imaginei que ele tivesse passado a apreciar os letreiros. Mas não esqueci a forma como sua mandíbula se apertava em meio à multidão, sua irritação nos espaços mais barulhentos e luminosos da cidade.

– Você tem que amar – sugeri cautelosamente, não querendo alimentar esperanças. Não querendo pressionar, não daquela vez. Não sobre isso. – Eu acho que você tem que amar para ficar.

Vi minhas palavras flutuarem até o espaço vazio que encarávamos. Não seria nada difícil esconder algo nelas. Afinal, estava tudo ali, tudo o que eu não estava dizendo, tudo o que vinha tentando não me deixar pensar.

O *eu*, o *amor*, o *você*. O *ficar*.

Senti que ele virou-se para mim.

– Amo algumas coisas de lá – ele disse.

Respirei fundo e tirei os olhos do teto, das minhas letras imaginárias. Olhei em sua direção e lembrei do que ele me disse naquela noite no bar, que nem sempre diz o que pensa.

Mas nenhum de nós disse as palavras. Nenhum de nós disse o que eu esperava que ambos estivéssemos pensando, o que eu esperava que estivesse escrito em nossos corações.

– É cedo – eu disse em vez disso.

Ele concordou novamente.

– E não sei se posso ficar.

Deixamos as coisas assim por um tempo, o silêncio suburbano ao nosso redor, nossas mãos ainda entrelaçadas. Pensei poder sentir a mente de Reid girando e girando, poder senti-lo ficar tenso, tentando resolver isso.

Ficando bloqueado.

– Reid – sussurrei, puxando sua mão. – Você quer jogar?

Ele olhou para mim. Percebi um traço dos olhos tristes, mas assim mesmo, ele abriu aquele seu meio sorriso.

– Já venci você duas vezes no buraco – ele respondeu.

Levantei da cama e, em pé à sua frente, puxei-o pela mão. Ele não resistiu e se sentou. Eu estava bem à sua frente, inclinando a cabeça para baixo, olhando-o nos olhos. Dei um passo para trás, puxando minha camiseta pela cabeça, jogando-a na pilha de pijama descartado. Em seguida, meu sutiã.

A respiração de Reid ficou presa enquanto ele me observava.

– Quais são as regras? – ele perguntou, sua voz rouca.

Desabotoei meu *jeans*.

– Sente-se – eu disse, apontando para o chão acarpetado.

Ele se levantou. Vi a protuberância em seu jeans e perguntei-me se ele não iria seguir as regras do jogo. Se iria caminhar na minha direção e me pressionar contra a porta às minhas costas. Honestamente, aquilo também seria bom – no banho na semana anterior, eu já havia descoberto que Reid fazia um bom trabalho de pé – mas eu queria estar no comando daquele jogo.

Depois de um segundo de hesitação, ele seguiu minhas instruções.

Deslizei o *jeans* e a calcinha pelas minhas pernas.

– O jogo é: temos que ficar quietos – sussurrei, pisando no espaço entre suas pernas esticadas. – Não podemos fazer ruído algum. Não podemos dizer nada.

Nada como "Eu te amo".

Nada como "Fique".

Abaixei-me sobre ele, montando em seu colo, levando a mão para desabotoar sua calça *jeans*, abrir o zíper. Observei-o o tempo todo: ele estava com a boca fechada, os músculos de cada lado de sua mandíbula latejando em concentração. Já estava jogando.

Não diria uma palavra.

Ele levantou os quadris e eu me inclinei para a frente, minhas mãos indo para a beirada da cama para me equilibrar enquanto ele tirava as calças e pegava um preservativo. Tirei o preservativo de suas mãos, abri-o e coloquei-o lentamente em seu membro túrgido, Reid inclinou a cabeça para trás, fechando os olhos e cerrando os punhos quando o acariciei uma vez. Quando o liberei, ele moveu as mãos, uma se acomodando na minha cintura para me manter levantada acima dele, outra movendo-se entre minhas coxas para me tocar de um jeito que me deixava molhada, que me deixava perto.

Mas eu o impedi, puxando sua mão, mantendo-a presa à minha. Olhei para ele e balancei a cabeça. Então, movi minha outra mão e o acariciei novamente, uma vez, antes de me abaixar sobre ele, uma entrada lenta que teria ficado mais fácil se eu o deixasse continuar me tocando. Mas eu queria aquele prolongamento, aquela acomodação paciente que meu corpo tinha que fazer para recebê-lo. Gostava do esforço exigido para ficarmos quietos; gostava dos sinais silenciosos que tínhamos que enviar um ao outro – uma mão que descansei em seu ombro para dizer a ele que eu precisava ir devagar, uma mão que ele moveu para a parte inferior das minhas costas, incitando-me a inclinar para a frente em um ângulo melhor.

Quando ele estava totalmente dentro de mim, respiramos em sincronia, um alívio caloroso entre nós; mas, no primeiro movimento de nossos corpos, a cama protestou novamente, dessa vez um *baque* silencioso contra a parede à qual ela estava encostada, e nós dois congelamos, nossos olhos se encontrando. Dessa vez não iríamos parar, pude perceber isso pelo jeito como Reid me olhava: quente, focado e determinado. Seu braço se apertava em volta das minhas costas e, em um impulso, ele nos moveu para a frente até que suas costas não estivessem mais tocando a cama.

E com esse movimento, adentramos um novo domínio, pois foi a primeira vez que fizemos sexo dessa maneira – sem suporte para suas costas ou para as minhas, nada para segurar a não ser um ao outro. Foi um esforço, ainda mais porque estávamos seguindo as regras, permanecendo em silêncio. Fizemos devagar – tão, tão devagar –, as pequenas investidas de seus quadris para cima, empurrando-se para dentro de mim, o balanço preciso dos meus quadris em seu colo, para obter a fricção de que precisava. Não sei quanto tempo levou, porque nenhum de nós estava marcando o tempo. É como se estivéssemos flutuando, como se não tivéssemos amarras.

Como escrever sem letras.

Como contar sem números.

Parecia amor.

E mesmo quando atingimos o pico – quando arquejei em meu clímax lento e trêmulo contra seu pescoço, quando ele me agarrou com mais força e enrijeceu durante o seu próprio, quando nos agarramos um ao outro logo depois, com uma percepção nova e chocada de nós mesmos...

Mesmo assim, nenhum de nós quebrou as regras.

Capítulo 17

Lark ficou sem palavras.

Na parte de trás da loja, ela estava sentada com o *planner* que eu havia terminado aberto sobre a mesa à sua frente. Seus olhos percorrendo as páginas que ela virava devagar, com cuidado. Eu mesma olhei para aquelas páginas dezenas de vezes nos dias anteriores e, então, observava seu rosto enquanto ela as saboreava – os tons pastéis que escolhi, principalmente rosa e verde, os ocasionais detalhes em ouro rosé. As letras minúsculas, pequenas e amplas que se desenrolavam nos cabeçalhos, e as estreitas, fechadas, todas em maiúsculas sem serifa que marcavam os dias. As ilustrações delicadas que pontilhavam os cantos de algumas páginas – um pequeno respingo de estrelas aqui, uma única flor em um vaso simples acolá. Tudo discreto. Doce e macio, mas também robusto e sofisticado.

– É tão... – ela finalmente começou, deslizando os dedos pelos cantos de uma página. – É tão... eu mesma! – terminou, com uma nota de admiração em sua voz.

Eu sorri, aliviada.

– Fico tão feliz. Esse era o meu objetivo.

Algumas semanas anates talvez eu não tivesse sido capaz de criar um *planner* que combinasse tanto com Lark. Mas desde aquele dia no meu apartamento, muita coisa havia mudado entre nós. Claro, ela ainda não estava pronta para ir a cafés, mas a caminhadas ocasionais, sim – passeios meio planejados por partes do Brooklyn, que nem eu conseguia ir com tanta frequência. Às vezes, eu contava a ela coisas sobre os bairros, sobre os clientes que tinha em vários pontos da cidade; às vezes, ela me contava coisas sobre Los Angeles ou sobre atores que ela conheceu e com os quais trabalhou. Ocasionalmente, conversávamos sobre o trabalho – as paredes que ela *ainda* não estava pronta para começar –, mas na maioria das vezes, simplesmente íamos nos conhecendo de um jeito tímido, sem tópicos pesados, característico de uma nova amizade. Geralmente, ela evitava mencionar a mina terrestre viva que era Cameron, que ia e vinha da cidade trabalhando em suas filmagens, mas notei a maneira como seu humor flutuava de acordo com os movimentos dele – ela parecia mais leve, mais falante, mais aventureira quando ele estava longe.

Era bom ter companhia, porque o relacionamento entre mim e Lark não foi a única coisa que mudou desde que eu havia voltado de Maryland com Reid. Em primeiro lugar, Sibby se foi, mudou-se para o novo apartamento com Elijah. Quando voltei naquele domingo, transbordando com todos os sentimentos por Reid que já não tentava ignorar, ela estava em casa, esperando por mim. E pude perceber que ela praticou, da mesma forma que eu tinha feito.

– Meggie – ela disse, usando o apelido pelo qual me chamava e que não era usado há muito tempo –, não tive a intenção de dizer o que disse, trazer sua família à tona daquela maneira.

– Eu sei – respondi, e falei sério. Eu havia perdoado Sibby antes mesmo de atravessar a ponte naquela noite em que brigamos, mas o perdão não resolvia o que havia de errado entre nós. Ela pode não ter tido a intenção de trazer o assunto da minha família, mas todo o resto era verdadeiro. E isso significava que o único tipo de briga que eu podia começar, o único tipo de prática que a ajudaria, era o tipo que dava a ela o tempo e o espaço de que precisava. Até que ela estivesse pronta – *realmente* pronta – para falar sobre isso novamente. E ela pareceu aliviada por, naqueles últimos dias em que compartilhamos o apartamento, podermos ser educadas e por eu estar disposta a não pressioná-la. No dia da mudança, ajudei-a a carregar as últimas caixas até o caminhão alugado no qual Elijah esperava junto ao meio-fio, e nos abraçamos com força, ambas segurando as lágrimas.

– Vai ser melhor, Meggie – ela disse, e balancei o queixo contra seu ombro, esperando que ela estivesse certa.

Voltei para o meu apartamento mais vazio e fazendo um monte de eco, mas apenas brevemente. Talvez a coisa mais corajosa a se fazer fosse ficar lá sozinha naquela primeira noite, mas em vez disso, fiz uma mala e fui para a casa de Reid, usando a chave que ele havia me dado. Fiquei acordada até tarde trabalhando nos meus esboços finais para a Make It Happyn, sentada em seu sofá terrível, esperando que ele chegasse em casa antes das onze.

Porque isso – Reid trabalhando com uma intensidade fixa e inflamada – foi a outra coisa que mudou desde Maryland. De certa forma, era como se ele e eu ainda estivéssemos seguindo as regras que estabeleci naquela noite no porão. Não falamos nada sobre Nova York, sobre ele ficar. Não nos perguntamos em voz alta se era cedo demais, se era mesmo possível. Mas claramente algo havia mudado para Reid, e não importava que eu o estivesse vendo menos ultimamente, enquanto ele passava longas horas no trabalho.

Porque eu sabia que aquela mudança era, pelo menos em parte, por minha causa. Por nós.

– Preciso finalizar isso – ele me disse, tarde da noite, me segurando bem perto. – E, depois...

Mas ele sempre se calava, o jogo ainda estava valendo. Só que, então, o jogo entre nós parecia mais sério do que nunca.

– Olá, senhoras – Lachelle disse, entrando na sala dos fundos e colocando sua bolsa na cadeira ao meu lado. Aquilo certamente significava que a reunião que Lachelle teria com um cliente às quatro horas estava próxima e também que estava perto do meu horário de pegar o metrô.

– Veja o que Meg terminou – Lark disse, virando o *planner* para Lachelle. Elas formavam uma dupla estranha, Lark e Lachelle, mas toda vez que Lark ia à loja, Lachelle a recepcionava de maneira calorosa e provocativa, chamando-a de princesa e perguntando sobre seus arremessos esportivos.

– Uaaau! – Lachelle exclamou, inclinando-se. – É tão você!

– Foi o que eu disse também! – Lark observou, encantada. – Meg, quero que você faça um desses para minha irmã. Ela...

– Nananinanão – Lachelle disse. E apontando o polegar para mim, como se fosse minha treinadora, continuou: – Essa mulher tem um prazo *muito importante* que se encerra em dois dias. Ela não faz nada até que isso acabe.

– Ah, é verdade – Lark disse, porque agora ela também sabia sobre o meu prazo. – Bem, depois...

– Na verdade – informei, orgulhosa –, eu terminei. Escaneei todos os esboços hoje de manhã. Eles estão prontos.

Era difícil acreditar que minha apresentação já estava quase chegando. Quando lembrei em onde eu estava na primavera, o modo como estava totalmente bloqueada, como as coisas estavam diferentes – foi um milagre que eu tivesse algo para apresentar. Algo de que eu tinha muito orgulho. Como Reid, eu também estava trabalhando duro, mais determinada do que nunca a ser bem-sucedida naquela apresentação; como se conseguir o contrato com a Make It Happyn fosse, de alguma forma, importante para ele, para nós, para que ele pudesse ficar, digo, para que nós pudéssemos ficar.

– Pode passá-los aqui – Lachelle falou, estendendo a mão. – Quero ver o que você decidiu sobre as cores das árvores.

Acenei negativamente com a mão.

– Eles estão em casa. Quero que você veja tudo junto. O ensaio amanhã está de pé?

– Com certeza – Lachelle disse. – Você deveria vir, princesa. Cecy e eu vamos montar o retroprojetor aqui atrás, como em uma sala de conferências. Meg vai fazer o ensaio geral.

– Sério? – Lark olhou para mim e para Lachelle. – Tudo bem mesmo?

– Com certeza – afirmei, ainda impressionada com a insegurança de Lark, o modo como ela estava sempre preocupada em não ser bem-vinda em algum lugar. – Quanto mais gente, melhor.

– Traga seu namorado – Lachelle falou, cutucando meu ombro com o quadril. – Estou morrendo de vontade de conhecê-lo. Com certeza, perguntarei a ele sobre a taxa marginal de imposto.

Eu ri, mas senti um fio de desconforto. Precisava contar a Cecelia e a Lachelle sobre Reid, sobre como o havia conhecido. Mas estava adiando esse momento, seja porque ainda estava envergonhada com o que fiz – o que, por sua vez, fez com que ele fosse me procurar ali na loja – ou porque eu estava preocupada que Reid e eu não passaríamos daquele verão juntos. Um mistério que estava oculto até mesmo para mim.

– Ele provavelmente terá que trabalhar. – E, de qualquer forma, ele já havia visto todos eles. Quando estávamos juntos, mostrava a ele os últimos esboços. Quando não estávamos, eu tirava fotos e enviava para ele. Não importava o quão ocupado estivesse, ele sempre se mostrava interessado.

– Capitalismo – Lachelle observou, balançando a cabeça. Então, ela espiou a frente da loja, vendo seus clientes conversando com Cecelia. – Tudo bem, saiam vocês duas. Tenho dinheiro a fazer.

Lark e eu rimos, atropelando-nos dramaticamente para pegar as coisas. Ao sair, acenei para Cecelia, que ainda estava conversando com os clientes de Lachelle, mas ela fez uma pausa longa o suficiente para murmurar "Amanhã?", para mim, e me deu um joinha quando acenei que sim.

– Elas são tão legais – Lark disse, quando já estávamos na calçada. Abri a boca para concordar, mas ela falou novamente: – Tenho me perguntado se não deveria voltar a trabalhar, sabe?

– Ah, é? – Minhas sobrancelhas provavelmente estavam na metade da minha cabeça de tão arqueadas. Lark *nunca* falava sobre trabalhar como se fosse algo que ela planejasse fazer novamente. Falava sempre sobre projetos passados, sobre objetivos passados que ela deixou de lado, sobre roteiros que Cameron não achava bons para ela.

– Eu adorava estar no *set*, ter pessoas à minha volta.

– Também acho que você deve voltar, se tiver vontade. Você é tão talentosa.

Ela me deu seu sorriso de boca fechada.

– Você acha?

– Ah, por favor. Aquele não era nosso filme favorito à toa – eu disse, ignorando a pontada de dor que senti por ter repetido as palavras de Sibby. – Por que não liga para o seu agente?

– Talvez – ela murmurou, parecendo insegura.

Num impulso, estendi a mão com a palma para cima, olhei significativamente para o *planner* que Lark ainda estava segurando contra o peito. Quando ela me entregou-o, enfiei a mão na minha bolsa, encontrei uma das Microns no fundo. Abri na página do dia seguinte. "Ligar para meu agente", escrevi, e devolvi o *planner* para ela.

– Ótimo – ela disse, naquele tom sarcástico que às vezes usava. – Minha caligrafia vai parecer um lixo aqui agora.

Dei uma risada, guardando a caneta.

– Você é uma boa amiga, Meg – ela disse. E, então, estendeu o braço e me puxou para um abraço.

Por um segundo, aquela pontada de quando pensei em Sibby pareceu se expandir assumindo a forma de uma grande tristeza. Refleti sobre como não havíamos sido tão boas amigas uma para a outra nos últimos tempos, e o quanto ainda sentia sua falta.

Mas o abraço de Lark foi um conforto, uma esperança, como muitas coisas que eu tinha na vida, e eu a apertei de volta.

– Ok – ela disse quando nos afastamos. – Você vai encontrar seu gatinho, né?

– Sim – respondi, sentindo o rosto esquentar. – Ele trabalha até tarde, então vamos fazer uma pausa rápida para o jantar.

– Blé – Lark zombou com bom humor. – Vocês dois.

Sorri, meu rosto corando, apreciando o som daquele número em particular.

Esperei poder continuar contando com aquilo.

Encontrei Reid em South Street Seaport, o mesmo lugar para o qual ele escapou uma vez a fim de fotografar um conjunto de letras para me contar sobre seu dia. Naquela época do ano a cidade estava cheia de turistas, seguramente bem mais lotada do que naquela noite, tanto tempo atrás. O dia estava lindo – não muito quente, uma brisa vinda da água e o sol ainda à vista –, então a quantidade de moradores que resolveram ir até ali provavelmente seria maior que a usual.

A palavra soletrada por Reid naquela noite – *TENSO* – me fez esperar encontrá-lo no mesmo estado, especialmente por causa da multidão, mas fiquei agradavelmente surpresa ao descobrir que não era o caso. Quando nos encontramos no local combinado, ao longo de um dos píeres, ele estava com as mangas da camisa branca arregaçadas e a gravata enfiada no bolso. Ele inclinou-se para me dar um beijo suave na boca antes de se afastar e lançar um olhar para meu vestido longo.

– Bonito – disse, colocando o dedo indicador em um dos minúsculos pêssegos estampados nele, mas, na verdade, estava olhando para a extensão de pele; meus ombros, meu peito; revelada por suas alças finas. – Teve um bom dia? – perguntei enquanto nos dirigíamos para um restaurante de tacos próximo.

Reid não pareceu notar os aglomerados de pessoas que ocasionalmente estavam no nosso caminho; ele nos movia habilmente através deles, nossas mãos unidas. Tentei suprimir o tipo de otimismo que parecia despertar toda vez que eu via Reid agir dessa maneira, confortável e despreocupada, em algum lugar da cidade. Eu procurava sinais em tudo – sinais de que ele começava a fazer algo mais do que tolerar o lugar, sinais de que ele pensava em Nova York como um possível lar.

– Cheio – ele respondeu suavemente. – E ainda há muito o que fazer.

– Que merda! – exclamei, mas ele apenas deu de ombros.

– Pode não demorar muito até que eu possa... bem, até eu terminar.

– Ah, é?

– Sim – ele disse, olhando para mim enquanto entrávamos em uma longa fila. Ele pigarreou. – Eu acho... bem, eles estão trazendo algumas pessoas novas. Isso deve tirar um pouco da carga.

– Gente do dinheiro ou da matemática?

Ele mostrou seu meio sorriso.

– Muito cedo para dizer, acho. – Ele abriu a boca para dizer mais alguma coisa, depois a fechou. – Como foi com Lark? – finalmente perguntou.

Ele estava fazendo muito isso ultimamente, aquelas mudanças nada sutis de assunto para não falar muito sobre o projeto em que estava trabalhando, o mesmo que tentava terminar de todo jeito. Talvez isso me incomodasse em qualquer outro contexto, mas achei que Reid estava tentando, da melhor maneira possível, me proteger. Evitando me dar muitas esperanças sobre seus planos futuros, sobre sua possível permanência.

Então, eu o desculpava, esperando pelo melhor. Contei a ele sobre o *planner* e sobre o novo esquema de Lark ir no dia seguinte ver meu ensaio para a apresentação. Ele pareceu cheio de remorso quando eu disse que Lachelle o convidou, mas prometi que eu faria toda a apresentação para ele outra hora. Pedimos a comida e encontramos um lugar do lado de fora para saboreá-la, Reid, de algum jeito, conseguindo comer com um guardanapo todo arrumado no colo, como se a brisa que continuava soprando o meu nem se desse ao trabalho de tentar com o dele. Ele me mostrou uma foto que havia chegado em seu celular mais cedo, de seu irmão Owen com a filha, era em um evento de escotismo; e eu o fiz, não pela primeira vez, lembrar-me dos nomes de todos os seus sobrinhos e sobrinhas.

Quando terminamos, ele jogou nosso lixo fora e voltou para se sentar ao meu lado, passando um braço ao longo das costas do banco, a mão enfiada sob meu rabo de cavalo bagunçado, para descansar na minha nuca. Em seguida, fez um ruído baixo de desaprovação quando apertou a região e percebeu a tensão, e talvez seja errado, ali ao ar livre, mas ouvi isso como se fosse um som que ele emitia a quatro paredes.

– Meg – ele disse, sua voz severa. Severa, tipo, de quatro paredes. – Você precisa se alongar mais.

Um refrão comum nas últimas semanas, quando ele me encontrava debruçada sobre meus esboços. Franzi os lábios, estendi uma mão, acariciando a pele macia e escura sob um de seus olhos com o polegar.

– Você precisa dormir mais – eu disse. Eu gostava disso, de como isso se dava, era um momento real de parceria: duas pessoas cuidando uma da outra, contando uma com a outra.

Ele abaixou a mão alguns centímetros e pressionou os dedos em alguns dos músculos mais tensos. Gostaria de poder dizer que fiz um som de quatro paredes em resposta, mas meu grunhido de prazer-dor provavelmente soou mais como se eu estivesse trocando um pneu.

Ele riu.

– Termine cedo esta noite – provoquei-o. – E talvez eu deixe você me fazer uma massagem. Posso até fazer uma em você também.

Ele olhou para mim, sua boca entortando para cima em um sorriso.

– É tentador – respondeu. Mas, então, olhou para longe, para a multidão de pessoas ao redor. – Mas tenho mesmo que voltar.

Suspirei, desapontada, mas compreensiva. Voltaria ao Brooklyn aquela noite e continuaria praticando minha apresentação. Poderia ver Reid no dia seguinte, talvez, ou no fim de semana, depois que a apresentação estivesse pronta. Não importava como as coisas se dessem na apresentação, queria comemorar com ele. Afinal, havia sido seus jogos que me ajudaram a começar.

Ele se inclinou e me deu um beijo na boca.

– Em breve – ele disse, mesmo que nada mais parecesse acontecer logo o suficiente.

– Ok – respondi, levantando e sacudindo meu vestido. Coloquei as mãos nos quadris e olhei para ele. – Bem, pelo menos deixe-me comprar uma casquinha de sorvete primeiro.

Toda a viagem até ali já teria valido a pena só de ver a expressão de Reid quando pedi algo chamado Salty Pimp, um sorvete doce de baunilha e caramelo mergulhado em chocolate. Era uma bagunça para comer, um desastre absoluto quando a temperatura estava mais quente, e a cada três lambidas, mais ou menos, enquanto caminhávamos na direção de seu escritório, eu estendia o braço para oferecer-lhe uma lambida, mesmo sabendo que ele nunca aceitaria.

– Cara, você não sabe o que está perdendo – afirmei, provocando-o, deliciando-me com sua recusa sorridente antes de dar outra lambida descuidada. Estávamos perto do nosso destino agora, e eu tinha certeza de que havia um pouco de chocolate no canto da boca, mas não me pareceu fazer muito sentido limpar naquele momento. Melhor esperar até terminar a casquinha e, de qualquer forma, por mais que Reid não comesse doces, ele parecia adorar me ver comendo, e eu queria aliviar seu humor o máximo possível antes que ele tivesse que voltar ao trabalho. – Depois daqueles tacos picantes? Não posso acreditar que você...

Parei, sentindo a postura de Reid mudar ao meu lado, um endireitamento que colocou um espaço entre nós. Olhei para ele e notei que seu rosto havia perdido toda a suavidade de antes enquanto olhava fixamente para a frente. O Reid ator de filme de época. O Reid de muitos meses antes.

Segui a direção de seu olhar.

Por uns bons cinco segundos – cinco segundos do tipo "parece que estou sendo enterrada viva" – nenhum dos vértices daquele terrível triângulo de contato visual que formamos se moveu.

Avery Coster parecia exatamente do jeito que me lembrava dela – linda e composta, mas não fria ou distante. Tudo o que ela estava vestindo parecia simples, mas também extremamente caro: um suéter leve cor de creme, calças *cropped* cinza, sandálias rosa pálido que pareciam jamais terem visto a superfície de uma rua de Nova York, embora ela estivesse em uma. Será que ela havia feito um acordo com alguma criatura do submundo em troca de sua alma mortal?

Reid pigarreou, e todos nós demos um passo à frente, como se simplesmente tivéssemos aceitado que aquele não era o tipo de encontro em que apenas se faz um breve contato visual.

– Meg – Reid disse –, você se lembra de Avery.

Eu não disse *nada*. Não fiz nem mesmo um aceno ou dei um sorriso. Estava absolutamente chocada; senti como se tivesse entrado em outra dimensão. Nessa dimensão, em particular, a bainha do meu vestido estava cheia de sujeira da rua da cidade, eu não conseguia me lembrar de quando havia lavado o cabelo pela última vez e havia uma sobremesa de alto teor calórico chamada Salty Pimp escorrendo pela minha mão esquerda quando eu me deparei – em uma cidade de quase *dois milhões de pessoas*! – com a ex-noiva do homem com quem eu estava dormindo.

Essa dimensão se chamava *Merda Absoluta*.

– Oi! – consegui dizer, feliz por pelo menos ter recuperado meus poderes de fala. – Sim, claro que lembro. Oi.

Poderes não muito notáveis, ai de mim.

– Meg! – Avery disse educadamente, seu olhar sem se desviar nem *uma vez* sequer para a minha casquinha de sorvete. – É muito bom vê-la novamente.

Não soou frio ou falso. Soou... *legal*. Como se ela não se importasse de encontrar Reid. Como se não se importasse de encontrá-lo comigo, uma mulher que desenhou o convite para seu casamento – o casamento *deles* – que nunca aconteceu. Se ela estava desconfortável ou surpresa no início, esses sentimentos pareceram ter desaparecido completamente.

– Sim! É ótimo ver você também.

– O negócio está indo bem?

– Sim, muito bem. Obrigada.

Ela me deu um aceno genuíno, um sorriso genuíno.

– Excelente. Muitos dos meus amigos que noivaram ficaram bastante desapontados que você saiu do negócio de casamentos antes da cerimônia deles. Por favor, entre em contato se voltar a trabalhar com isso.

Pisquei surpresa e senti outro filete frio e macio de sorvete deslizar entre meus dedos. Agora que o choque inicial havia passado, eu estava aliviada. Aliviada e... dando-me conta de que a situação era estranha, mas não horrível. Eu *gostava* de Avery. Gostava dela quando era minha cliente. Não tinha nenhum motivo para não gostar dela agora, e não tinha nenhum motivo para ter o tipo de resposta frenética de luta ou de fuga – e na qual estava tentando trabalhar – que costumava ter quando as coisas ficavam tensas.

– Farei isso, com certeza. – Mas, no fundo, sabia que não. Eu estava mesmo fora do negócio de casamentos. Sabia quão bons eram os esboços que apresentaria no dia seguinte. E tinha certeza, não sabia como, mas tinha, de que eu estava prestes a experimentar algo novo.

Avery virou, então, a cabeça para Reid.

– Estava me perguntando por que você não estava no escritório – ela disse, sua voz amigável. – Passei para ver meu pai.

Houve uma pausa muito longa e, pela primeira vez, desviei os olhos dela para vê-lo também. Não sabia o que esperava encontrar – talvez uma versão da máscara vazia que ele apresentava antes, aquela que ele usava quando estava desconfortável. Ou quem sabe algo mais próximo da fisionomia que Avery exibia – algo caloroso e despreocupado, o rosto que você esperaria ver em metade dos casais que se separaram amigavelmente, mutuamente, da maneira que Reid disse que tinha sido com eles.

Mas não esperava que ele parecesse daquele modo...

Tão *devastado.*

Meu estômago se agitou e revirou. Meus olhos percorreram a calçada, desesperados por uma lata de lixo onde eu pudesse me livrar daquele Salty Pimp. Possivelmente eu nunca mais comeria uma casquinha de sorvete.

Reid ainda estava olhando para Avery como se tivesse visto um fantasma.

O fantasma mais bonito e poderoso do mundo.

Ele piscou e pigarreou novamente.

– Saí para jantar – respondeu, como se devesse uma explicação a ela.

Ela sorriu.

– Que bom. Você sempre foi péssimo em manter o equilíbrio entre a vida profissional e pessoal.

"Ainda é!", tive vontade de dizer, mas claro que isso seria ridículo: não estávamos em uma feira das mulheres que namoraram ou namoravam Reid. Fiquei quieta segurando meu sorvete. Nunca me senti tão deslocada em toda a minha vida e, dada a minha história pessoal, isso queria dizer muita coisa.

– Ainda sou – ele disse, sua voz estava sombria.

Avery revirou os olhos.

– É a influência do papai sobre você.

O pomo de Adão de Reid subiu e desceu quando ele engoliu em seco.

– Sim – foi tudo o que disse.

Avery olhou para nós: ora para um, ora para outro, totalmente tranquila.

– Bem, bom ver vocês dois – disse, dando um passo em direção ao meio-fio, onde um sedã escuro, cuja presença eu nem tinha notado, esperava por ela. Ela já estava meio escondida atrás da porta que estava sendo mantida aberta para ela quando Reid conseguiu falar novamente.

– Sim – ele repetiu. – Você também.

Afastei-me dele quando o carro partiu, avistando uma lata de lixo na qual pude finalmente jogar a maldita casquinha de sorvete. Minha mão ainda estava pegajosa e úmida. Enfiei a mão na bolsa, procurando meu álcool gel. *Dê um segundo a ele*, pensei. *Claro que ele se sentiria desconfortável. Afinal, eles iriam se casar.* Pensei nas palavras cortantes de Sibby, lembrando-me de que nem tudo é um grande escândalo.

Talvez fosse melhor não pressionar naquele momento. Talvez fosse melhor dar um tempo.

– Meg – ele disse, vindo em minha direção enquanto eu espremia minha garrafinha de álcool gel que, na verdade, só fez espalhar mais o sorvete nas minhas mãos.

Dei-lhe um sorriso falso e cheio de dentes. Estava tão sem prática que ele pareceu estranho no meu rosto, mais uma careta. Reid não estava nem fingindo, parecia tão chocado, tão chateado quanto parecia apenas alguns minutos antes.

– Você está bem? – perguntei.

– Sim, estou bem. – Mas, assim como minha careta-sorriso, sua resposta não foi muito convincente. – Não esperava vê-la.

– Bem – retruquei animadamente –, o pai dela *trabalha* aqui.

Eu o vi engolir em seco novamente.

– Sim.

Nós dois saímos do caminho de um grupo de pedestres. Estávamos no pior lugar possível, fazendo a pior coisa possível: bloqueando o tráfego de pedestres. Tínhamos ficado tão bons em não fazer isso em nossas caminhadas. Nada parecia *bem*. Muito menos Reid.

– Ei. Você quer andar um pouco mais? Você parece...

– Estou bem – ele repetiu. Então, olhou para mim, seu olhar suavizando-se. – Foi um choque, só isso. Talvez ela,... – E se calou, estendeu a mão para puxar o punho da manga da camisa, como fazia quando estava nervoso, parecendo ficar ainda mais desolado ao não encontrá-lo onde esperava, pois as mangas ainda estavam arregaçadas. – Talvez ela tenha mudado o cabelo.

Franzi a testa. O cabelo de Avery parecia o mesmo de sempre. Ou seja, perfeito.

Nunca tinha visto Reid tão perdido. Tão in-direto. Tão... desonesto.

– Ouça, Reid, tenho certeza de que foi...

– Preciso voltar ao trabalho. – Ele começou a desenrolar as mangas de volta sobre seus antebraços tensos. – Eu com certeza... eu tenho que voltar.

– Claro, tudo bem. Mas podemos falar sobre isso mais tarde, se quiser. Posso voltar para sua casa, esperar por você lá, o que acha? Trouxe trabalho comigo e...

Reid pigarreou, abotoou um dos punhos.

– Vou chegar tarde.

– Ok. – Esperei alguns segundos, observando-o. Querendo saber se ele iria adicionar algo. Se diria um, "... mas sim, espere por mim lá".

Ele não fez isso.

– Eu ligo para você – ele disse, em vez disso. Então, encontrou os meus olhos com os seus, e com um piscar de olhos eliminou a tristeza que sei que vi lá. Agora, ele parecia vazio, totalmente impassível. – Quer que chame um táxi para você?

– Não, está... hum, tudo bem.

Quase me afastei. Mas, antes que eu fosse, Reid pegou minha mão, me puxando para ele. Quando eu estava perto, ele envolveu a parte inferior das minhas costas com o braço, apertando-me contra ele, um toque de desespero nesse aperto, algo que lembrou aquela noite em seu antigo quarto. Ele teve que se inclinar para encostar a boca perto do meu ouvido.

– Sinto muito – disse, tão baixo que tive que me esforçar para ouvi-lo. – Obrigado por ter vindo aqui. Por jantar comigo.

Afastei-me, colocando uma mão contra sua bochecha e olhando dentro de seus olhos. Eles expressavam uma mistura de sentimentos agora.

Parte tristeza, parte arrependimento. Tentei colocar uma interrogação nos meus.

– Conversaremos sobre isso – ele disse. – Prometo. Mas agora tenho que voltar.

Assenti com a cabeça e sorri, pressionando minha boca na dele em um breve beijo. Imaginei que o fato de ele demonstrar que sabia que precisávamos conversar sobre aquele encontro devesse fazer com que eu me sentisse melhor. Eu estava dando tempo; ele estava dando tempo. *Não* era um escândalo. Era apenas algo desconfortável, algo que talvez ele precisasse resolver sozinho. E ele prometeu falar sobre isso.

Mas, quando finalmente me afastei, tive a desagradável sensação de estar afundando.

Tive a sensação de que não podia contar com aquela promessa.

Capítulo 18

Na tarde de sexta-feira, eu estava sentada em uma confortável namoradeira do lado de fora de uma sala de conferências alugada, dentro de um hotel enorme e chique no centro. Atrás de um conjunto de portas duplas à minha frente, nove membros da equipe criativa da Make It Happyn aparentemente estavam se acomodando depois de um longo almoço, que tinha se seguido a duas outras apresentações que aconteceram pela manhã. Quando cheguei, quinze minutos antes, fazendo *check-in* na recepção de acordo com as instruções enviadas por e-mail na semana anterior, um funcionário do hotel fez um telefonema rápido e, em poucos minutos, eu estava sendo recebida por um jovem e enérgico assistente chamado Daniel, que me atualizou sobre a manhã "da equipe" enquanto me escoltava para a sala de espera. Daniel havia me oferecido café, chá ou Pellegrino, bem como um elegante folheto promocional sobre a empresa-mãe da Make It Happyn, uma varejista de arte e artesanato com sede na Flórida que trabalhava com a produção em massa de tudo, desde lã para tricô até *kits* para *scrapbook*, passando por materiais para fabricação de joias. Daniel me chamou de "Srta. Mackworth" três vezes, e também falou que estava "torcendo" por mim, embora algo me dissesse que ele deve ter falado a mesma coisa para os outros dois artistas que estiveram ali antes de mim.

Respirei fundo, tentando ignorar a sensação incômoda de que eu não pertencia àquele lugar, de que tinha algo errado.

Eu deveria estar me sentindo cem por cento confiante. No portfólio ao meu lado, estavam meus originais, prontos para serem exibidos na mesa de conferência da mesma forma que eu havia feito no dia anterior durante meu ensaio na aconchegante familiaridade da loja. Em cima dele estava meu *tablet* e o adaptador que eu havia comprado especialmente para a apresentação, pronto para o projetor. Havia recebido um e-mail de confirmação, há cerca de dois dias, de um assistente da Make It Happyn (que não era Daniel). Eu estava com um estiloso vestido *jeans* escuro evasê, complementado com um cinto amarelo ensolarado, pulseiras de ouro escovado no pulso e argolas nas orelhas. E o mais importante, na minha cabeça estava a apresentação em si, praticada e refinada, elogiada pelo meu pequeno público de amigas da loja.

Mas algo *estava* errado.

Não pela primeira vez, eu estava tentada a quebrar uma promessa para mim mesma, pegar meu celular e verificar minhas mensagens. Mas, nos últimos dois dias, desde South Street Seaport, fazer isso tinha sido uma distração, uma preocupação, quase uma compulsão. Estava checando o celular com muita regularidade, olhando fixamente as mensagens de uma pessoa em particular, procurando por algo escondido nas palavras suaves e educadas que chegavam.

Lamento não ter tido tempo para ligar

Tive que vir bem cedo para o trabalho esta manhã

Tenho que trabalhar até tarde novamente

Cada vez que recebia uma, sentia uma onda de medo crescente e familiar, após meses de rejeições similarmente educadas de Sibby. Agarrei-me as duas conversas telefônicas que Reid e eu tivemos entre essas mensagens – uma logo após meu ensaio, e outra às sete e cinco da manhã da apresentação, precisamente cinco minutos depois que meu despertador tocou. Nas duas, ele disse que sentia muito por ter que trabalhar; disse que sentia minha falta; e perguntou se eu me sentia pronta, se estava nervosa, se estava me alongando. Desviou o assunto quando perguntei se ele estava bem.

– Ocupado – respondeu. – Cansado.

Na noite anterior, quando eu estava fazendo uma última revisão sozinha em meu apartamento, meu interfone tocou e meu coração deu um pulo de empolgação esperançosa. Mas era apenas uma entrega – uma dúzia de rosas amarelas e um cartão com caligrafia irreconhecível. "Meg", dizia, na caligrafia bagunçada de algum funcionário da floricultura, "você está pronta para isso. Celebraremos sua apresentação amanhã, prometo. Reid".

Não me senti tranquilizada por aquela promessa. Ainda não havíamos alcançado um ao outro, afinal.

Mantive as flores e joguei o cartão fora.

Não há nada de errado, tentei me tranquilizar, entrelaçando os dedos sobre o colo. *Você está pronta para isso. Você quer isso. Não se distraia. Não se deixe bloquear.*

Concentrei-me na minha respiração, contando as exalações. Rapidamente fechei os olhos, acatando a sugestão de Cecelia durante o ensaio, de me visualizar na sala, fazendo a apresentação com confiança.

– Meg? – uma voz de mulher chamou, antes que eu chegasse muito longe em minha visualização mental.

A mulher de cabelos escuros que veio me chamar apresentou-se como Ivonne, meu primeiro contato com a Make It Happyn, e ela era tão arrojada e vibrante pessoalmente quanto sua voz soou ao telefone. Seu vestido de verão era todo estampado com flores cor-de-rosa brilhantes; seus saltos altos – combinando – adicionavam dez centímetros ao seu biotipo *mignon*. Ela parecia *empolgadíssima* em finalmente me conhecer, e recebi um choque de confiança.

O clima na sala de conferências foi igualmente acolhedor. Senti falta da luz natural da loja, de estar rodeada das minhas amigas e das belas e reconfortantes ferramentas do meu ofício, mas a equipe se mostrou falante enquanto eu organizava as coisas, todos elogiando meu trabalho e minhas redes sociais. Em poucos minutos, meus originais estavam espalhados sobre a mesa, cada um coberto com uma folha de papel preto fosco que eu pediria aos membros da equipe para retirarem e revelarem conforme eu avançasse pela apresentação que seria projetada na tela. As digitalizações estavam boas, mas não era o mesmo que vê-las no papel.

E então, comecei.

Fiz exatamente como ensaiei no dia anterior, apresentando-me e apresentando o projeto inspirado nas minhas caminhadas pela cidade. Comecei com o tratamento de inspiração *vintage*, letras dos cabeçalhos imitando letreiros antigos, as cores apagadas e às vezes irregulares, um efeito desbotado que demorou uma eternidade para ficar exatamente certo.

Então, as árvores – minhas lindas e maravilhosas árvores – galhos e folhas crescendo nas páginas, complementadas por pequenas serifas simples que não roubavam o foco. A revelação final era a minha favorita, minha adição mais recente, esboçada e refinada nas últimas duas semanas, quando as longas horas de trabalho de Reid me fizeram ter saudades das caminhadas naqueles dias não muito quentes de primavera. Cada mês, uma homenagem secreta e sutil a um bairro diferente que percorremos juntos, letras inspiradas em sua arquitetura ou em seu ponto de vista, linhas leves ligando uma página à outra, como se fossem rotas de trem ou grades de piso em um mapa. Talvez alguém que conhecesse Nova York percebesse aqueles detalhes, talvez não. Mas cada página era única, e a cada vez que uma página era virada, havia a sensação como se tivesse realmente se *deslocado*. A pessoa estaria em um lugar totalmente novo, mas de alguma forma, ainda no mesmo espaço geral.

Quando fiz essa apresentação na frente de Cecelia, Lachelle e Lark, seus rostos mostraram uma mistura de orgulho e admiração, grandes "uaaaus" e "aaahs" quando eu mudava o *slide* e pedia a elas que revelassem um esboço. Cecelia, em particular, enxugou os olhos quando terminei, dizendo-me o quão orgulhosa ela estava do quanto eu havia crescido e do quanto minha arte havia se desenvolvido.

Entendi que o pessoal da Make It Happyn tivesse que ser mais cauteloso, mas não tinha avançado muito quando vi o clima na sala mudando, quando notei algumas cabeças inclinadas, algumas sobrancelhas franzidas. No começo, verifiquei meus recursos visuais. O projetor estava funcionando corretamente? Os esboços virados para o lado certo? Alguma coisa havia sido danificada?

Mas tudo parecia estar exatamente do jeito que eu pretendia.

Então, *definitivamente*, algo estava errado.

– O que me empolga nesses esboços – eu disse, indo para a parte final da apresentação – é que eles contam mais do que uma história colorida, ou uma história sazonal, ou uma ocasional história de férias. Eles são coesos, neutros em termos de gênero e...

– Senhorita Mackworth – um homem em um dos assentos laterais me interrompeu, e eu engoli em seco, sentindo uma nova onda de ansiedade. Agarrei-me ao pequeno controle remoto do projetor, como se fosse uma tábua de salvação.

– Sim?

– São peças lindas, e você é claramente talentosa. Mas acho que falo por todos quando digo que o que você nos apresentou aqui é inesperado, dado o material que estamos acostumados a ver em seu *site* e redes sociais.

– Bill – Ivonne disse em tom de advertência. Mas, quando ela olhou para mim e sorriu, havia um incentivo gentil que pareceu condescendente. – Vá em frente e termine, Meg – ela disse, como se o resto fosse mera formalidade ou uma generosidade. *Ela veio até aqui*, seu tom parecia dizer.

Olhei de um para o outro e, por um segundo, meu velho instinto voltou rugindo – dizendo para deixar as coisas mais leves, alegres. Continuar como se eu não tivesse notado nada de desconfortável.

Mas, não. Resolvi lutar por aquele trabalho.

Virei a cabeça para a tela do projetor, fingi alguns segundos de contemplação, como se Bill tivesse me revelado um grande mistério sobre meu próprio trabalho.

– Na verdade, esse é um ótimo ponto, Bill. Este trabalho é muito diferente do que tenho feito com meus *planners* personalizados... algo mais tradicionalmente divertido, você pode querer dizer?

Ele inclinou a cabeça em concordância, e alguns de seus colegas também assentiram.

– Eu, com certeza, poderia ter produzido esse tipo de arte para vocês, e teria se encaixado muito bem com suas linhas existentes. Mas acredito que, se estão investindo em criadores, vocês provavelmente querem que suas linhas se destaquem. Assim que Ivonne me ligou oferecendo essa oportunidade, estudei o que vocês têm nas prateleiras, e é tudo lindo e funcional. Porém, hoje em dia, também é o mesmo tipo de material que se pode encontrar em centenas de páginas sobre caligrafia nas redes sociais, feitas tanto por amadores quanto por profissionais. O que foi mais empolgante nessa oportunidade para mim. – E aí, ri um pouco de mim mesma. – Bem, uma vez que superei um *ínfimo* bloqueio criativo, foi o pensamento de que minha versão de uma linha completa poderia oferecer algo novo. Algo que fosse acessível a todos, mas também algo que refletisse minha singularidade. E como essas linhas são baseadas em nomes de criadores, essa pareceu ser a direção certa a seguir.

Respirei fundo quando terminei, notando que Bill não pareceu muito impressionado com a minha resposta. Ivonne estava fazendo algumas anotações, mas se isso era um bom sinal ou não, não consegui dizer. Alguns dos outros na mesa estavam olhando novamente os esboços, e só o que eu esperava era que os vissem com novos olhos.

Fizeram-me algumas perguntas, a maioria das quais pareceram bastante genéricas, e deram uma leve salva de palmas ao fim. Ivonne se levantou para agradecer, apertando minha mão e me dizendo o quão contente ela estava por eu ter participado, e o quão talentosa eu era.

Mas ela não disse que me daria notícias.

A ficha não caiu completamente – aquela sensação de decepção, de que as coisas não correram nada bem. Eles queriam flores e fadas, mais *brush-lettering*, mais de "Por onde for, floresça". No outro dia, conversando com Avery durante aquele encontro constrangedor, senti-me tão convicta de minhas decisões, tão certa de que estava à beira de algo grande, tão orgulhosa da maneira como me esforcei para criar algo novo, tão satisfeita com os esboços que tinha produzido.

Mas agora, eu me sentia mais próxima da sensação que veio logo em seguida naquele mesmo dia – quando finalmente olhei para Reid e vi a expressão em seu rosto. Era parte decepção, parte pressentimento. Era a sensação de que interpretei tudo errado, de que não entendi o que estava acontecendo.

A Make It Happyn não queria algo novo, algo que exigisse minha criatividade. Tudo o que eles queriam era mais do mesmo, e eu estraguei tudo.

Mantive a cabeça erguida enquanto andava até o saguão do hotel, recusando-me a desmoronar, mesmo que pensamentos angustiantes estivessem agitando minha cabeça, sendo cobrir o aluguel o mais imediato deles. Precisaria conseguir mais clientes para os *planners*, e logo. Talvez fosse necessário voltar a trabalhar por algumas horas na loja. Ajudaria se Lark se decidisse a ir adiante com o projeto da parede, embora, Deus sabe, eu jamais a pressionaria. Entrei em um banheiro para trocar os sapatos por sapatilhas antes de enfrentar a viagem de volta para casa e percebi minhas mãos tremendo de adrenalina. Parecia justo quebrar minha promessa naquele momento, já que a apresentação havia acabado. Procurei pelo celular dentro da bolsa.

Assim que toquei na tela, tudo o que vi foram notificações empilhadas. Três mensagens de voz, mais de uma dúzia de mensagens de texto.

Todas de Reid.

Reid, que sabia onde eu estaria aquela tarde. Reid, que nunca iria me interromper.

Imediatamente me senti doente de preocupação.

E, assim que comecei a ler, vi que tinha todos os motivos para isso.

♥ ♥ ♥

Nova York adora um escândalo.

E, na classificação de escândalos, a fraude nos seguros de investimentos da Coster Capital era dos grandes.

Aparentemente, tudo havia começado naquela manhã. Às 9h36, para ser mais exata, e os jornais, pelo menos em relação a isso, pareceram querer ser bem exatos. Foi nesse horário que o FBI, junto com membros da Comissão de Integridade Empresarial de Nova York, entrou no prédio onde Reid havia trabalhado nos últimos seis anos. Em duas horas, eles apreenderam todos os computadores dos três andares da empresa. Eles também empacotaram cada folha de papel no escritório de Alistair Coster, bem como cada folha de papel no escritório de seu assistente de longa data. Eles haviam tirado fotos; afixado avisos nas elegantes portas duplas de vidro na entrada. Durante todo esse tempo, o sr. Coster – um dos empresários mais bem-sucedidos da cidade e um de seus filantropos mais generosos – teve permissão para esperar em uma sala de conferência com dois agentes do FBI, desde que não tentasse interagir com nenhum dos seus empregados.

E, então, ele foi levado algemado para fora do prédio, a apenas alguns passos de onde eu tinha estado dois dias antes.

Onde eu estive conversando com sua filha.

Claro, não era a primeira vez que um figurão das finanças de Manhattan era acusado de fraude. Na verdade, certamente não era nem sequer a primeira vez naquele ano. Mas a história de Coster se destacava por muitas coisas, mesmo para pessoas que não sabiam nada sobre números, mesmo para pessoas que achavam difícil entender o complicado esquema financeiro que, aparentemente, vinha defraudando investidores há mais de uma década, enquanto forrava os bolsos da família Coster.

Não, você poderia se interessar pelo escândalo Coster mesmo não sabendo o que são "futuros", mesmo nunca tendo ouvido falar de ações "*blue chip*", mesmo que sua experiência financeira se limite a manter o controle de seu talão de cheques.

Você poderia se interessar por causa de Reid Sutherland.

Seu nome estava em todos os lugares, e não apenas no meu celular.

"Meg", seu primeiro correio de voz dizia, "por favor, me ligue".

"Meg", dizia o segundo, sua voz mais baixa, mais tensa, "algo inesperado aconteceu. Se puder, ligue-me antes de olhar as notícias de hoje".

No terceiro, ele nem se preocupou com o meu nome, falando rapidamente, quase em desespero. "Pode ser que eu fique sem acesso ao meu celular por algum tempo", disse, como se estivesse a segundos de distância desse destino em particular, como se estivesse levantando um dedo pedindo mais um segundo para alguém que tentava tirá-lo dele. "Mas explicarei tudo. Prometo" - eram três promessas, agora - *vou explicar.*

Seus textos tinham sido mais do mesmo - desesperados em tom, mas claramente vagos, revelando nada mais do que sua esperança de falar comigo, sua preocupação de eu ver as notícias, seu aviso de que ele poderia ficar inacessível.

E uma vez que ele estava, de fato, inacessível - minhas mãos tremiam cada vez que eu tentava saber dele -, naquele momento, eu dependia das notícias nos jornais para isso.

Nas histórias iniciais - as que perdi, quando as notícias foram divulgadas - Reid Sutherland era pouco mais do que um idiota com princípios, um funcionário da Coster que notou algo suspeito e denunciou discretamente. Nessas histórias, o nome de Reid apareceu em tamanho pequeno, fácil de ignorar se assim o quisessem. Estava embutido - em minúsculas fontes romanas comuns - em longas colunas de detalhes impenetráveis sobre Coster e seu esquema. A menos que você o conhecesse - a menos que seu coração estivesse batendo em choque e confusão por si mesma, e preocupação e medo por ele -, você poderia esquecer completamente o nome de Reid Sutherland.

Mas conforme a história foi se desenrolando, as letras começaram a se esticar para acomodar seu nome; o momento em que a imprensa descobriu que ele era mais do que apenas um empregado de Coster. Um subtítulo ferino provocou em *bold*:

Delator Sutherland quase se uniu à família Coster pelo matrimônio

Depois disso, Reid passou a aparecer em todos os lugares, uma parte inesquecível do escândalo, embalado para consumo fácil por uma mídia à caça de cliques. Uma história bem mais suculenta que os números incompreensíveis. A criança prodígio que, adulto, mantinha-se afastado de seus colegas de trabalho, sendo que a maioria o considerava rígido, sem humor, distante. Um analista brilhante que subiu na hierarquia rapidamente, eventualmente passando onze meses (alguns colegas chegaram a apostar quanto tempo duraria) noivo da filha *socialite* de Alistair Coster, até um rompimento discreto e aparentemente amigável pouco antes do casamento. Um herói de nervos de aço que passou os últimos seis meses trabalhando com as autoridades, mantendo sua rotina regular de trabalho, nunca deixando escapar qualquer indício da investigação que se desenrolava.

Gastei uma quantia exorbitante de dinheiro para continuar seguindo essas histórias, parte na assinatura de alguns sites de notícias, que estabeleciam um número limite de artigos que podiam ser lidos de graça. Mas o valor mais astronômico foi o da tarifa da corrida de táxi em um carro cheirando a cigarro velho até o Brooklyn, porque se voltasse de metrô, passaria toda a viagem sem sinal de celular. Sentei-me no banco de trás suando de calor e pânico, mal notando as buzinas dos motoristas estressados enquanto rastejávamos por Manhattan, mal registrando quando nos libertamos do pior trecho, finalmente atravessando a ponte. Embora pressentisse que Reid já não podia responder, fiz várias pausas nas leituras para enviar mensagens a ele.

Você está bem?

Por favor, ligue-me novamente!

Reid, isso é loucura!

No momento em que o táxi parou no meio-fio, do lado de fora do meu prédio, a bateria do celular estava acabando e o *look* estiloso que eu havia usado na apresentação agora estava amassado e úmido. Mal pensei no meu portfólio quando o retirei do carro, mal me lembrei da decepção com a resposta do comitê da Make It Happyn à minha apresentação. Certamente o monstro daquele provável fracasso voltaria rugindo em breve, mas, naquele momento, minha cabeça estava girando. Pensei, fugazmente, em todas as coisas que Reid tinha escondido de mim, em todas as conversas que teríamos que refazer. Mas, principalmente, concentrei-me em tudo o que ele deveria estar enfrentando, no desespero e na pressão que ele deveria vir sentindo.

E não apenas naquele dia.

Mas durante todo o tempo em que o conhecia.

Entrei em casa aos tropeções, largando no chão tudo o que estava nas minhas mãos, grata por não ter que explicar nada a ninguém, porque naquele momento, eu não tinha como. Não sem mais informações de Reid. Vesti um *jeans* e camiseta, prendi os cabelos arruinados pela umidade em um coque com certeza terrivelmente bagunçado e enfiei algumas roupas em uma mochila, porque a única coisa que conseguia pensar em fazer era usar minha chave para entrar no apartamento de Reid e esperar por ele. Aparentemente, eles detiveram seu celular, mas ele teria permissão para voltar ao seu apartamento, certo? Afinal, não havia sido *ele* quem tinha cometido um crime.

Amaldiçoei as profundezas espaçosas da minha bolsa quando o celular tocou e tive que lutar para desenterrá-lo de lá. "Tem que ser ele", eu dizia a mim mesma, tentando forçar uma sensação de alívio que não sentia.

Mas não era.

– Oi, Cecelia – atendi, minha voz soando esganiçada aos meus próprios ouvidos. *Preciso tomar uma água antes de sair; devo estar desidratada,* pensei. – Prometi que ia ligar... – comecei, pois *de fato*, havia prometido. Falei que ligaria assim que saísse do hotel. Ela e Lachelle estavam trabalhando e, sem dúvida, esperando pela minha ligação.

– Meg, você está bem? – Sua voz soou diferente do normal, preocupada, mas também um pouco impaciente.

Minhas sobrancelhas se franziram em confusão. Eu *não* estava bem, mas por que ela soava como se já soubesse disso? Será que conhecia alguém ligado a Make It Happyn? Alguém havia avisado a ela que não fui muito bem? Foram os meus pensamentos no momento.

– Eu estou... é... olha, acho que não fui muito bem, e vou contar tudo a vocês, mas agora tenho que...

– Não, na verdade estou perguntando... bem, recebi uma ligação sobre... sobre seu nome nas notícias.

Em um dia cheio de sentimentos sinistros, era quase surpreendente que eu fosse capaz de ficar ainda mais tomada de pavor.

– Meu nome? – repeti devagar. Minha boca, de alguma forma, parecia seca e cheia de saliva ao mesmo tempo.

– Vou lhe mandar um *link* por mensagem, ok? E, quando você puder, conversamos sobre isso.

Concordei com a cabeça, embora ela não pudesse me ver. Não parecia possível que eu pudesse saber o que estava por vir, mas, em algum lugar lá no fundo, eu sabia.

– Ok – consegui responder.

O *link* chegou apenas alguns segundos depois que desligamos. Sentei-me no sofá, ligando o celular na tomada para carregar um pouco a bateria. Reconheci o *site* – um *blog* de fofocas de Manhattan que ocasionalmente ganhava força nacional, mas que cobria principalmente histórias focadas no ar rarefeito da elite da cidade. Apenas uma batida de olho nas palavras do *link* e engoli em seco, apavorada.

Cliquei e li na íntegra.

O quase genro desprezado de Coster
Não conseguiu superar sua ex

E foi como ler as histórias publicadas nos canais sérios de notícias através de um espelho rachado e distorcido. Ali, Reid não era nenhum gênio ou herói de nervos de aço. Era um cara rancoroso, inteligente, mas vingativo, sempre inseguro. "Todo mundo sabia que ela era areia demais para o caminhãozinho dele", dizia uma das fontes anônimas. "Ele também sabia. Ficou destruído quando se separaram."

Continuei rolando a tela, tentando suprimir a lembrança da expressão, de fato, *destruída* de Reid ao encontrar Avery dois dias antes, até chegar à linha na qual meu nome se tornou parte do escândalo horrível.

Fontes próximas à família Coster dizem que Sutherland resistiu à decisão de Avery de cancelar o casamento já marcado, chegando ao ponto de acusar outros de sabotarem seu relacionamento. Várias pessoas que conheciam o casal se lembram de sua certeza de que o programa de casamento – projetado por Meg Mackworth, a requisitada "Calígrafa de Park Slope" – continha uma mensagem oculta dizendo que o casamento seria um "erro". "Quem acha que há uma mensagem oculta em seu programa de casamento?", diz uma fonte com quem conversamos. "Claramente, o cara tem um parafuso solto. Tenho certeza de que no final será descoberto que ele mesmo está por trás dessa suposta fraude."

Não! Tive vontade de gritar para aquele retângulo estúpido e falso, pulando imediatamente em defesa de Reid. Já prevendo como aquele ângulo da história faria sucesso, como se espalharia como incêndio em uma floresta. Claro que os números não eram interessantes. Mas claro que o rompimento com uma *socialite* linda e assediada era muito interessante!

Mas não foi assim!

Ou pelo menos, não foi... *exatamente* assim. Desde que Reid estivesse dizendo a verdade – sobre ele, sobre Avery, sobre os sentimentos entre eles – não foi assim.

E ele havia *falado* a verdade, certo?

Por outro lado... Reid nunca me disse que tinha mostrado o código escondido para outra pessoa, ou que mais alguém sabia sobre ele.

Não entre em pânico, repreendi-me. *Ele prometeu que explicaria tudo.*

Respirei fundo, decidindo que aquilo poderia ser muito pior. Claro, meu nome estava ligado ao escândalo, mas ninguém iria *acreditar* naquela acusação sobre uma mensagem oculta. Era como aquele suposto amigo disse: *quem* pensaria isso?

Então, li o próximo parágrafo.

Talvez Sutherland tenha "um parafuso solto", mas há pelo menos algumas evidências que sugerem que ele não estava paranoico quanto ao material feito por Mackworth. Obtivemos um desses programas nunca usados e, quando você começa a procurar, a palavra "erro" aparece bem claramente. Será que a Calígrafa de Park Slope sabia de algo que a Senhorita Coster não sabia?

Tentamos falar com Mackworth, que sabemos que mantém contato com Sutherland, por meio de seu site e da loja onde ela costumava vender seus rabiscos secretos, mas até agora não tivemos resposta.

Abaixo desse texto, havia uma foto do programa do casamento de Reid, com círculos vermelhos ao redor de cada uma das minhas letras espirituosa e caprichosamente desenhadas. Ali, para o mundo inteiro ver. A palavra, o padrão, o código.

O erro.

♥ ♥ ♥

Não percebi por quanto tempo fiquei sentada no sofá, congelada em choque, mas quando me mexi novamente - apenas para pegar o controle remoto da TV - estava escurecendo do lado de fora. Ao meu lado, a tela do celular continuava acendendo a intervalos regulares - números desconhecidos um após o outro e, a cada vez, meu estômago se agitava e se revirava com o estresse. *Pode ser que seja Reid*, pensei todas as vezes, mas essa esperança foi frustrada nas primeiras quatro vezes que atendi - e me vi imediatamente confrontada com um repórter.

Um confronto atrás do outro, aguardando-me em cada canto daquele celular.

Mas não aquele que eu estava desesperada para ter.

Uma notificação atrás da outra.

Mas não aquela que eu estava desesperada para receber.

Ele não ligava, não mandava mensagem, não mandava e-mail. Obviamente, não estava em casa.

Tudo o que eu podia fazer era esperar.

Precisava lidar com meus clientes. Precisava ligar para Cecelia, para Lachelle. *Lark*, meu Deus! O que Lark, que guardava sua privacidade a sete chaves, deveria estar pensando? E eu que já achava que não tinha muita chance com a Make It Happyn, depois da apresentação - meus lindos não-o-que-eles-queriam esboços - mas agora? Agora tinha certeza de que a ideia de contratar Meg Mackworth existia apenas em algum lugar em um *continuum* de *nunca* e *nem se ela fosse a última calígrafa em todo o universo.*

Pensei em fugir. Um carro alugado, minha mala feita às pressas... Uma maneira de simplesmente... *ir embora*. Fugir daquela exposição horrível, daquela coisa oculta que eu não queria enfrentar. Mas toda vez que tentava me mover, algo - *algo* - me fazia ficar.

A televisão iluminava a sala escura e eu ia pulando os canais até encontrar o que procurava - a cobertura da prisão de Coster. A história parecia se repetir a intervalos regulares, alternando com outras grandes notícias do dia. Quando assisti pela quinta vez – a sala ao meu redor totalmente escura agora – tinha a cena praticamente memorizada. Primeiro, o próprio Coster sendo levado para fora do prédio, olhos baixos, cabelo grisalho despenteado. Depois, fotos dele em tempos mais felizes e prósperos – apertando a mão do prefeito, sorrindo no tapete vermelho na noite de estreia de um balé em Nova York, posando com a esposa nos degraus do Metropolitan. Em seguida, aparecia sua foto de rosto tirada pela polícia; depois, um clipe da fachada de sua casa no Upper East Side, que aparentemente também tinha sido revistada aquela tarde.

Aí, então, aparecia Reid.

Havia um único clipe dele e imaginei que estava sendo reproduzido em todas as estações locais. Naquela a que eu assistia, a estreita faixa rotativa azul-escura de notícias, ao pé da tela, usava letras finas para identificar Reid, todas brancas e em maiúsculas. REID SUTHERLAND – DELATOR DE COSTER, dizia, e fiquei aliviada de que, pelo menos, a mídia televisiva não estava seguindo as manchetes sensacionalistas de "noivo desprezado".

Mas nada mais naquele clipe me tranquilizava. Aparecia pouco de Reid nele: ele estava cercado de pessoas em ternos escuros, um de cada lado e às suas costas, além de um que se movia na frente, braço estendido para bloquear a multidão de pessoas que segurava câmeras e equipamentos de vídeo. Na terceira vez a que assisti, notei que os dois homens que flanqueavam Reid – seus rostos transmitindo uma impaciência frustrada com os diversos cliques em volta – tinham um fio transparente e enrolado descendo atrás das orelhas. Eram seguranças. Para *Reid*.

Mas não precisei assistir três vezes para notar cada detalhe de sua aparência: pálido, estoico, rígido, seus olhos azuis vazios quando – por um breve segundo – piscaram em direção às lentes da câmera. Terno azul-escuro, camisa branca, gravata cinza, reta, nó apertado no colarinho. Nos últimos segundos do clipe, quando dois dos fotógrafos tropeçaram um no outro, empurrando seus colegas ao redor e colocaram os homens ao redor de Reid em alerta, Reid levou as mãos ao cabelo e a pior coisa para mim foi revelada pelo mais fugaz dos segundos: um trecho de pele ferida que espreitava por debaixo do punho de sua camisa.

Meu coração se partia toda vez que chegava nesse trecho do clipe, e acho que, se eu ficasse ali sozinha, poderia ficar vendo-o repetir-se a noite toda, apenas para ter o coração despedaçado de novo e de novo. Apenas para me sentir perto dele, mesmo que de uma maneira insignificante e insatisfatória.

Mas não fui deixada sozinha. Na quinta vez, assim que o clipe terminou, ouvi a fechadura da porta de entrada do apartamento girar.

E, quando olhei para cima, estava encarando os olhos solidários da minha melhor amiga.

Capítulo 19

Acordei sabendo que Sibby ainda estava no apartamento.

A porta do meu quarto estava entreaberta, apenas uma fresta de luz espreitando. Mas através dela, eu podia ouvi-la na cozinha, pratos tilintando levemente daquele jeito particular que sugere que a pessoa está tentando não fazer barulho. Quando respirei profundamente, pude sentir o aroma inebriante de seu café forte favorito. Aquela soou e cheirou como tantas outras manhãs que tínhamos vivido naquele apartamento – Sibby acordando cedo para o trabalho, eu dormindo até tarde depois de passar a noite desenhando.

Mas é claro que não era uma dessas manhãs.

A princípio, entreguei-me à decepção quando percebi que não havia acordado para descobrir que tudo aquilo que tinha acontecido não passava de um sonho terrível. Afundei-me nas cobertas, brevemente cedendo ao desejo de me esconder. As circunstâncias ficaram ainda piores do que na noite anterior – ainda nenhuma palavra de Reid, mas *muitas* palavras de outras pessoas. Repórteres que inundaram minha caixa postal e a caixa de entrada do meu e-mail. Clientes que fizeram o mesmo, escaneando seus *planners* em busca de mensagens ocultas, encontrando coisas que nunca escondi. Uma estava convencida de que eu havia escrito "Ele está te traindo" entre as letras do calendário de junho, mas eu nem mesmo sabia que ela estava saindo com alguém.

Outra pensou que eu tinha escondido a palavra "botox" e queria saber se aquilo era uma acusação ou uma sugestão. "Essa é boa", Sibby disse enquanto olhava meu celular, sobre o qual ela havia reclamado o controle logo após sua chegada. Mas também nunca escondi essa palavra. Ainda assim, eu tinha muito a que responder. E também queria um monte de respostas.

Lentamente, desenrolei meu corpo da bola de cobertas na qual havia me fechado, jogando-as para fora da cama. Eu sabia que não poderia me esconder para sempre, e a presença de Sibby na noite anterior já havia me permitido brincar de esconde-esconde por um tempo considerável.

Senti meu corpo dolorido de fadiga enquanto jogava um xale leve sobre o pijama, e meus olhos, de tão inchados, pareciam grudados. Não saberia dizer em que momento finalmente tinha adormecido na noite anterior, mas sabia que estava chorando – um fluxo constante de lágrimas enquanto Sibby e eu permanecemos deitadas lado a lado no escuro em uma versão mais triste de nossas antigas festas do pijama. Com uma voz rouca, quase sussurrada, contei tudo a ela. Sobre Reid e Avery, e o programa; sobre mim e Reid, e as caminhadas. Até mesmo sobre aquele *A* em volta do meu coração, e qual palavra ele representava.

Ela segurou minha mão e ouviu. Quando terminei, disse, com a voz embargada também:

– Eu nem sabia que você estava saindo com alguém. – Então, apertou minha mão com força e sussurrou: – Sinto muito.

– Oi, Sib – resmunguei ao entrar na sala após uma parada rápida no banheiro. Arrastei-me até o sofá e caí nele. Um progresso mínimo, mas ainda um progresso. Melhor do que continuar prostrada na cama.

Ela estava vestindo as mesmas roupas do dia anterior, seu rosto limpo, sem maquiagem. Assim que me acomodei, ela se aproximou e estendeu um copo em minha direção.

– Água antes do café – disse, com a mesma voz que, imaginei, usava com seus pequenos protegidos. Mas não me importei com isso no momento. Peguei o copo de sua mão e bebi sofregamente, principalmente porque eu queria muito aquele café.

– Obrigada. Você já viu as notícias? – indaguei, fazendo menção de me levantar para pegar café.

Ela levantou a mão sinalizando para que eu ficasse sentada, seus olhos cheios de simpatia:

– Não há nada de novo. Pode ficar aí, eu pego o café.

Enquanto ela se afastava, inclinei a cabeça para trás e fechei os olhos, ouvindo-a se mover pela cozinha enquanto eu tentava – vagamente, me sentindo meio grogue – fazer algum planejamento para o dia. A lista de pessoas para as quais eu precisava ligar, pessoas ansiosas por um confronto comigo, parecia interminável e, mesmo enquanto eu tentava elaborar um plano para lidar com aquilo, minha mente continuava voltando para Reid. Era estranho como conseguia guardar tantas emoções conflitantes em um só coração: uma preocupação avassaladora com ele, medo de que estivesse em apuros, inacessível e escondido em algum lugar; mas também devastação pelas coisas que, aparentemente, escondeu de mim – não as do trabalho, porque era óbvio que ele não podia compartilhar aquilo, mas as coisas pessoais. O que ele talvez tenha contado aos outros sobre o programa de casamento, sobre minhas letras. A maneira como ele me deixou assim... tão exposta a todas aquelas revelações.

Tão desprotegida.

Ele deveria ter me avisado. De alguma forma, deveria ter me avisado.

– Ok – Sibby disse, cortando meus pensamentos. – Café, aveia instantânea, *maple syrup* extra.

Levantei a cabeça e notei que ela tinha colocado uma quantidade pequena de café na xícara, com certeza preocupada de que a cafeína pudesse aumentar ainda mais minha ansiedade. Apesar de toda a tristeza, senti meus lábios ensaiarem um sorriso enquanto tomava meu primeiro gole.

– O plano é o seguinte – ela comunicou, sentando-se ao meu lado e cruzando as pernas. – Hoje compraremos uma segunda linha de telefone para você e enviaremos o novo número para as pessoas que você conhece, assim todas as outras mensagens e ligações irão para a antiga, para a qual você pode gravar uma nova mensagem na caixa postal. Basicamente, um *foda-se* educado. Já desativei os comentários em suas redes sociais, mas acho que se...

Ela desfiou o resto de suas ideias, todas ótimas. Ela vinha lidando com a situação com essa mesma eficiência desde que havia chegado na noite anterior – uma força da natureza com meu celular, atendendo às chamadas e, a depender do interlocutor, fornecendo as respostas mais breves.

Para os clientes, um simples "estou anotando as mensagens para ela". Para repórteres, blogueiros e afins, um breve "sem comentários" seguido pelo bloqueio do número. Ela ligou até mesmo para meus pais, embora, felizmente, pareceu bastante claro que minha parte no escândalo continuaria restrito às notícias locais. Ela apareceu como uma super-heroína, minha campeã mais dedicada.

Fiquei grata e reconfortada, mas, de repente, fui tomada por um mal-estar enquanto a escutava falar. Talvez eu estivesse demorando um pouco para começar a enfrentar a pior parte da minha lista de tarefas, porém, sentada ali com Sibby, um dos itens ficou claro como cristal.

– Sib – chamei.

– Sim? – Seus olhos expressaram sinceridade e uma leve surpresa por eu a ter interrompido. Naquela manhã, e na noite anterior, ela havia encarnado a velha Sibby. Nem distante, nem cordial, mas sim vibrante, ousada e faladeira, pronta para o que desse e viesse, como se os últimos meses nunca tivessem acontecido.

Limpei a garganta rouca.

– Você acha que é mais fácil... ser minha amiga, quando as coisas estão assim? Quando preciso de você... Você acha que... – Mexi minha aveia de um lado para o outro sem o menor interesse nela, cogitando a forma certa de dizer o que queria. – Você acha que talvez tenhamos aprendido a ser amigas dessa maneira e, então, quando as coisas mudaram...

Parei novamente, mas não porque estava evitando ser direta. Apenas sabia que Sibby estava pensando naquelas mesmas coisas que eu, em tudo o que havia formado e forjado nossa amizade de acordo com quem éramos quando crianças. Eu, naquele ônibus com meu remédio para dor de estômago, nervosa por estar longe de casa, e ela em uma nova escola, pronta para se afirmar forte e no controle. Eu, no limiar da porta de um apartamento em Hell's Kitchen, precisando de uma nova casa, e ela acolhendo-me, disposta a ser a guia da cidade para uma pessoa, nem que fosse para uma pessoa apenas.

Eu agora, e ela agora.

Houve uma longa pausa.

– Não sei, Meg. Talvez seja.

Concordei com a cabeça. Não era uma resposta exata, mas era honesta. Possivelmente para nós duas.

– Mas se isso for verdade – ela continuou –, então teremos que mudar esse padrão. Teremos que aprender a ser amigas de uma maneira diferente. Porque eu amo você; porque sinto muita saudade de você.

Meus olhos se encheram de lágrimas.

– Eu também, Sib.

Ela se aproximou e, por um tempo, ficamos sentadas em silêncio, as laterais de nossos corpos pressionadas enquanto eu me forçava a comer. A lista de afazeres se agitava em minha cabeça, demandando atenção, e meu coração ainda estava partido. Mas talvez um pouquinho menos agora. Talvez Sibby e eu fossemos fortes o suficiente para formar e forjar algo novo. Mudar.

– Tudo bem – ela disse –, mas a segunda linha telefônica *foi* uma boa ideia, admita.

– Ok! – exclamei. – Eu admito. Ligarei para fazer o pedido assim que terminar de comer.

E nós duas nos demos por satisfeitas de não termos que fazer todas as mudanças em um único dia.

♥ ♥ ♥

Algumas horas mais tarde, eu estava dando um abraço de despedida em Cecelia na pequena entrada de sua casa, ainda fungando, apesar de meus melhores esforços para conter o choro. A essa altura, minhas pálpebras mais pareciam almofadas, mas pelo menos algumas das lágrimas que eu havia derramado naquela última hora foram de alívio, porque Cecelia, sendo a pessoa generosa e maravilhosa que era, perdoou-me.

Depois que terminei meu café da manhã, levei a sério a questão de lidar com as coisas que podia controlar em meio àquela situação horrível, e o confronto com Cecelia era a prioridade. Felizmente, ela não estava trabalhando e aceitou prontamente o meu pedido de nos vermos, oferecendo sua casa para o encontro – como se pudesse sentir que eu estava sendo cautelosa em relação aos lugares onde ia.

Não foi fácil me desculpar com Cecelia – sem fazer rodeios, e apenas dando explicações à medida que elas a ajudassem a entender como tudo havia acontecido. Disse-lhe que faria o que fosse preciso para lidar com qualquer consequência negativa que o ocorrido pudesse trazer à loja; assegurei-lhe que arcaria com a responsabilidade por qualquer projeto que tivesse feito enquanto trabalhava para ela e, finalmente, que aceitaria e entenderia se ela preferisse que eu me mantivesse longe da loja.

Também agradeci a confiança e tudo o que ela havia feito por mim. Disse o quanto lamentava tê-la decepcionado tão completamente.

– Ah, Meg – ela disse, seus olhos suaves e travessos. – Não quero ser irônica, mas... Ouça, você cometeu um *erro*.

Ainda assim, Cecelia tinha um negócio para administrar, e juntas tomamos algumas decisões sobre a melhor forma de minimizar os danos. Por mais horrível que fosse considerar isso, eu evitaria a loja por um tempo, pelo menos até a poeira baixar – e, talvez, até por mais tempo. Caso Cecelia recebesse ligações de clientes que eu havia atendido, ela os lembraria gentilmente de que eu tinha sido contratada como *freelancer* e de que eu era a única responsável pelo trabalho que produzi. Ela os encaminharia para o formulário de contato no meu *site* e, sempre que pudesse, me avisaria com antecedência sobre qualquer pessoa que parecesse particularmente irada, embora, felizmente, ainda não tinha havido nada tão extremo.

– Mas isso não significa que não vamos nos ver – Cecelia disse, abraçando-me apertado mais uma vez antes de se afastar. – Apareça aqui na próxima semana, e todos jantaremos juntos.

– Ah, você não precisa...

– Meg – ela disse com firmeza –, você é mais do que letras para mim, ok?

Engoli uma nova onda de lágrimas com essa gentileza, mal conseguindo acenar com a cabeça e esboçar um sorriso genuíno.

Quando saí, peguei o celular e enviei uma mensagem rápida para Sibby dizendo que estava a caminho. Ela ainda estava no apartamento e insistiu em ficar alguns dias para me ajudar, afirmando que Elijah lhe traria algumas roupas. Enquanto eu estava na casa de Cecelia, ela ficou lidando com minha lista de pendências de e-mail, excluindo qualquer coisa relacionada a repórteres e marcando as mensagens de clientes que eu precisaria responder em breve. Quando chegasse em casa, eu pretendia entrar em contato com Lark, continuando assim a navegar pela minha lista de prioridades de confrontos. A caminho da casa de Cecelia, falei com Lachelle, que por sua vez, retorquiu:

– Que motivos eu tenho para estar brava com você? – E, ainda, me encorajou a lembrar Cecelia de que toda publicidade era boa, afirmando, em seguida, que queria ouvir toda a história chorosa enquanto tomaríamos drinques veganos como pagamento pela sua dica de ouro.

Mesmo que eu devesse guardar o celular, deixando-o de lado até chegar em casa, não consegui me segurar: enquanto andava, fui verificando o histórico das últimas chamadas perdidas e as mensagens na caixa postal – a maioria das quais eu simplesmente apaguei. O problema com a ideia da segunda linha telefônica, percebi quase ao mesmo tempo em que a configurava, era que ela não me livrava da compulsão de checar o celular a todo instante para ver se Reid havia tentado algum contato, talvez até de um número diferente.

Porém continuava sem notícias dele.

Talvez eu pudesse tentar ligar para... o FBI?, pensei ridiculamente enquanto deletava outro lixo de mensagem vinda da imprensa. *Como que se entra em contato com o FB...*

Parei abruptamente ao ouvir o início da próxima mensagem, que era tão inesperada – não estava nem mesmo na lista dos confrontos que eu precisava ter – que nem parei para ouvir a coisa toda antes de discar o número de volta.

– Meg! – A voz de Ivonne soou alta e animada quando ela atendeu depois de apenas meio toque. – Estou tão feliz que conseguimos nos falar. Tentei ligar para você ontem do hotel, mas seu celular devia estar explodindo com mensagens e ligações!

Ela falava como se ter o celular "explodindo" de mensagens e ligações fosse uma coisa maravilhosa. Como se fosse ótimo que a *vida* de alguém estivesse "explodindo".

– Ah, sim. – Engoli em seco e tentei continuar de forma a parecer mais alegre. Pensei que tivesse perdido a chance com a Make It Happyn, mas pelo visto não era o caso e, naquele momento, precisava desse trabalho mais do que nunca. Então, se eles estivessem interessados em um material bizarro e divertido, eu lhes entregaria exatamente isso.

Soltei uma risada vazia e falsa.

– Sim, com certeza! Tem sido uma completa loucura.

Completamente terrível. Completamente devastador. Completamente traumático.

– Ouça, a equipe e eu nos reunimos ontem à noite, e você é a nossa primeiríssima escolha para o projeto. Estamos superanimados em tê-la a bordo.

– O qu-sério? – Eu deveria deixar quieto, mas não fiz isso. Em vez disso, eu disse o que estava pensando: – Tive a impressão de que os esboços que apresentei não se encaixavam no que vocês estavam procurando.

– Temos que aproveitar o momento e seguir adiante – ela disse, como se eu não tivesse falado nada. – Você e sua marca estão à beira de uma transformação.

– Sim, sim, mas pensei que as ideias que propus...

– Mensagens ocultas – ela me interrompeu. – É genial. Queremos fazer uma linha inteira. Estamos pensando em mensagens motivacionais, talvez uma para cada mês? Tenho certeza de que você consegue criar algo nesse sentido, eu vi aquele programa de casamento! Enfim, achamos que pode ser um sucesso, especialmente se colocarmos no mercado o mais rapidamente possível. Uma espécie de jogo para nossos clientes, sabe? Vai ser incrível.

Um *jogo*.

Em um piscar de olhos, minha determinação – reunida a duras penas – de enfrentar o problema e travar os confrontos da minha lista caiu por terra. Senti um novo golpe de dor pensando em Reid. Cada um de nossos jogos foi tão sincero, tão honesto, tão especial. E cada jogo trouxe novas ideias, novos materiais – além de um relacionamento – que também eram sinceros, honestos e especiais. Mas agora nossa jornada parecia banalizada, falsa. Nossos nomes ligados um ao outro em alguma narrativa superficial e escandalosa, e eu não poderia nem mesmo falar com ele para descobrir o que era verdade e o que não era. Todo o meu esforço e criatividade investidos na Make It Happyn reduzidos a isto: uma oferta requentada de transformar meus erros em dinheiro.

Que *pesadelo*!

– Meg? – Ivonne chamou. – Você ainda está aí?

Parte de mim queria dizer um grande não, simplesmente desligar o telefone ante aquela proposta ultrajante, talvez até mesmo bloquear o número daquela mulher. Mas eu trabalhava como autônoma naquela cidade há tempo suficiente para saber que não devia fazer algo tão imprudente e, como me senti perigosamente perto de uma daquelas explosões de sinceridade que já haviam me causado tantos problemas, conclui que o melhor a fazer era desligar o mais rápido possível.

Eu me recompus o suficiente para pedir desculpas e perguntar se poderia retornar a ligação em outro momento, dando como desculpa "alguma distração" ocasionada pelas circunstâncias atuais. Ela riu com simpatia e concordou – "ha ha ha, escândalos não são hilários?" – pedindo que eu retornasse na segunda-feira.

– Claro – prometi antes de desligar, embora não conseguisse ver como poderia ter mais clareza sobre aquele assunto até segunda-feira.

O retorno para casa foi penoso. Estava abafado e nublado, a pior combinação de clima na minha opinião, e não havia um só transeunte parecendo feliz com isso. Claro, eu estava contente por ter falado com Cecelia, mas talvez um confronto tenha sido suficiente para o dia, né? Pensei: *quem sabe eu possa me esconder um pouco mais e entregar meu celular para Sibby até amanhã, enquanto espero e torço para que Reid ligue.*

Quando finalmente eu já estava subindo as escadas em direção ao meu apartamento, sentindo o último fiapo de energia abandonar meu corpo, o que eu queria, mais do que tudo, era um esconderijo. Abri a porta cabisbaixa, ainda com os fones no ouvido, escondendo-me, escondendo-me, escondendo-me e percebi que meu dia de confrontos ainda não havia acabado, porque quando tirei os fones e olhei para cima, vi que não era só Sibby que estava em casa.

Lark também estava lá.

Segurando seu *planner.*

♥ ♥ ♥

– *Não* escondi coisa alguma aí! – declarei imediatamente. Finalmente estourei. Gostaria que essa proclamação, que era verdadeira, parecesse mais convincente, porém as gotas de suor brotando em minha testa com certeza devem ter me feito parecer a Testemunha Mentirosa Número Quatro enviada para cá da central de elenco.

– Bem, isso é estranho – Sibby disse, fazendo uma careta enquanto olhava de mim para Lark. – Nesse caso, posso dizer, literalmente, que já passei por isso. – Ela gesticulou para o local onde eu estava parada de pé.

Lark riu.

Espere... ela riu?, pensei.

– O que está acontecendo aqui? – perguntei, meu olhar pulando de uma para a outra. Tive a impressão de que elas estavam prestes a colocar máscaras de argila no rosto para hidratar a pele e assistir a *A Barraca da Princesa*. Para ser sincera, aquela até que era uma boa ideia, mas eu ainda não tinha entendido o que havia acontecido na minha ausência.

– Lark veio até aqui para ver como você está – Sibby esclareceu. – Ela estava preocupada.

– Li as notícias e pensei que seria uma boa ideia passar para ver como você está – Lark completou. E, segurando o *planner*, acrescentou: – Enquanto esperava você voltar, estava mostrando a Sibby o trabalho que desenvolveu para mim.

Sibby? Agora era Sibby?

– Por que será que nunca a contratei você para fazer um *planner* para mim? – Sibby perguntou, apontando o de Lark. – Esse é lindo.

– Porque você usa um aplicativo – respondi.

– Faz sentido – Sibby respondeu, levantando um dedo. – Como foi com Cecelia?

Esfreguei as têmporas suadas.

– Gente, preciso de um minuto. O que... vocês são amigas agora?

– Tivemos uma boa conversa enquanto esperávamos por você – Lark explicou. – Você não me disse que Sibby estava fazendo testes para papéis novamente.

Fiquei boquiaberta.

– Também não sabia disso.

Sibby acenou com a mão.

– Depois conto sobre isso. Uma pequena produção. Quem sabe se vou conseguir o papel.

– Sib, isso é ótimo. Qual é o...

Sibby estalou os dedos, como se tentasse me acordar de uma hipnose.

– Foco, Meg.

Larguei a bolsa, dei alguns passos e afundei no tapete, me sentando de frente para elas, que ocupavam o sofá.

– Deu tudo certo com Cecelia. Mas, no caminho para casa, me ofereceram o trabalho da Make It Happyn.

Inicialmente, ambas ficaram animadas, até que lhes contei os detalhes da proposta, adicionando um inchaço extra aos meus olhos com mais algumas lágrimas derramadas.

– Afff! – Sibby exclamou. – Você não pode aceitar.

– Não sei se posso me dar ao luxo de recusar. Perderei muitos clientes por causa do escândalo. As pessoas me confidenciaram detalhes das suas vidas, é justo que elas tenham ficado com raiva, que desconfiem de mim.

– Lark estava desconfiada – Sibby disse, e meu estômago revirou.

– Lark, de verdade, não há *nada* aí. Não faço isso há meses. Eu estava passando por...

– Desconfiada não é a palavra certa – Lark comentou, de forma tranquilizadora. – Estava mais para... esperançosa, talvez?

– *Esperançosa*?

Lark abriu o *planner*, passou as páginas rapidamente como em um *flipbook* e deu de ombros.

– Olhei fixamente cada página, cada letra. Quando terminei, percebi que estava procurando por algo bem específico.

– Meu Deus! – Sibby protestou. – O suspense está me matando!

Lark sorriu, então olhou para mim.

– Acho que não está dando certo com Cam. Ou não está dando certo em Nova York. Não tenho certeza de qual é o problema.

– Ah, Lark – lamentei.

– Bem, não pode ser culpa de Nova York – Sibby objetou, e eu não pude deixar de sorrir.

Mas, então, senti outra pontada de tristeza por Reid, Reid e Sibby. Teria sido divertido vê-los discutindo sobre Nova York, eu me juntando à brincadeira para provocá-lo também. Mas agora, talvez isso nunca acontecesse.

Tornei a me concentrar em Lark.

– Aconteceu alguma coisa?

Ela encolheu os ombros.

– Não, mas... Quer dizer. Você o conheceu.

– Caramba! – Sibby disse. Algo que Reid e Sibby teriam cem por cento em comum seria o desprezo absoluto por um colar de dente de tubarão.

– Não sei se alguma vez já foi bom entre nós – Lark admitiu. – Se temos como resolver isso. E, na verdade, nem sei se *quero*. – Ela olhou novamente o *planner*, acariciando a capa. — Talvez estivesse esperando que você tivesse a resposta.

– Definitivamente, não tenho uma resposta para isso – respondi, falando sério. Se havia uma coisa que eu não tinha era competência para aconselhar as pessoas sobre seus relacionamentos. – Mas podemos conversar sobre o assunto quantas vezes quiser, se isso vai ajudá-la a tomar uma decisão.

– Ela é boa nisso – Sibby enfatizou. – Uma vez me mandou uma linda lista dos prós e contras de fazer uma tatuagem.

– Na verdade, acho que essa é a razão de eu estar enrolando para tomar uma decisão em relação à parede. Aliás, me desculpe por isso. É que eu...

– Lark, está tudo bem. Se aquela casa não é o seu lar, não deveríamos mesmo seguir adiante com o projeto.

– Mas você precisa do dinheiro.

Contraí os lábios e as sobrancelhas, lançando um olhar de censura:

– Não vamos nem discutir isso, Lark. Somos amigas. – E, pegando emprestada uma linha de Cecelia, acrescentei: – Você significa mais que um mero trabalho para mim, ok?

Ela assentiu, baixando os olhos, ao mesmo tempo em que olhei brevemente para Sibby e fiquei aliviada ao constatar que ela parecia totalmente confortável. Se encontrar Lark no apartamento foi doloroso para Sibby antes, parecia que já não era mais.

– Tudo bem – Sibby disse. – Porém, *de fato*, ela precisa de dinheiro, senão vai aceitar... – E fez uma pausa dramática para preparar o desfecho. – Essa proposta *horrorosa* de trabalho. Meg, e se eu...

Interrompi-a antes que ela pudesse sugerir algo ridículo, como ligar para seu pai. De repente, ocorreu-me quantas coisas haviam mudando, não somente em relação ao último terrível e estressante dia e meio, mas também aos últimos meses.

Em um dia cinzento de primavera, um homem que nunca pensei que veria novamente entrou na loja e me confrontou sobre minhas letras em um momento em que eu me sentia mais sozinha do que nunca. Já naquele dia cinzento de verão, parecia que toda a cidade sabia do meu segredo, mas pelo menos eu não estava enfrentando as consequências sozinha.

– Posso lidar com isso – eu disse, sentindo-me muito mais capaz do que quando havia chegado em casa. – Preciso... recomeçar, acho. Já fiz isso antes, certo? Vou começar a entrar em contato com meus clientes e tentar tranquilizá-los da melhor maneira possível, embora provavelmente vá ser difícil...

– Eu poderia ajudar – Lark declarou.

Sibby e eu observamos enquanto ela pegou o *planner* novamente, balançando-o no ar.

– Para começar, farei alguns *posts* sobre isto aqui nas redes sociais.

– Aaaah! – Sibby exclamou, e não havia um traço de inveja em sua voz. Tive, então, a sensação de que algo importante estava acontecendo ali, uma mudança no padrão da nossa amizade: Sibby não estava querendo ser a pessoa que controlava tudo. – Sim, isso seria bacana.

– E você costuma encontrar seus clientes fora, certo? Em cafés?

– Ah, sim, isso.

Lark acenou com a cabeça.

– Talvez eu possa aparecer nas reuniões quando você estiver com aqueles clientes mais difíceis, sabe? Não estou dizendo que todo mundo se importaria, mas a Princesa Freddie ainda tem um apelo significativo. Claro que não irei fantasiada de Princesa Freddie, seria mais uma sugestão. Enfim...

Pisquei em sua direção.

– Mas você... E sua privacidade?

Ela deu de ombros novamente.

– É por isso que eu seria uma boa referência, certo? Eu confio em você para fazer minhas coisas, então eles também podem.

– Lark, isso é pedir demais.

– Não é, não. Como você disse, somos amigas.

– Auun! – Sibby fez graça. – Vamos fazer uma festa do pijama agora? Porque eu acho que nós deveríamos.

– Para mim, rola – Lark entusiasmou-se. – Vou ligar para Jade e pedir que me traga algumas coisas.

– Quem é Jade?

– Minha assistente – Lark disse, e os olhos de Sibby se arregalaram.

– Caramba! – Ela se espantou, excitada, acentuando todas as sílabas. – Temos *muito* o que conversar.

Do meu lugar no chão, observei-as conversando sem esforço e senti um quentinho no coração. "Isso também é amor", disse a mim mesma, lembrando-me daquela marca dolorosa em meu coração. Minhas amigas ali por mim, ajudando-me a juntar os cacos depois do escândalo ter estourado.

Mas, mesmo assim, passei a noite toda esperando por uma ligação, uma mensagem, um e-mail.

A noite toda senti o vazio da ausência de alguém que eu amava.

Capítulo 20

Coloquei o pé para fora de casa porque estava procurando um sinal.

Às primeiras luzes da manhã de domingo, emergi da enorme pilha de cobertores e almofadas (não minhas pálpebras, que já estavam modestamente melhores pela ação de dois saquinhos de chá úmidos colocados suavemente sobre sua superfície inchada) dispostas a esmo pela sala. Praticamente todos os meus ossos, até mesmo alguns que eu nem sabia que tinha, doíam por ter dormido no chão, mas faria tudo de novo. Sibby continuava na cama improvisada no chão, um edredom puxado sobre sua cabeça, apenas seus cachos pretos visíveis. No sofá, Lark dormia – em verdadeiro estilo de princesa – braços e pernas encolhidos, ressonando suavemente. Elas nem se mexeram quando me levantei, provavelmente porque ficaram acordadas até muito mais tarde do que eu. Devo ter caído no sono lá pelo quinto episódio da nossa maratona de *The Bachelorette*. Enquanto me dirigia à cozinha na ponta dos pés, por uma fração de segundos me perguntei se deveria verificar o *freezer* para ter certeza de que não tinha nenhum sutiã meu escondido às pressas ali.

Em vez disso, imediatamente verifiquei meu celular, o que, àquela altura, era quase com certeza um trabalho inútil. Dito e feito: ainda não havia nada dele. E também nada de novo nos *blogs* de notícias ou fofocas, apenas as mesmas informações básicas, reembaladas para parecer que havia algo a mais e, assim, manter as pessoas clicando nos *links*.

Talvez eu devesse começar a trabalhar, organizar as reuniões com as quais Lark planejava me ajudar... Mas era manhã de domingo, de modo que, provavelmente, eu não teria muitos retornos (pensando bem, por ser domingo, pouco importava o horário, seria difícil alguém retornar). E, de qualquer forma, naquele momento em particular, em que meu coração, ainda envolto pelo inconveniente @, estava apertado e dolorido, trabalhar seria apenas outra forma de me esconder. Já que sentia tanta saudade de Reid, talvez devesse colocar em ação a única coisa que poderia me fazer sentir mais próxima dele.

Silenciosamente, lavei o rosto e escovei os dentes, evitei qualquer peça de roupa com estampas exuberantes e calcei um confortável par de tênis. Peguei um pedaço de papel de rascunho na escrivaninha e, sem adornos, escrevi uma mensagem simples.

Fui fazer uma caminhada. Volto logo. Bjo., Meg

Deixei o bilhete em cima de uma almofada ao lado de Sibby antes de sair.

Lá fora, o céu da manhã estava claro. Já estava quente, mas nem próximo ao festival de sopa de suor do dia anterior, e me concentrei no ar fresco enquanto andava por quarteirões e quarteirões. Todos os letreiros eram familiares, e não consegui pensar em um único jogo para fazer. Pensei em Reid naquela noite no Swine, me dizendo que havia andado o dia todo com uma sombra em forma de Meg ao seu lado e, então, tudo o que consegui imaginar foi sua sombra ao meu lado – meu relacionamento com aquela cidade e seus sinais mudou para sempre, agora povoado pelas memórias de Reid comigo em tantos lugares.

Ele lhe deu sinais, pensei cada vez que lutava com o choque do que aconteceu. Seu desdém pelo trabalho, sua relutância em falar sobre os detalhes, o estresse que atravessava. Seu celular – o problema que foi tê-lo deixado em casa mesmo com um suposto atestado médico. Sua frustração com *pessoas do dinheiro* e *pessoas da matemática*. Sua insistência em ir embora de

Nova York no final do verão, sua aparente dificuldade em encontrar uma forma de ficar.

Mas tinha dificuldade em ler os outros sinais sem ele ali ao meu lado. A última vez em que o havia visto e a expressão em seu rosto quando viu Avery. Sua determinação quando foi me ver na loja com o programa de casamento codificado na mão... Será que o rompimento deles havia sido menos amigável do que ele me disse? Teria ele contado a todos sobre o código escondido em minhas letras e será que me procurou, pelo menos no início, por não conseguir esquecê-la?

Não, pensei quase desesperadamente. *Não, você tem outros sinais.* Tudo o que compartilhamos. Todas as maneiras como ele havia me tocado. Todas as vezes que havia andado comigo, feito amor comigo. Foram sinais também. "Lembre-se deles", disse a mim mesma. "Lembre-se deles enquanto espera."

Se eu pudesse pelo menos ter alguma notícia dele, uma ligação, uma mensagem, um e-mail. *Qualquer coisa.*

Era nisso que pensava no caminho de volta para casa, com a pele molhada de suor e os pés ficando cansados. Havia esquecido meus óculos escuros e estava apertando os olhos contra o sol da manhã cada vez mais ofuscante. Quando estava a apenas alguns metros de distância, a luz ficou quase cegante ao refletir no capô de um carro estacionado na frente do meu prédio. Levantei a mão para proteger os olhos, irritada. Era proibido estacionar naquela área; havia placas em todos os cantos sinalizando isso.

Mas, quando me aproximei, notei alguém de pé ao lado do carro, como se o estivesse vigiando. Ela franziu a testa olhando para o relógio, claramente impaciente, e talvez isso não fosse tão incomum, exceto que, quando ela olhou para cima e me avistou, tive a estranha certeza de que eu era a pessoa aguardada impacientemente. Ela, então, se endireitou, sempre mantendo os olhos em mim, como se eu pudesse tentar fugir.

E talvez eu tentasse. Não tenho vergonha de dizer que realmente pensei em virar e andar na direção oposta. Seria o interesse em minha pequena participação naquela história grande o suficiente para uma repórter rastrear o meu endereço?

Mas mais uma vez, algo me fez ficar.

Andei em sua direção, preparando-me para o confronto.

– É proibido estacionar aqui – eu disse, sem rodeios. Reid ficaria orgulhoso.

A mulher levantou uma sobrancelha escura.

– Você é Margaret Mackworth?

Levantei uma sobrancelha de volta.

– E você seria...?

O lado direito de sua boca se contraiu:

– Sua colega me disse que você logo estaria de volta. Sou a agente especial Shohreh Tirmizi. Trabalho para o FBI.

Ela não fez pausas para me permitir processar a informação. Simplesmente levou a mão ao bolso e mostrou, juro por Deus, um distintivo. Um distintivo! Agora que tinha visto sua identificação, percebi que ela, de fato, tinha várias características de uma agente da lei, pelo menos as que existiam na minha imaginação. Estava vestindo um terno como o de Olivia Benson de *Law & Order: SUV*! E também era alta.

– Sim – confirmei. – Eu sou Meg. Ele...

Mas ela não esperou que eu terminasse minha pergunta:

– Meu parceiro e eu temos trabalhado com Reid Sutherland nos últimos oito meses e meio.

Pisquei para ela.

– Achei que tinham sido seis.

– Não acredite em tudo o que lê nos jornais.

Pelo seu tom, tive a sensação de que ela não estava falando apenas sobre a linha do tempo da operação.

– Ele está bem? – indaguei, antes que ela pudesse me cortar novamente.

– Sim, ele está bem. Teve que dar muitos depoimentos após a prisão e, dadas algumas das acusações que circulam sobre ele na imprensa...

Ela parou e me lançou um olhar significativo, como se soubesse de todo o meu histórico de navegação por *sites* e *blogs* de fofocas disseminando aquelas acusações uma após a outra: Reid e sua missão de vingança; Reid orquestrando algum tipo de armação contra Alistair Coster por meio de estranhos jogos numéricos.

– Bem – ela disse –, estamos tentando limitar o acesso de qualquer pessoa a ele por alguns dias.

Franzi a testa.

– Mas eu nã... – Não sabia como terminar a frase. "Não sou qualquer pessoa"? "Não estou tentando falar com ele para perguntar se algumas partes dessas histórias são verdadeiras"?

Limpei a garganta e fiquei em silêncio, enquanto ela simplesmente me olhava como se estivesse me medindo. Ou talvez ela estivesse usando alguma tática sofisticada de interrogatório comigo. Honestamente, se era esse o caso, foi bastante eficaz, porque, por um segundo, considerei contar a ela sobre a vez em que roubei uma bala da seção de doces a granel do supermercado. Quando eu tinha oito anos.

– Não tenho nenhuma informação para vocês – eu disse, finalmente submetendo-me a seus grandes poderes de persuasão via telepatia. – Ele nunca me contou...

– Sei disso – ela me cortou, e a maneira como falou me indicou que conhecia Reid, que confiava nele. – Vim porque ele me pediu.

Pela primeira vez desde sexta-feira, meu coração pulou de esperança.

De dentro de seu terno Olivia Benson, a agente Tirmizi tirou um grosso envelope. De onde eu estava já consegui ver a letra de Reid na frente: *Meg*.

Uma carta. Claro!

Mesmo querendo arrancar o pacote da mão dela, correr até o apartamento, fechar a porta e ficar horas contemplando-o, esperei educadamente até que ela o entregasse a mim.

– Obrigada – eu disse.

Ela me deu aquele olhar avaliativo novamente:

– Você deveria me agradecer por mais do que esta carta.

Pisquei, confusa. Ela realmente parecia estar esperando por algo específico.

– É... ah! – gaguejei. A ideia que me ocorreu não parecia tão boa, mas pelo menos era alguma coisa. – Claro. Obrigada por... seus serviços?

Aquilo estava meio esquisito. Obviamente, eu também era contra crimes financeiros, mas sei lá, aquela demanda por reconhecimento parecia meio inoportuna dadas as circunstâncias.

Pela primeira vez, ela pareceu ter pena de mim, ou talvez fosse aquela a cara que fazia quando estava tentando não rir.

– Reid me falou de você no início desta primavera – ela observou.

– Ah, é?

Ela fez que sim com a cabeça.

– Depois que você enviou a ele um e-mail sobre se encontrarem. Foi... isso aconteceu em um momento crítico. Reid se encontrou conosco várias vezes naquela semana.

– Ah. – Tentei imaginar como teriam sido aqueles encontros. Em uma sala sem janelas, uma mesa, duas cadeiras, Reid e um agente do FBI de frente um para o outro, sob a luz de uma luminária industrial? Ou Reid teria sido conduzido a uma sala de conferências sem graça, mas confortável? Teriam lhe servido chá, falado com ele gentilmente, de maneira encorajadora?

Imaginei que poderia perguntar à agente Tirmizi, mas, como tantas outras perguntas que eu tinha, só queria fazê-las a Reid.

– Sugeri que poderia ser uma boa ideia aceitar sua oferta. Para dar a si mesmo algum alívio de tudo isso.

Abaixei os olhos e fechei-os por alguns segundos, para pensar em Reid naquele primeiro dia no passeio público. Suas roupas de fim de semana, seu rosto severo, seus olhos tristes. "Alguém me disse recentemente que eu deveria tentar manter minha mente ocupada."

Senti o peso da carta em minha mão, deixei a ponta do polegar passear sobre o ponto exato em que Reid escreveu meu nome. Gostaria que ele tivesse pressionado mais forte. Gostaria de sentir algum resquício do movimento de sua mão traçando aquelas letras. Percebi que não estava lacrado, a aba do envelope apenas dobrada para dentro, e olhei para a agente Tirmizi.

– Sim, eu li – ela disse, encolhendo os ombros. – Seguindo o protocolo, para o seu bem e o dele.

– Claro – respondi, meu rosto corado, meus dedos crispados ao redor do envelope.

– Sempre quis que minha esposa me escrevesse cartas de amor.

Meu coração bateu *tum tum tum* acelerado em antecipação. A agente Tirmizi parecia legal e imaginei o quão decepcionante era não receber cartas de amor, mas eu realmente gostaria que ela fosse embora. Realmente gostaria de ler aquela carta sozinha.

– Ela é mais do tipo que deixa bilhetinhos em *post-its* na geladeira.

– Sim – concordei, como se soubesse alguma coisa da sua esposa. Eu só queria ir embora, mas imaginei que fugir de um agente do FBI real não fosse uma boa ideia. Além disso, já estava cansada por causa da caminhada.

– Entretanto, alguns anos atrás, ela me deu um livro cheio delas. Cartas de amor famosas.

Uau, ok. Será que ela quer fazer um inventário do conteúdo dos post-its também? Ou posso finalmente, por favor, por favor *subir e ler isto...*, pensei.

– O que estou dizendo é que li muitas dessas cartas.

Um pequeno sorriso em seu rosto sugeriu que estava me enrolando de propósito, provocando-me.

Esperei que eles, de fato, a colocassem naquelas salas sem janelas às vezes, para fazer os bandidos se contorcerem. Imaginei que eles saíam mesmo com as pálpebras parecidas com as minhas depois daqueles dias miseráveis. Mas mantive os olhos fixos nos dela, os pés plantados firmemente no chão, até que seu sorriso alargou-se brevemente.

Em aprovação.

Ela lançou um olhar indicando a carta e, então, me olhou diretamente nos olhos:

– Essa é uma das boas.

Mas, quando ela se virou para abrir a porta do carro, sabia que não estava se referindo apenas à carta.

Capítulo 21

Querida Meg,

Enviar-lhe esta carta pode ser um erro.

Foi o que a agente Tirmizi me disse quando perguntei a ela se podia escrever para você. Ela me lembrou, com termos claros, que causei muitas dificuldades em sua vida, dificuldades para as quais você não teve a chance de se preparar ou decidir por si mesma. Ela me advertiu que tudo isso significa que você pode ter motivos para não manter uma carta minha em sigilo, que pode ter uma boa razão para vender o conteúdo. Conhecendo-a como conheço, não acredito que esse seja um grande risco, mas se for... se for um erro, Meg, não me arrependerei de tê-lo cometido. Seria um erro pelo qual eu mereceria as consequências e, se esta carta aparecer em algum site amanhã, no dia seguinte, ou em qualquer dia depois, espero que saiba que eu não a culparia.

O que quer que eu mereça, o mais importante é que você merece saber sobre os muitos erros que cometi ao longo destes últimos meses. Conforme a agente Tirmizi certamente lhe dirá, estou bastante isolado desde sexta-feira e, embora tenha passado grande parte do meu tempo respondendo, várias vezes, a perguntas, também tenho tido bastante tempo para pensar sobre esses erros, os quais enumero abaixo. Trabalho-os como se fossem equações. Repasso-os de trás para a frente. Tento ver todos os lugares em que errei.

Suponho que o primeiro e o pior deles tenha sido ir à loja na primavera para vê-la, o que, para meu profundo pesar, a expôs a este escândalo de maneiras para as quais eu estava, como espero que esta carta deixe claro, tolamente, de forma egoísta, despreparado. Naquela noite, eu sabia, desde o segundo em que entrei pela porta da loja, que estaria escondendo algo de você, porque sabia que não poderia contar a história completa do que tinha visto escondido em suas letras. Tudo o que lhe contei sobre mim e Avery é verdade: eu a decepcionei. Eu era quieto e excessivamente reservado, às vezes muito franco e, como convidado nos muitos compromissos sociais que eram importantes para ela, nunca consegui dominar o tipo de interação social de que ela precisava em um parceiro. Como lhe disse aquele dia no parque, cada um de nós teve suas razões para entrar no relacionamento, e cada um de nós teve seus motivos para saber que não estava dando certo. O código escondido em seu programa confirmou o que eu sempre soube.

Mas suas letras fizeram outra coisa também. Isto é o que eu não podia contar, e ainda não poderei dizer completamente, não por algum tempo. O que posso lhe contar é que, nos meses anteriores ao casamento, algo no trabalho vinha me intrigando, algo envolvendo o grupo que trabalhava com títulos de investimento. Não conseguia entender os lucros que essa equipe vinha produzindo de forma tão consistente. Não conseguia entender a matemática da coisa, embora não esperasse encontrar nada sinistro. Inicialmente, acho que estava procurando algum tipo de jogo, algo que pudesse me conectar com a matemática que eu cresci amando tanto. Como você deve ter percebido, não me sinto conectado a ela há muito tempo. Então, ali estava um problema diante de mim, e só seria capaz de encontrar a solução tentando repetidas vezes, trabalhando de trás para a frente, fazendo a engenharia reversa dos números. Foi um desafio no começo, a matemática mais desafiadora que tinha feito em anos, e gostei de trabalhar nisso.

Porém percebi que, na verdade, não era um desafio matemático. Era uma matemática impossível. Não conseguia entender os números porque eles não faziam sentido. Não posso dizer aqui para quem levei essa informação em um primeiro momento. O que posso dizer é que, inicialmente, me disseram que eu havia descoberto apenas um erro simples, um erro que, me garantiram, seria consertado.

Certa vez, você me disse que, quando está inspirada, vê letras se desenhando em sua mente o tempo todo – à noite, quando está adormecendo, a primeira coisa de manhã quando acorda, quando está andando, ou esperando o trem, ou cozinhando, ou comendo. Suponho que essa seja a maneira mais próxima de descrever como me senti por semanas. Na piscina, podia ver os números rodando na minha cabeça. Podia imaginá-los nadando tão suavemente quanto eu, exceto por um mergulho, uma braçada perdida de vez em quando.

Então essa palavra, "erro", ficou na minha mente, mesmo quando queria confiar no que me disseram sobre corrigi-lo. Não saía da minha cabeça mesmo após Avery e eu termos rompido, depois de eu ter tentado me convencer de que o código escondido no programa se referia apenas ao nosso relacionamento. Atormentou-me a ponto de eu resolver refazer os cálculos. Atormentou-me a ponto de eu, eventualmente, concordar em analisar os números como parte de uma investigação maior, sobre a qual não posso dizer mais aqui.

Quando fui até você, Meg, nunca pensei que haveria algum motivo para que minha curiosidade sobre suas letras se cruzasse com o trabalho que vinha fazendo com os números relacionados a esse caso. Disse a mim mesmo que nos falaríamos uma vez, eu obteria algumas respostas e seguiríamos nossos caminhos separados. Mas é claro que eu deveria saber que isso também era um erro. Na primeira vez que a vi, quando estava sentado ao lado da mulher com quem deveria me casar, soube que sentia algo por você, algo pela maneira como você sorria, falava e desenhava.

Eu me iludi pensando que não sentiria o mesmo quando a visse novamente na primavera. Quando você encontrou meu cartão e me enviou um e-mail, eu deveria ter dito "não". Quando se afastou de mim em Midtown, eu deveria ter deixado você ir. Deveria saber que, a cada vez que me permitia me aproximar, você, por sua vez, aproximava-se mais do risco dessa exposição, desse escândalo. Mas acho que fiquei ganancioso e, dadas as acusações que fiz contra alguns de meus colegas, certamente vejo a ironia disso. Queria – mesmo que por pouco tempo – estar perto de seu sorriso, sua conversa, seu talento e, até mesmo, sua maneira de ver esta cidade. Então, quis todo o resto. Seu beijo, seu corpo perto do meu, seu amor. Quis você para sempre.

Na semana passada, quando vimos Avery na rua, sei o que você deve ter pensado, e temo o que certamente está pensando agora. Sei que minha reação ao vê-la, meu choque, deve ter parecido uma confirmação de tudo o que está nos jornais a meu respeito: que sou a parte desprezada de uma relação que deu errado, que não consegui me conformar com o rompimento, que meus sentimentos por ela me levaram a me envolver nesta operação. É verdade, como sempre lhe disse, que gostava dela, que ainda gosto.

Quando a vi, lembrei-me, de forma concreta, de como ela sairia machucada desta história, de como sua vida mudaria por causa dos crimes de seu pai. Lembrei-me de como eu seria, pelo menos em parte, responsável por isso e odiei saber disso, ainda odeio. Odeio pensar que ela está sofrendo por causa do que ajudei a revelar sobre seu pai.

Mas meu carinho por Avery não explica toda a extensão do meu choque naquele momento. O que também me dei conta na ocasião, embora não completamente, foi da força com que este escândalo poderia atingir você. Vi que, quando a história viesse à tona, Avery poderia se lembrar de ter nos visto juntos. Pude ver que seu nome poderia acabar sendo arrastado para dentro do tumulto, por estar envolvida comigo e por ter feito parte, ainda que brevemente, dos planos de meu casamento com Avery.

Eu já sabia (havia sido advertido) que a situação poderia, potencialmente, se voltar contra mim, que a imprensa poderia questionar minhas motivações. Mas, de verdade, até aquele momento, eu não havia compreendido que a lama espirraria em você também.

Achei que poderia protegê-la. E fui um tolo por pensar assim.

A mesma estupidez foi responsável por mais um dos meus erros, aquele que certamente lhe causou mais dor: minha mentira por omissão, algo que deveria ter lhe contado muito antes e que, provavelmente, não teria tido qualquer importância se eu não tivesse ido vê-la naquele primeiro dia, se não tivesse me envolvido com você. Contei a Avery sobre o que eu tinha visto no programa de casamento. Na época, isso me pareceu a coisa certa, a coisa honesta a fazer. Mostrei a ela o que tinha visto e disse que achava que deveríamos conversar sobre o casamento, ponderar se deveríamos mesmo nos casar. Ela não acreditou que o que eu tinha visto em suas letras tivesse sido intencional. Achou que eu estava vendo o que queria simplesmente, que estava procurando algum tipo de sinal.

Mas, ainda assim, ela admitiu que estava aliviada. Não foi fácil ou confortável, mas nos separamos em bons termos. E não achei que ela tivesse falado a ninguém sobre o programa.

Imaginei que apenas eu e ela tivéssemos uma cópia. Mas é claro que Avery e sua família estão em uma situação desesperadora. E é claro que eles têm muitos amigos com quem desabafar, amigos que estão ansiosos para defendê-los. Sou um alvo conveniente. Deve parecer justo para eles usar qualquer arma que esteja disponível. Tudo isso, Meg, tudo isso deveria ter me ocorrido antes.

Preciso que saiba que eu tentei, desesperadamente, parar com isso.

Quando deixei você naquela noite, antes mesmo de pensar no programa, liguei para a agente Tirmizi implorando que eles me autorizassem a lhe contar. Implorei a ela que me ajudasse a garantir que meus erros não fossem irreparáveis. Mas acabou que a agente Tirmizi e seus colegas também tiveram que manter muitas coisas escondidas de mim, incluindo outras fontes e um cronograma recém--acelerado para prender o sr. Coster.

Achei que teria tempo para lhe explicar as coisas, Meg.

Tinha toda a intenção de cumprir a promessa que lhe fiz. E se o que vou escrever em seguida me causar problemas com as pessoas que lerão esta carta antes que ela chegue até você, que seja: eu teria quebrado minhas promessas a eles para cumprir a que fiz a você. Teria lhe contado tudo depois da sua apresentação (Como foi?). Teria arriscado tudo para adverti-la.

Essa é toda a explicação que tenho permissão de lhe dar, a menos que eu queira fitas pretas de segurança cobrindo parte do texto ou pior. Mas tenho mais coisas a escrever e espero que você continue lendo.

Ontem à noite fiquei acordado por horas, preocupado com você, imaginando como deve estar sendo ler tudo isso nas notícias e não conseguir falar comigo, todas as promessas não cumpridas que lhe fiz. Fiquei pensando nos sinais que você me enviaria agora, se me escreveria dizendo que achava que as coisas entre nós também foram um erro. Fico pensando se você não escreveu aquela palavra – "erro" – tantos meses atrás, não para advertir a mim ou a Avery, mas sim a si mesma. E se você já soubesse, em algum lugar lá no fundo, que eu seria um erro em sua vida?

Odeio pensar assim. Mas pode ser que seja verdade, e sinto muito por isso.

Trouxe para a sua vida o tipo de segredo e confusão que você não gostaria de experimentar novamente. Sentirei remorso pelas consequências que você pode sofrer no seu negócio e no seu coração, pelo resto da minha vida. Passei todos esses meses envolvido na investigação de um homem que fez escolhas egoístas, escolhas que arruinaram a vida das pessoas ao seu redor. Quando tudo isso começou, nunca pensei que, ao final, sentiria que tinha algo em comum com um homem tão desonesto quanto Alistair Coster. Mas agora, vejo claramente a semelhança.

Não sei como explicar que o trabalho de pensar em tudo isso – enumerar todos esses erros, escrevê-los na lousa empoeirada do meu cérebro, mesmo sabendo que nunca conseguirei reparar nenhum deles – está sendo a única coisa que me conforta neste momento. Acho que me sinto mais perto de você com esta palavra na cabeça – "erro" –, porque, apesar de tudo, as suas letras me salvaram. E embora agora certamente não pareça, a mensagem que você enviou para mim, ou para Avery, ou para você mesma – no final, terá feito muito bem para muitas pessoas que teriam perdido muito, não fosse ela.

É engraçado, não é, o que acontece com uma palavra quando você a escreve repetidamente? Você começa a vê-la de forma diferente. Sempre pensei na palavra "erro" como equívoco, uma má interpretação. Mas agora que estou terminando esta carta, ela me faz lembrar algo que deveria ter dito antes. Durante a maior parte da minha vida, sempre que não estava com minha família, sentia-me, de alguma forma, mal interpretado. Interpretado como frio, ou rude, ou chato, ou distante. Todas as minhas melhores intenções, na escola, no trabalho, sempre foram mal interpretadas. Você foi a primeira pessoa nesta cidade que me fez sentir que eu não era nada daquelas coisas. Ter visto esta cidade através de seus olhos, ter jogado com você e rido com você; ter tido você me provocando por causa do meu chá, da minha postura e do meu sofá terrível; ter visto você criar tantas coisas bonitas... foram as únicas coisas que fizeram eu me sentir eu mesmo nestes últimos meses. É mais do que eu merecia, mas, ainda assim, sou muito grato.

Quando me sentei com este bloco de papel em branco, desejei poder enviar-lhe um sinal, esconder algo neste pedido de desculpas que lhe diria o quanto você significou, ainda significa, sempre significará para mim. Mas acho que não tenho mais estômago para esconder coisas e, embora não haja muito o que esperar dos dias que virão, ser capaz de ser honesto novamente – ser capaz de dizer exatamente o que penso – é bem-vindo.

Então, me desculpe. Sinto muito. Amo você. O tempo que passamos juntos foi o melhor da minha vida. Não importa para onde eu vá depois disso, nunca darei um passo sem desejar que você estivesse andando ao meu lado e nunca verei um letreiro sem desejar que você estivesse lá para vê-lo comigo.

Talvez haja um sinal que possa enviar a você, mesmo que não seja o seu tipo favorito. Mas sempre fui melhor com números, Meg, e os números que escrevi abaixo, acho que devem ser fáceis de decodificar.

E eles estarão marcados no meu coração para sempre.

Com todo o meu amor,
Reid

Capítulo 22

Encarei os números por um longo tempo.

Não entrei em casa com a carta de Reid. Li ali mesmo, na calçada, sozinha, em meio a um mar de lágrimas embaçando meus olhos e, quando terminei, li tudo de novo. Então peguei meu celular, ignorando todas as notificações inúteis nele.

Eu podia não saber muito de números, mas sabia, apesar do que ele escondeu de mim, tudo o que precisava saber sobre Reid.

E ele estava certo. Os números *eram* fáceis de decodificar.

E eles me disseram o que fazer a seguir.

Do banco do passageiro do último carro disponível para alugar da empresa de aluguel de carros, um Ford de duas portas barulhento e com poucos recursos, Sibby lia as instruções para mim, ocasionalmente se distraindo mudando as estações de rádio, um velho hábito que costumava me fazer ranger os dentes de irritação quando éramos adolescentes. Agora, estava nervosa demais, concentrada demais para me importar. Espremida no pequeno banco traseiro estava Lark, meu celular encostado em seu ouvido enquanto conversava com Lachelle.

– Ela não nos deixou ver – Lark disse, e tive a impressão de ouvir o grito de protesto de Lachelle. – Eu *sei*! – Lark exclamou.

– Diga a ela que ligaremos de volta – declarei. – Acho que estamos perto. – Dei uma cotovelada no braço de Sibby, que estava brincando com o rádio novamente, tentando encontrar algo que valesse a pena cantar. - E agora? - perguntei para ela.

Com Sibby lendo as direções dadas pelo Google Maps, viramos apenas mais algumas vezes antes de entrarmos no estacionamento de um hotel agradável, mas de aparência indefinível, em Nova Jersey, um daqueles com "suítes" para estadias prolongadas.

- É isso? - Lark perguntou, enfiando a cabeça entre os assentos e se abaixando para espiar pelo para-brisa.

- Tem que ser isso - respondi.

- Jersey - Sibby falou. - Por que o trariam para cá?

- Uma vez Cam fez um filme sobre um programa de proteção a testemunhas -Lark contou. - Talvez seja isso.

- Ele não vai entrar para um programa de proteção a testemunhas - protestei, sem muita certeza. - De qualquer forma, se fosse esse o caso, eles o levariam para algum lugar mais distante do que Jersey. - *Apenas duas horas*, me tranquilizei, pensando no caminho até ali. *Tenho certeza de que ele está* bem *seguro.*

Desafivelei o cinto de segurança e abri a porta, mas Sibby me impediu, pousando a mão no meu antebraço:

- Não quer checar seu cabelo primeiro?

Revirei os olhos e abaixei o para-sol para checar meu reflexo no espelho minúsculo e nublado do carro. Definitivamente não estava uma maravilha, mas por outro lado, não era como se Reid tivesse citado pálpebras de tamanho normal ou cabelo escovado como razões pelas quais ele me amava.

Ele me amava.

Dei uma rápida alisada em meu cabelo rebelde, principalmente para aliviar as preocupações de Sibby, e me virei novamente para sair.

- Meggie - Sibby chamou, e olhei para ela novamente. - Você está bem, né?

Não era a primeira vez que ela – ou Lark – perguntava isso desde que eu havia me jogado pela porta do apartamento, as páginas da carta de Reid apertadas nas mãos, minha mente já voando em direção ao que precisava fazer a seguir. Ambas, cada uma à sua maneira, garantiram que eu refletisse sobre a situação e fosse com mais calma. Sibby, que já tinha me acompanhado uma vez, na ocasião de outro grande escândalo, franziu a testa em preocupação.

– Isso é coisa demais para lidar, Meg. Esse tipo de segredo de alguém que você... – Ela parou, aparentemente cautelosa em repetir tudo o que eu havia dito a ela na noite de sexta-feira. – Alguém por quem você tem sentimentos tão fortes.

Lark também havia demonstrado certa hesitação. Talvez ela estivesse mais otimista no dia anterior, com perspectiva da nossa festa do pijama celebrando o poder feminino no horizonte, sobre como eu poderia salvar meu negócio, mas à luz do dia, ela se mostrou mais realista:

– Estar no noticiário, Meg – ela disse com a expressão séria de alguém que sabe o que é estar no noticiário. – Pode ser muito pesado. E se tiver que escolher entre o seu trabalho e ele...

Então ela parou, pressionando os lábios, e Sibby e eu tivemos a sensação de que Lark estava pensando em suas próprias escolhas também.

– Estou bem – respondi a ambas, mantendo a mesma voz firme que usei no apartamento, quando disse a elas o quão determinada estava a fazer aquilo, o quanto de certeza eu tinha.

– Quer que entremos com você? – Lark perguntou em um tom esperançoso. Agora que havíamos feito aquela viagem juntas, que fomos falando sobre isso o tempo todo, elas também pareciam tão certas e decididas quanto eu.

Levantei-me e me voltei para elas com uma mão na porta aberta do carro, abaixando-me para poder vê-las.

– Amo vocês por virem até aqui comigo, mas acho que preciso entrar lá sozinha.

Ambas pareceram decepcionadas, mas Sibby respondeu:

– Entendido. Esperaremos aqui. Vamos inventar algo para matar o tempo.

Eu sorri.

– Joguem – sugeri, atirando as chaves para ela. – Há sinais em todos os cantos por aqui. Ligo para você.

Ouvi-as me desejarem "Boa sorte!" em uníssono enquanto me dirigia para a entrada, as palmas das mãos suadas de nervoso. Não importava quanta convicção eu tivesse, ainda assim, seria uma briga. Talvez para chegar até ele, e talvez *quando* chegasse até ele também. E depois – depois, ainda havia tantas brigas a serem travadas contra todos os inimigos que Reid tinha acumulado nas últimas quarenta e oito horas.

O saguão era tão sem graça quanto o exterior, bem neutro, com aqueles toques horríveis de marrom, típico de saguão de hotel. Em um salão pequeno e limpo à minha direita, alguns hóspedes tomavam café e liam jornais, e torci para que todos eles pulassem completamente a seção de finanças. Fui até a recepção, preparando-me.

O homem atrás do balcão se chamava Gregory e "*não* Greg", algo que ele deixaria bem claro se você cometesse o erro de chamá-lo assim. E sua atitude não correspondia ao educado "Posso ajudar?" escrito em seu crachá. Ainda assim, não poderia dizer que o culparia, dada a minha insistência.

– Mocinha – ele disse, depois de já termos ido e vindo algumas vezes. – Já lhe falei, não há ninguém aqui com esse nome.

– Ancião – repliquei, embora Gregory fosse *talvez* apenas uma década mais velho do que eu. Mas ele que tentasse vir de novo com aquele *mocinha*. – Eu *sei* que tem.

Não tem? Mantive a cabeça erguida, determinada a não vacilar. Visualizei os números na minha cabeça. Eu *sabia* o que eles me tinham me dito.

– Senhora – soou uma voz masculina atrás de mim, e não foi um *senhora* do tipo gentil. Era uma espécie de "a-senhora-está-prestes-a-ser-presa" e, por um segundo, todos os números voaram para longe do meu cérebro. Vi o *S* se fechar em um par de algemas.

Bem, que seja. Já estou nos noticiários mesmo, pensei.

Virei-me para encarar a voz.

– Caramba! – exclamei sem pensar, minha cabeça inclinando-se para trás para ver o homem enorme parado à minha frente. Ele vestia um terno preto e uma gravata escura, assim como os homens na televisão que cercavam Reid. Mas, diferentemente dos homens da televisão, era um bocado mais velho, talvez beirando os sessenta. Completamente careca, mas com o bigode grisalho mais cheio que já tinha visto na vida. Tive quase certeza de que ele carregava algemas.

– Senhora – ele disse novamente, como se quisesse me lembrar. – Preciso que se afaste deste balcão.

– Estou procurando um hóspede. O nome dele é Re...

– Acompanhe-me – ele cortou, girando nos calcanhares e caminhando em direção aos elevadores do saguão. Segui-o, mas não consegui resistir ao impulso de lançar um olhar altivo a Gregory.

Quando o alcancei, ele já tinha apertado o botão para chamar o elevador.

– Isto é o programa de proteção a testemunhas? – indaguei.

Ele me olhou pelo canto dos olhos.

– Sim – respondeu, indiferente. – Este é o hotel. O Hotel de Proteção a Testemunhas. Para todas as testemunhas. Sempre.

– Muito engraçado – observei. – Mas não vou entrar nesse elevador a menos que eu veja alguma identificação.

Deus, eu era boa naquilo! Gostaria que a agente Tirmizi pudesse me ver naquele momento.

O homem suspirou, tirou uma daquelas carteiras de couro do bolso e me mostrou.

– Vic, hein? – comentei. – Parece falso.

Seu bigode se agitou:

– Você quer ver o sr. Sutherland ou não?

– Sim – respondi apressadamente. E mantive a boca firmemente fechada durante todo o tempo no elevador, embora fosse definitivamente um desafio não começar uma conversa sobre o clima.

Segui a enorme largura das costas de Vic pelo longo corredor, enfiando a mão no bolso de trás para tirar a carta de Reid. Estava segurando-a com força quando Vic parou na frente de uma porta.

Quando levantou seu enorme punho para bater, ele fez uma pausa e me lançou um último olhar. A melhor maneira de descrever aquele olhar é dizer que era similar a ter um pedaço de bife cru (com bigode) julgando você por ser irritante, enquanto também perguntava se você tinha certeza de que queria continuar com aquilo. Nos últimos meses eu havia aprendido a não julgar as pessoas apenas pelas expressões em seus rostos, mas nosso Vic poderia realmente se beneficiar de um treinamento de gentileza para gigantes.

Engoli em seco nervosamente.

Mas ainda estava tão certa quanto estava algumas horas antes, tão certa quanto quando deixei Sibby e Lark no carro. Então acenei uma vez, do jeito que vi Reid fazer uma centena de vezes. Uma firme inclinação de cabeça.

Vic bateu na porta com a lateral do punho.

Mas não foi Reid quem atendeu. Era apenas mais um homem aleatório de terno. Um muito magro, uma vagem para o pedaço de carne que era Vic. E ele olhou para nós dois como se fôssemos a pior equipe de serviço de quarto que já havia aparecido diante daquela porta.

– Sutherland tem uma visita – Vic disse em voz baixa.

– *Como assim?* – o sr. Vagem perguntou.

Vic deu de ombros.

– Eu cuido disso, Micah – uma voz feminina familiar afirmou, e o cara chamado Micah deu um passo para o lado. Percebi, na minha visão periférica, a agente Tirmizi aproximando-se, mas não olhei diretamente para ela.

Porque agora conseguia ver Reid.

Ele estava com as costas voltadas para a janela, a camisa branca para fora da calça, mas abotoada nos pulsos, a calça amassada, ainda calçando os sapatos sociais. Ele olhava para mim com aquela intensidade fixa e focada de que tanto eu tinha sentido falta, entretanto, manteve o corpo imóvel e ereto, a mandíbula apertada. *Protegendo-se.*

– Meg, que bom vê-la novamente! – a agente Tirmizi me cumprimentou. – Opa, deixe-a entrar, Micah. Vic, você está dispensado para a noite. Obrigada pelo alerta sobre ela. Sinto muito que tenha sido detido já na saída do trabalho.

Com dificuldade, desviei os olhos de Reid, olhei para cima e dei a Vic o que esperava que parecesse um olhar de agradecimento por me resgatar da extrema competência de Gregory em guardar segredos. Seu bigode se moveu ligeiramente, e tomei isso como um "de nada" antes de entrar na suíte, mal me segurando para não correr até Reid. Mas como havia muita tensão entre a agente Tirmizi e o tal de Micah, me contive.

– Você a chamou para vir aqui? – Micah questionou.

Ao que a agente Tirmizi bufou:

– Você está de brincadeira?

– Ela não falou nada – informei. Desdobrei a carta com cuidado, folheando as páginas até chegar à última. – Estava dentro...

Micah levou a mão à testa.

– Você *insistiu* em ler a carta – ele disse à agente Tirmizi –, mas deixou passar um *endereço*?

– Não era um endereço – esclareci, olhando para Reid. – Eram coordenadas.

Linhas e linhas de códigos adoráveis e amorosos. A loja onde ele me encontrou pela primeira vez. O passeio público onde traçamos nosso plano. O Garment Worker e o toldo onde nos escondemos da chuva. Um restaurante minúsculo e sempre lotado em Nolita, um mural brilhante em Bowery. Na

Sexta Avenida, o refúgio tranquilo que é a Winston Churchill Square. Um restaurante de tacos no East Village. O amplo e belo verde do Prospect Park. Um bar, um pronto-socorro, meu prédio e o dele.

Mais e mais números, para cada lugar na cidade que significava algo para nós dois.

E então, uma fileira de lugares a aproximadamente duas horas de distância.

Os números que me levaram àquele hotel.

Meus olhos se encheram de lágrimas novamente, e a mandíbula de Reid latejou com a tensão. Suas mãos nos bolsos pareceram crispar-se em frustração com a distância que estávamos sendo forçados a manter um do outro.

– Acho que passou despercebido – a agente Tirmizi disse, mas não achei que fosse verdade. Achei que ela era uma romântica não tão secreta assim. – De qualquer forma, você é o advogado dele – ela acrescentou. – Você deveria estar protegendo os interesses dele. Ele tem permissão para ver as pessoas.

Micah olhou alternadamente, primeiro para mim e Reid, depois para Reid e a agente Tirmizi. Suspirou. Obviamente, eu nunca o havia visto antes, mas pude perceber sinais de fadiga em todo o seu rosto. Imaginei que ele também tinha tido uns dias estressantes.

– Queria terminar o resto dessas coisas hoje – ele disse com certo remorso e, pela primeira vez, notei a disposição da suíte, a mesa redonda de quatro lugares cheia de documentos.

Eu não sabia o que era tudo aquilo – declarações, evidências ou o que quer que Reid estivesse cuidando, mas sabia que ele, sem sombra de dúvida, deveria fazer uma pausa.

– Por favor – Reid disse, as primeiras palavras que ele falou desde que eu havia entrado no lugar. Sua voz soou rouca, e pensei na linha de sua carta em que disse que implorou. "Implorei a ela." – Por favor, me deem alguns minutos com ela.

A agente Tirmizi foi até a mesa e empilhou alguns papéis. Depois de um segundo, Micah a seguiu e, pelo que me pareceu séculos, Reid e eu ficamos em nossos respectivos lugares, nossos olhos um no outro enquanto esperávamos. O *A* no meu coração estava totalmente desdobrado na palavra que sempre quis ser.

Amor, amor, amor – era o ritmo em que ele batia.

– Você sabe onde nos encontrar – a agente Tirmizi disse enquanto se dirigia para a porta.

Micah hesitou um momento, parou e murmurou algo baixinho para Reid, provavelmente algum lembrete sobre o que ele poderia ou não dizer. O advogado, então, me lançou outro olhar de desculpas antes de finalmente passar pela porta que a agente Tirmizi segurava aberta.

E quando a porta se fechou atrás deles, Reid e eu enfim ficamos sozinhos.

– Meg – ele disse imediatamente. – Por favor, não chore.

– Estou chorando? – perguntei. – Quase não percebo mais.

Ele levou a mão ao cabelo.

– Desc...

– Reid – interrompi. Dei mais alguns passos pelo interior da suíte, parando brevemente para colocar as páginas de sua carta na cama, e caminhei em sua direção. Parei bem na frente dele e encarei seu rosto lindo, severo, de se olhar três vezes. Seus olhos tristes. Estendi as mãos e envolvi seus pulsos. Puxei uma de suas mãos que permaneciam dentro do bolso.

– Está tudo bem – eu disse.

Ele abaixou a cabeça, o cabelo caindo sobre a testa.

– Causei tanto dano – disse, quase em um sussurro.

– Está tudo bem – repeti e me aproximei ainda mais dele. Puxei seus pulsos em minha direção e os coloquei em volta das minhas costas.

E então, coloquei meus braços ao redor dele.

A melhor maneira de descrever o que aconteceu com o corpo de Reid em seguida é dizer que ele. . . *desabou*. Como se aqueles ombros largos tivessem sido aliviados de uma tonelada. Ele se inclinou sobre mim, as costas curvadas, a cabeça pressionada contra meu cabelo, seus braços me segurando como se eu fosse a única coisa neste mundo inteiro mantendo-o ereto. Sob minhas mãos, suas costas se expandiam e se contraíam em grandes e ofegantes respirações; e apertei meus braços a sua volta, mantinha-o inteiro enquanto ele atravessava o que quer que fosse. Tive vontade de dizer "Reid, não chore", mas também quis dizer a ele que podia chorar o quanto quisesse.

Ficamos assim por tempo suficiente para que a respiração de Reid voltasse ao normal, tempo suficiente para que eu afrouxasse o abraço, deixando de agarrá-lo com força para esfregar minhas mãos sobre os músculos largos e tensos de suas costas, tempo suficiente para que ambos tenhamos ficado rígidos e doloridos, nossa diferença de altura nunca tinha sido tão desconfortável. Quando ele se afastou de mim, manteve a cabeça baixa; e eu tirei as mãos dele da minha cintura e puxei-o para a cama. Sentamo-nos um ao lado do outro, as páginas de sua carta entre nós.

Ele pigarreou.

– Obrigado. Por vir até aqui.

– Você me disse para vir.

Seus olhos ainda fitavam o chão:

– Foi... um impulso – ele disse, passando a mão pelo cabelo novamente.

– Foi um bom impulso. Amei sua carta.

Seus olhos piscaram rapidamente para cima, uma interrogação ali. Em seguida, os abaixou novamente.

– Meg, tenho certeza de que fiz sua vida virar de pernas para o ar. Tenho até medo de perguntar como foram seus últimos dias.

– O pior de tudo foi não saber se você estava bem. Todo o resto, eu posso lidar.

Talvez eu tenha dito isso com mais confiança do que devia, tendo em vista alguns dos meus piores momentos no fim de semana anterior.

Mas, naquele momento, Reid não precisava saber disso.

Reid balançava a cabeça enquanto brincava desatento com os botões dos punhos de sua camisa, como se estivesse pensando em desabotoá-los.

– Teve essa janela de tempo – ele disse baixinho. – Depois que pegaram meu celular, quero dizer. Tive que entregá-lo por alguns dias. De qualquer forma, houve essa pequena janela de tempo em que eu poderia ter ligado pra você. E então, eu... – Ele se calou, parando também de mexer nos botões. O rosto corando. – Não consegui me lembrar do seu número de telefone. No meu celular, você era as letras do seu nome. Nunca memorizei o número.

Ele pareceu tão completamente atordoado com isso. Pude imaginá-lo em algum lugar, um telefone na mão, o coração batendo em pânico, os números desapontando-o.

– Daí, foi o caos. Por horas e horas.

– Deve ter sido horrível – eu disse, estendendo as mãos para gentilmente desabotoar os punhos de sua camisa, o que ele observou em silêncio até eu terminar.

– Quando seu nome saiu no noticiário, eu... Bem, tenho quase certeza de que ameacei Vic para me deixar ir até você. Mas aquelas horas são um borrão na minha cabeça.

– Uau! Já vi você dar um soco, campeão, mas tenho certeza de que você não é páreo para Vic.

Pela primeira vez desde que eu havia chegado, vi um pequeno lampejo do seu meio sorriso, mas ele logo desapareceu.

– Não consigo nem imaginar o que você pensou.

Engoli em seco. Poderia mentir, mas as páginas entre nós eram sobre honestidade. Um contrato ou regras de um jogo. E eu não iria quebrá-las.

– A princípio, não sabia o que pensar. Admito que... tive algumas dúvidas sobre o que me contou, sobre você e Avery. Para quem você havia contado sobre o programa.

Ele olhou para mim.

– Você tem muitos motivos para duvidar das pessoas – ele disse. – Você não imagina o quanto sinto por ser agora mais uma dessas pessoas.

– Reid, eu não duvido de você. Não mais.

Mas percebi que ele não acreditou muito em minha afirmação. Ele olhou para baixo novamente, para seus punhos agora desabotoados. Estendi a mão e puxei um deles suavemente.

– Reid – eu disse novamente. – Conheço você. Conheço seu coração. Você estava sob muito estresse e talvez tenha cometido alguns erros. Mas sei que você não queria que isso acontecesse. – Então, descansei uma mão sobre a carta e conclui: – Eu acredito em você.

– Como, Meg? – Sua voz era baixa, rouca das lágrimas que derramou contra o meu corpo. – Escondi tantas coisas de você.

Dei de ombros.

– Eu escondi coisas também.

Ele olhou para mim, seu olhar desdenhoso.

– O programa não é nada, Meg. Acabou. Você sabe que eu não...

– Eu não estava falando sobre o programa.

Ele balançou a cabeça, ainda resistindo:

– Você não escondeu nada assim – retorquiu, apontando para a mesa, agora vazia.

Nem me dei ao trabalho de olhar e mantive meus olhos fixos nele.

– Escondi que estou apaixonada por você. Que estou apaixonada por você faz tempo.

Empurrei a carta para o lado e cheguei mais perto dele. Pus minha mão em seu rosto, virando-o para mim. Olhei em seus olhos tristes e incrédulos. Seus ombros permaneceram tensos. Estoico, severo, Reid ator de filme de época. Ele nunca foi exatamente o que parecia por fora, mas eu sempre soube disso.

Vi algo mais dentro dele. Desde aquele primeiro dia.

– Eu te amo – eu disse, e ele fechou os olhos. Inclinei-me, depositando um beijo em sua têmpora, e deslizei os lábios por sua sobrancelha marcada pela cicatriz. *Um*, não disse. Lentamente descendo, roçando os lábios em sua bochecha. *Dois*, não disse. Fiz uma pausa com meus lábios na frente dos dele. *Três*, implorei em silêncio, mas não me movi.

Então, ele sussurrou:

– Eu também te amo.

E me beijou.

Cada beijo que troquei com Reid significou algo – luxúria, boas-vindas, conforto, segurança, até amor. Mas aquele era o primeiro beijo que tinha gosto de promessa, um compromisso. Foi suave e sem pressa no início, e em certo ponto, Reid teve que estender a mão para gentilmente enxugar outra lágrima da minha bochecha.

Mas, quando ele lambeu meus lábios, o beijo se intensificou, ficando mais desesperado, todo medo e confusão que havíamos sentido naqueles últimos dias dançavam entre nós enquanto nos agarrávamos.

"Não vamos nos separar novamente", foi o que aquele beijo disse.

Nós ficamos.

Mas, de repente, recuei. Eu não tinha certeza nem de que aquela suíte era a de Reid, e algo me dizia que a agente Tirmizi não aprovaria que fizéssemos sexo na cama dela, sem falar no advogado. Além disso, eu não havia esquecido que duas das minhas amigas estavam circulando por Nova Jersey em um carro alugado, esperando notícias minhas.

E de qualquer forma, achei que não poderíamos deixar aquelas promessas em um beijo.

Reid agarrou as minhas mãos nas dele.

– Não sei como, Meg – afirmou –, mas prometo a você que vou consertar as coisas, como quer que isso tenha afetado seu negócio.

Promessa errada.

– Não, não vai. – Minha voz soou tão severa quanto a dele normalmente era.

Ele olhou para mim assustado.

– Vou ajeitar isso sozinha – continuei. – Não aceitarei o trabalho da Make It Happyn, mas...

– Você foi escolhida? – ele perguntou, seus olhos brilhando com orgulho, com alívio.

– Mais ou menos – expliquei brevemente, o mais gentilmente possível para não feri-lo mais, quando já se sentia tão culpado, sobre a oferta, o conceito de "mensagens ocultas".

– Você pode fazer isso, Meg – ele disse rapidamente, antes que eu terminasse.– Por favor, não...

– Não vou recusar por sua causa. *Eu* não quero isso. Não é para isso que trabalhei nos últimos meses. Não é o que todos aqueles passeios com você me ajudaram a ver. Sobre mim e sobre o que sou capaz.

Meu coração inchou quando vi aquela curva em sua bochecha, outro quase meio sorriso.

– Prometo – eu disse a ele –, tenho um plano para meu trabalho, para o meu negócio. Ou, pelo menos, o início de um. Você tem que se concentrar no que está por vir, e...

A curva desapareceu, e sua testa se franziu novamente.

– Vai ser difícil por um tempo, Meg. Para mim, será difícil. Não sei como vou mantê-la fora disso, agora que seu nome está envolvido.

– Reid, é isso que estou tentando lhe dizer... Você não *precisa* me manter fora disso. Se você está nisso, eu estou nisso. Estamos nisso juntos.

Iria ser um confronto e tanto, eu já sabia. O julgamento, a imprensa, a fofoca. Iria ser muito desconfortável e seria muito mais fácil me afastar.

– Mas... – acrescentei, e suas mãos se apertaram imediatamente, brevemente nas minhas. Esfreguei meus polegares sobre sua pele, acalmando-o. – Você precisa saber que não sairei de Nova York. Fugi de uma casa por causa de um escândalo uma vez. Não farei isso de novo.

Houve uma longa pausa.

– Bom... – ele disse finalmente, acompanhando com um firme aceno de cabeça. – Também não vou sair de Nova York.

– Não?

Ele balançou negativamente a cabeça.

– Mas você ode...

– Eu amo este lugar – ele interrompeu. – Você está aqui.

Franzi a testa, lembrando nossa noite em Maryland, lembrando de todas as frustrações de Reid com Nova York – o barulho, a multidão, o cinza, a sujeira. Havia tudo isso e, agora, com a adição daquele holofote sobre ele. Essa reputação que o seguiria.

– Não sei se isso é o suficiente – enfatizei – para você ficar.

– É o suficiente – ele replicou imediatamente. – É tudo o que importa. – Ele se inclinou e me beijou novamente. – Mas também há todos esses números na carta que escrevi para você. Todos os lugares aos quais já fomos juntos. Amo esses lugares. É como eu disse, Meg. Eu teria mantido esses lugares perto de mim para sempre. Mesmo se você nunca mais quisesse me ver.

Ele fez uma pausa, enxugou outra lágrima; essa, feliz; da minha bochecha.

– E ainda tem a comida.

Eu sorri, olhando em seus olhos não-tristes.

– Você fez uma piada!

E ele me presenteou com um meio sorriso real, totalmente formado e sincero.

Pressionei meu polegar naquela curva, e durante aqueles poucos minutos emprestados, uma pausa na tempestade que nós dois sabíamos que teríamos que enfrentar, Reid e eu nos sentimos perfeitamente como o abrigo um do outro. As duas únicas pessoas no mundo que se entendiam tão bem. Letras, números.

O código perfeito.

– Reid – sussurrei para ele. – Não foi um erro.

– Não – ele disse, descansando sua testa contra a minha. – Foi um sinal.

Epílogo

Voltar ao negócio de casamentos não fazia parte do plano.

Na sala dos fundos da loja, sentei-me no mesmo lugar em que já havia me sentado tantas vezes antes, uma galeria de páginas à minha frente.

Estava tudo lá, modelos para cada parte do trabalho: *save the dates*, convites, marcadores de lugar e até – ah, sim – um *programa*. À minha frente, estava um casal que há semanas se debruçava sobre ideias e sugestões, um casal que tinha ido esperando ver todas aquelas ideias transformadas em algo especial. Algo único, coeso, algo que fosse *eles*.

Era tudo tão familiar.

Ainda assim.

– Ah, Meg. Está *perfeito*. É tudo tão... tão...

– Extravagante? – ofereci, sorrindo do outro lado da mesa.

Sibby ergueu os olhos dos esboços, seus olhos brilhantes e seu sorriso combinando com o meu:

– Sim. É exatamente isso. Extravagante! Não é, Eli?

– Sim? – Elijah disse ao lado dela, olhando-nos alternadamente. Tive quase certeza de que ele realmente não sabia por que qualquer das coisas à sua frente seria classificada como "extravagante", mas parecia feliz mesmo assim, como tinha parecido durante todos os preparativos para seu casamento com Sibby.

Ao longo do último ano e meio, Sibby e eu desenvolvemos a nova versão de nossa amizade, algo que começou a ser forjado depois daquele dia em que ela voltou ao apartamento. Parte do trabalho que tivemos que fazer – além das longas e, às vezes, dolorosas conversas e da fundação de novas rotinas e tradições – foi nos atualizar sobre as partes da vida uma da outra que perdemos durante o tempo em que estivemos afastadas.

Para mim, isso incluiu conhecer Elijah mais de perto, e a melhor parte disso foi o quanto gostei dele, para além de "pelo menos ele é organizado" ou "pelo menos ele não come sua comida sem pedir".

Ele tinha uma fala tranquila e ficava satisfeito em ver Sibby brilhar; mas tinha um senso de humor astuto e bom gosto musical, e sempre que eu ia à casa deles para assistir *The Bachelorette*, ele fazia a pipoca.

– Agora, no programa – eu disse, movendo-o para o centro –, acho que com os realces metálicos que vocês escolheram para as ilustrações, é importante não colocar muito texto. Seus nomes, os nomes de seus pais, o...

– Seu nome aqui, certo? – Sibby cortou, batendo o dedo sob as letras que formavam *Festa de casamento.*

– Certo – eu disse, olhando para ela e sorrindo. Ela removeu a mão do programa para apertar a minha brevemente, seus olhos se enchendo de lágrimas. Já havia visto isso antes, é claro, noivas emotivas: aquelas explosões de sentimentos, ou estresse, ou felicidade pura e simples.

Mas com Sibby, sabia que a emoção daquele momento era diferente.

Afinal, demoramos um pouco para chegar até ali. Uma nova versão de melhores amigas, uma não tão enraizada em nosso passado – e padrões anteriores.

Apertei a mão dela de volta e repassei mais alguns elementos do trabalho, sugerindo mais algumas mudanças.

Então levantei-me, como faria se fosse qualquer dos meus antigos clientes no ramo do matrimônio. Era sempre uma boa ideia me afastar por alguns minutos, para dar-lhes um tempo para realmente ver o trabalho, sem a minha presença pairando por perto.

Avisei que voltaria em breve, dando uma última olhada nos tratamentos de um ângulo mais distante. Estava orgulhosa de como tinham ficado – as serifas elegantes e arrebitadas lembrando o delineador de gatinho favorito de Sibby, os ascendentes especialmente altos na cursiva complementar em homenagem à altura de Elijah.

Qualquer um que olhasse de perto veria a mensagem oculta ali, a única que importava: alguém que conhecia Sibby e Elijah – alguém que os amava – havia criado aquelas letras.

– Eles gostaram? – Lachelle perguntou, quando cheguei ao balcão, percebendo um sorriso meu de alívio. Tendo três catálogos de fornecedores abertos à sua frente e uma Sharpie vermelha na mão, ela marcava um X caprichoso ao lado dos itens que estava considerando comprar para a loja.

Seis meses antes, Cecelia havia anunciado que queria menos envolvimento no dia a dia na loja, já que seus filhos iriam para a faculdade em breve e ela e Shuhei queriam passar o máximo de tempo possível com eles. Depois disso, eles planejavam viajar mais, então o momento parecia perfeito. Ela não venderia o negócio, mas o reorganizaria, fechando a parte de varejo da loja e transformando-a em um negócio de convites personalizados, tudo com hora marcada com ela ou um de seus *freelancers*.

Para Lachelle – e honestamente, para mim também, embora não fosse da minha conta – essa ideia era ultrajante e ela opôs forte resistência. Algumas vezes, nas semanas seguintes ao anúncio inicial de Cecelia, eu entrava na loja a procura de materiais, apenas para encontrá-las orbitando uma ao redor da outra em uma polidez tensa; "com licença" isso e "você pode me passar a tinta, por favor" aquilo. Em um passado não muito distante, isso poderia me deixar nervosa e desconfortável o suficiente para evitar o lugar por completo, mas àquela altura, bem depois das revelações de Reid, eu me sentia quase à prova de fogo em relação aos confrontos mesquinhos da vida.

E, de qualquer forma, logo elas encontraram uma solução – Lachelle comprou parte da loja, assumindo o varejo e as operações, e Cecelia gerenciava os *freelancers* e o serviço personalizado.

No geral, a loja funcionava da mesma maneira que sempre funcionou: um fluxo constante de visitantes e frequentadores habituais, e o usual aumento nos serviços personalizados durante as temporadas de casamento e feriados de fim de ano. Mas Lachelle também estava mudando as coisas. Um rearranjo da planta do lugar, abrindo mais espaço para o novo varejo, mais aulas noturnas ministradas por alguns dos *freelancers* e – é claro – uma vitrine novinha em folha todo mês, de um jeito que aquele trecho de rua nunca havia visto.

– Eles adoraram – respondi, e nós duas olhamos para onde Elijah e Sibby estavam sentados, suas cabeças inclinadas juntas, ainda sorrindo sonhadoramente para o meu trabalho.

– Amor jovem – Lachelle disse, balançando a cabeça. – Ele provavelmente ainda abaixa o assento do vaso sanitário.

Eu a cutuquei.

– Ele é legal. De qualquer forma, o que você está pedindo para o fornecedor? Aquelas amostras que experimentei...

– Vou dizer o que *não* estou pedindo – ela informou, tampando a Sharpie e cruzando os braços antes de me encarar.

– Eu *seeeeei* – gemi, puxando meu celular do meu bolso. – Vou verificar novamente.

Atualizei minha página de e-mail, observando novas mensagens empilhando-se e empilhando-se, até que eu tivesse que rolar a tela para encontrar o nome que estava procurando.

– Espere! – exclamei, endireitando-me enquanto passava os olhos rapidamente pela mensagem do fornecedor de impressão com quem eu vinha trabalhando nos últimos meses. Um sorriso se espalhou pelo meu rosto quando li a boa notícia. – Duas semanas, diz aqui. Um reabastecimento completo.

– Uau! – Lachelle exclamou. – As coisas estão ficando *desesperadoras* por lá.

Ela gesticulou em direção à mesa meio vazia na frente da loja, o lugar especial que Cecelia e Lachelle reservaram para mim desde que a nova linha havia sido lançada três meses antes. Eu podia não ser sócia daquela loja, mas o cartaz que proclamava que a loja era o "berço" da nova linha Meg Mackworth me fazia sentir aquecida de contentamento, incluída no negócio da maneira mais perfeita possível.

Apesar do interlúdio daquela noite nos fundos da loja, eu não estava realmente de volta ao negócio de casamentos. Em vez disso, estava de volta ao meu próprio negócio, ou a uma nova versão dele, que tive que reconstruir, em parte, após as consequências da queda da Coster Capital.

Com muita determinação e trabalho duro – e a ocasional presença da princesa favorita de todos –, consegui manter a maioria dos meus clientes. Mas ter o nome nos noticiários teve seus custos – tempo gasto afastando a imprensa, reconsideração do meu site e mídias sociais, a percepção de que eu não conseguiria aceitar novos clientes em quantidade suficientes para compensar as perdas.

Então, no final, realmente não tive escolha. Precisei girar.

Precisei encontrar uma maneira de fazer meu trabalho do jeito que eu queria: a maneira pela qual eu tinha vencido meu bloqueio.

Lachelle e eu fomos até a mesa e comecei a arrumar os produtos que sobraram, uma explosão de orgulho passando por mim cada vez que eu via o logotipo que havia desenhado.

Harbinger, como nomeei, minha nova linha de produtos. Diários e *planners*, adesivos e artigos de papelaria, sem necessidade de mensagens ocultas. Aquelas peças eram o tipo certo de sinais – letras que lembravam um lugar, uma estação, um sentimento, uma ambição. Letras que diziam mais do que as palavras na página.

Lachelle não conseguia mantê-los em estoque, pois a saída era muito grande.

– Estes ainda são meus favoritos – ela disse, espalhando uma pilha de cadernos de capa mole, parte da minha série Parques de Nova York. Botânicos sempre serão populares, mas eu estava muito orgulhosa de não ter um único "Por onde for, floresça" à vista. – Mas agora é aquele com estampa *houndstooth* rosa que não consigo manter em estoque! Queria saber por quê. – Ela sorriu para mim.

– Ela é a melhor – respondi sorrindo enquanto pensava em Lark, que fez questão de ser fotografada com seu novo *planner Harbinger* duas vezes desde que havia voltado para Los Angeles (*sem* Cameron), onde tinha começado a filmar uma série de comédia romântica para uma enorme plataforma de *streaming*. Mas fora aquelas fotos supostamente sinceras de *paparazzi*, sempre que ela publicava algo do *set* em suas redes sociais, garantia que o *planner* estivesse em algum lugar à vista: na pequena mesa dentro de seu trailer, descansando em cima das folhas amassadas de seu roteiro, em seu colo enquanto alguém retocava a maquiagem, o cabelo em enormes bobes autoaderentes roxos brilhantes, ou debaixo do braço enquanto ela e um de seus colegas posavam para uma *selfie* pateta.

Chegando <3, ela sempre me mandava mensagem antes de um desses *posts* subir.

Mantínhamos contato por mensagens de texto e telefonemas e, duas vezes, ela foi a Nova York. Secretamente, acho que eu, Sibby e Lachelle tínhamos esperança de que ela voltasse para a Costa Leste para sempre. Cada vez que eu via seu grande sorriso cheio de dentes sob o sol da Califórnia, tinha a sensação de que talvez Lark estivesse em seu verdadeiro lar.

– Estava pensando – Lachelle disse – que é hora de produzir livros de colorir. Exclusivos para a loja. Sei que você recusou a proposta antes, quando todas as coisas do julgamento estavam acontecendo, mas agora você poderia...

Fomos interrompidas pelo barulho da porta da loja se abrindo, e eu o senti antes mesmo de levantar os olhos e vê-lo.

Mas, ainda assim, gostava de olhar para cima e vê-lo ali. Reid alto, magro, com aquele rosto de se olhar três vezes, os olhos encontrando os meus imediatamente, nenhum traço de tristeza neles.

– Boa noite – ele disse sério, sempre mais formal quando havia outras pessoas por perto.

– Ah, aqui está ele – Lachelle disse. – Ouça, preciso da sua ajuda com este *software* de folha de pagamento. Agora, há toda essa seção sobre subsídios para...

– Lachelle – eu disse, brincando –, ele não é um consultor de pequenas empresas.

– E daí? – ela retrucou. – Ele entende de números. Então, preciso...

Reid não disse nada além de sua saudação inicial, mas deu um passo adiante, ouvindo Lachelle com uma expressão séria no rosto, oferecendo-lhe um breve aceno ocasional de compreensão, enquanto ela fazia uma longa lista de queixas sobre o código tributário. Essa foi, na verdade, a maneira inicial pela qual Reid e Lachelle se conectaram quando se conheceram. Ela o chamava de Robin Hood na maioria das vezes, uma homenagem ao seu *status* heroico de delator, embora muitas vezes ele ainda achasse importante esclarecer para ela que não havia roubado ninguém.

– Só tentei apontar o roubo que outra pessoa estava fazendo – ele dizia, geralmente com aquele leve rubor nas bochechas.

Eu estava terminando de arrumar a mesa em que o material estava exposto quando ouvi Reid oferecendo suas sugestões a Lachelle – o mesmo tom firme e seguro que, eu tinha certeza, o tornava excelente em seu novo trabalho. Em segundos, ela estava agradecendo a ele, dizendo que iria "lidar com isso agora mesmo", antes que esquecesse tudo o que Reid explicou.

– Parece vazia – Reid disse, apontando para a mesa.

Eu sorri para ele.

– O bastante – observei gravemente, e ganhei um meio sorriso.

O pontapé inicial da *Harbinger* causou uma espécie de briga entre mim e Reid. Eu não tinha a reserva necessária para começar, para fechar o contrato com o fornecedor e comprar o *software* mais sofisticado e o equipamento de digitalização de que eu precisava. Mas Reid (prático, ás dos números) tinha, e tudo o que ele queria era me dar a quantia de que eu precisava.

– Pense no que você fez por mim – ele suplicou, praticamente me implorando.

Mas não fiz o que fiz por ele, fiz por *nós*. Uma maneira de começarmos nossas vidas mesmo quando estávamos enfrentando a tempestade. Depois de alguns meses, percebemos que não fazia sentido que Reid ficasse em seu apartamento. Mudar-se para o meu era a solução mais prática – mais distante do caos da queda de Coster, mais longe do trabalho que ele costumava ter. Mais perto do trabalho que ele esperava ter.

De qualquer forma, não era como se ele não tivesse que pagar aluguel.

Ainda assim, Reid insistiu que eu havia feito mais do que isso, que passei por um vendaval por ele. Todas as vezes que fui com ele para reuniões, depoimentos, dias no tribunal, minha cabeça erguida quando os repórteres gritavam perguntas para nós dois. Todos os jogos *Vamos passear no Brooklyn* com os quais o distraí enquanto ele lutava com a preocupação com Avery, que – não muito tempo depois da prisão de seu pai – se reconciliou com a gravidade de seus crimes. Todas as noites que me sentei em silêncio com ele, depois que alguma outra "fonte" aleatória ligada a Coster afirmar novamente que Reid não era nada mais do que um profissional medíocre, um sujeito atrás de vingança. Todos os dias em que me mantive firme ao seu lado, mesmo quando parecia que todo aquele assédio nunca acabaria.

– Não estamos disputando para ver quem faz mais ou menos! – exclamei uma vez, tentando manter meu temperamento sob controle, tentando argumentar com ele de uma maneira que entendesse.

Nem sempre funcionou, é claro. Houve algumas portas batidas, algumas refeições silenciosas com os dois amuados. Dias em que estávamos ambos tão nervosos, tensos, desgastados, que não conseguimos nos comunicar um com o outro de jeito nenhum.

Mas praticamos. Ficamos.

No final, encontramos um meio termo. Aceitei o dinheiro, não como um presente, mas um empréstimo, que já havia pago quase todo, aliás. Reid ficou ouriçado e meu orgulho ficou ferido, mas trabalhamos para fazer dar certo.

E às vezes – como naquele momento, quando ele se inclinava e me dava um beijo suave de saudação – eu pensava que aquilo tudo havia sido o melhor trabalho da minha vida.

– Como foi seu dia? – perguntei, tirando seu cabelo da testa. Ele já não voltava do trabalho todo elegante, o Reid de Wall Street tinha se ido há tempos. De manhã, ainda saía cedo de casa, pronto para seu nado diário, a roupa de trabalho passada a ferro e guardada cuidadosamente em uma capa protetora com cabide. Mas, quando terminava o dia, elas estavam sempre mais do que simplesmente amarrotadas.

– Difícil – respondeu, com um sorriso. – Eles me testam.

"Eles" eram os alunos de Reid, e nós dois sabíamos que a verdade era que ele gostava de ser testado.

Nos meses imediatamente após a prisão de Coster, não tinha como Reid trabalhar. Ele estava ocupado o tempo todo, constantemente assediado pela imprensa, inúmeros pedidos de entrevista – que jamais concedeu. Mas foi possível contatar discretamente muitos de seus professores de graduação, comunicar-se com faculdades e universidades da área que pudessem estar contratando professores. Para surpresa de Reid – mais ninguém, na verdade – muitas dessas faculdades e universidades ficaram extremamente interessadas em ter uma chance com um analista famoso, que pudesse impulsionar seus departamentos com palestras especiais sobre delações em Wall Street.

Assim como os pedidos de entrevista, Reid rejeitou as propostas, optando por lecionar em alguns cursos de Cálculo Avançado em uma faculdade comunitária. O pagamento era um lixo e as correções de trabalhos e testes pareciam intermináveis, mas Reid apenas dizia que era uma experiência de aprendizado "valiosa". Tanto quanto eu poderia dizer: Reid estava apenas sendo "testado" no que dizia respeito aos discípulos que juntou – alunos que queriam ficar depois da aula, jogando os jogos que ele havia projetado para eles, alunos que faziam o tipo de pergunta que só pode querer dizer que estavam interessados, alunos que o pressionavam para dizer se ele ia dar mais aulas nos próximos semestres...

Entretanto, à noite Reid chegava em casa e se preparava para outra jornada, estudando para tirar sua certificação de ensino do Estado de Nova York – esperando eventualmente conseguir trabalho em uma das escolas STEM do Brooklyn, com ênfase nas ciências, tecnologia, engenharia e matemática.

– Talvez – ele cogitou uma vez – eu pudesse ser bom com crianças que amam matemática. Ou... ou com aquelas que pudessem aprender a amá-la.

Pensei naquela foto de Reid em seu primeiro dia de aula. Aquela lousa com letras bolhas e aquele sorriso irreprimível. Disse a ele que também achava que ele poderia ser bom com esse público.

Então, limpei pó de giz de sua manga enquanto ele olhava para os fundos da loja.

– Ah – ele disse, sorrindo quando viu Sibby e Elijah, que se tornaram amigos próximos e leais dele, especialmente depois de todo apoio que nos deram naqueles meses iniciais e tumultuados. – Ela gostou?

– Adorou.

– Bom.

Como já fazia alguns dias desde que Reid e eu mal conseguíamos ficar juntos em casa – ambos ocupados com o trabalho – ouvi aquele "Bom" de todas as maneiras erradas para um local público e dei um passo para trás, me afastando dele.

– Vou ver como estão uma última uma vez – eu disse – e, então, podemos ir.

Mas ele segurou minha mão e me puxou de volta para ele.

– Espere um minuto – ele disse, e me senti corar. *Aquela* era, inconfundivelmente, a voz de quatro paredes.

– Reid – sussurrei severamente, mas não de todo sério.

– Quero conversar sobre o que você deixou na minha bolsa hoje – declarou. Ele a tirou do ombro e a depositou com cuidado em um dos espaços vazios da mesa de exibição.

Meu coração bateu em antecipação, como sempre acontecia naqueles momentos. Os jogos ainda jogávamos juntos.

Do bolso da frente, tirou uma folha de papel dobrada, desenrolou-a e colocou sobre a mesa.

– Esta carta – ele disse, apontando para as palavras que eu tinha escrito naquela manhã, toda em letra minúscula, *swashes* longos e em *loop* no início de cada palavra. – É um convite muito bom para jantar esta noite.

– Sim – respondi formalmente. – Acabou de abrir um novo restaurante de *lámen* a três quarteirões daqui. – Gesticulei em direção às palavras. – Vê? As letras são todas... em formato de macarrão.

– Sim, vejo – ele replicou, tentando esconder seu meio sorriso. – Mas vejo outra coisa aqui também.

– Ah, é?

– Levei algum tempo para decodificá-lo – ele disse. Mas pude ver que estava mentindo. Reid, doce, estoico e brincalhão. Sempre pronto para um jogo.

Ele se moveu de modo a ficar atrás de mim, colocando o braço ao meu redor e apontando.

– Mas descobri. – Lentamente, ele moveu as pontas dos dedos ao longo da página, parando brevemente em cada uma das letras que destaquei ligeiramente. Era só para Reid que eu escondia mensagens por enquanto. Meu rosto enrubesceu enquanto ele passava por cada uma, formando um pedido. Nossa, aquelas palavras pareciam muito menos sujas quando as escrevi de manhã!

– Acertei? – ele perguntou baixinho, sua respiração fazendo cócegas no meu pescoço. E estremeci com prazer frustrado.

– Você sempre foi bom em ler códigos – respondi.

Por breves segundos, seus lábios mergulharam para pressionar contra aquele ponto – bem ali na minha têmpora – e, em seu beijo suave, eu senti toda a história que fizemos e estávamos fazendo juntos, todas as letras e números que estávamos escrevendo e contando.

– E você, meu amor – ele disse –, sempre foi boa em enviá-los.

Agradecimentos

Primeiro, aos leitores: Muito obrigada por convidar Meg e Reid a habitar sua imaginação e, espero, seus corações. Significa muito para mim compartilhar esta história com vocês, e espero que vocês partilhem dos meus agradecimentos a algumas pessoas muito especiais que me ajudaram a trazê-la ao mundo.

Duas mulheres excepcionais merecem muito do crédito por *Caligrafia do amor*. Minha agente, Taylor Haggerty, que foi a primeira pessoa a ouvir minha ideia sobre Meg e Reid e o código secreto que compartilharam e que, durante todo o processo de escrita deste livro – desde a primeira sinopse até a frase final – me encorajou, lendo páginas quando eu tropeçava e torcendo por mim quando eu emergia novamente. Taylor, eu adoro você e sou muito grata por tudo que você fez e continua fazendo por mim.

Tive a sorte de trabalhar com a incomparável Esi Sogah em cinco livros e, para cada um, ela aplicou seu olhar aguçado para o personagem, para a história, para o som e para o sentido em cada uma de minhas frases. Mas para *Caligrafia do amor*, um livro que me desafiou de maneiras inesperadas, Esi fez muito mais – me orientando nas partes difíceis, fazendo novos arranjos quando eu precisava de mais tempo, e me ajudando a ver meu caminho com mais clareza do que eu teria sido capaz sem sua visão. E para além de tudo isso: ela é simplesmente a pessoa mais divertida de se trabalhar, a pessoa mais divertida de se conhecer e de estar por perto. Esi, por tudo isso e muito mais, devo a você um lugar na primeira fila de algum musical onde você se deleitará em minhas urticárias de constrangimento.

A equipe da Kensington Books, em geral, tem minha sincera gratidão por acreditar neste livro e por ajudá-lo a chegar ao mundo de forma tão bela. Por seu trabalho e apoio, agradeço a Michelle Addo, Lynn Cully, Jackie Dinas, Vida Engstrand, Susanna Gruninger, Sheila Higgins, Norma Perez-Hernandez, Lauren Jernigan, Samantha McVeigh, Alexandra Nicolajsen, Kristine Noble, Carly Sommerstein e Steve Zacharius.

No verão de 2018, sentei-me em um restaurante vegano pequeno, um pouco barulhento e um tanto mal iluminado no Brooklyn, e conheci a brilhante Sarah MacLean. Tenho uma grande dívida com Sarah – por amar a minha ideia, por ter lido páginas quando eu estava emperrada e por se tornar uma amiga dedicada que me apoiou muito. De maneira mais geral, o que eu diria é que sou grata, nos últimos anos, por ter aprendido algo que Meg aprende nas páginas deste livro – que ser criativa não significa ser solitária, e tantos amigos na comunidade de literatura romântica merecem meus agradecimentos. Posso citar apenas uma pequena fração deles aqui, especialmente para este livro: Olivia Dade (que merece crédito especial por me ensinar essa lição com muita paciência e por me ajudar a moldar a primeira metade deste manuscrito), Therese Beharrie, Alyssa Cole, Jen DeLuca, Elizabeth Kingston, Ruby Lang e Jennifer Prokop. Obrigada por serem escritoras que admiro e, mais importante, obrigada por serem amigas que ouvem, incentivam e celebram. Só posso esperar que eu tenha feito por vocês uma pequena parte do que vocês fazem por mim.

À minha família (e sogros!) – obrigada por acreditarem em mim, mesmo quando faço de tudo para não acreditar em mim mesma, e obrigada por sua paciência e gentileza cada vez que empreendo um novo projeto. Às minhas adoráveis e solidárias amigas, que tiveram que evitar que eu me afogasse em um momento difícil – Amy (que leu cada página deste livro, às vezes *enquanto* ele estava sendo escrito), Elizabeth, Jackie, Joan, Niamh, Sarah, (outra!) Amy – vocês são mais importantes para mim do que jamais poderia expressar. Suas vozes existem neste livro, mensagens ocultas de amor que lhes enviei ao longo do caminho.

Por fim, ao meu marido – espero que considere isso um *grandessíssimo* elogio – você é e sempre foi minha inspiração. Obrigada por passar horas rastreando letreiros comigo em sua cidade não favorita, e obrigada por nunca duvidar de que eu poderia transformá-los em algo especial.

SUA OPINIÃO É MUITO IMPORTANTE

Mande um e-mail para **opiniao@vreditoras.com.br**
com o título deste livro no campo "Assunto".

1ª edição, mar. 2023

FONTES Minion Pro 10,75/16,3pt
Cochin Bold 27/16,3pt
PAPEL Pólen® Bold 70g/m²
IMPRESSÃO Geográfica
LOTE GEO24012022